O jeito WARREN BUFFETT de investir

www.saraivauni.com.br

Editora Saraiva

Av. Marquês de São Vicente, 1697 – CEP: 01139-904
Barra Funda – TEL.: PABX (0XX11) 3613-3000
Fax: (11) 3611-3308 – Televendas: (0XX11) 3613-3344
Fax Vendas: (0XX11) 3611-3268 – São Paulo - SP
Endereço Internet: http://www.editorasaraiva.com.br

Filiais:

AMAZONAS/RONDÔNIA/RORAIMA/ACRE
Rua Costa Azevedo, 56 – Centro
Fone/Fax: (0XX92) 3633-4227 / 3633-4782 – Manaus

BAHIA/SERGIPE
Rua Agripino Dórea, 23 – Brotas
Fone: (0XX71) 3381-5854 / 3381-5895 / 3381-0959 – Salvador

BAURU/SÃO PAULO (sala dos professores)
Rua Monsenhor Claro, 2-55/2-57 – Centro
Fone: (0XX14) 3234-5643 – 3234-7401 – Bauru

CAMPINAS/SÃO PAULO (sala dos professores)
Rua Camargo Pimentel, 660 – Jd. Guanabara
Fone: (0XX19) 3243-8004 / 3243-8259 — Campinas

CEARÁ/PIAUÍ/MARANHÃO
Av. Filomeno Gomes, 670 – Jacarecanga
Fone: (0XX85) 3238-2323 / 3238-1331 – Fortaleza

DISTRITO FEDERAL
SIG Sul Qd. 3 – Bl. B – Loja 97 – Setor Industrial Gráfico
Fone: (0XX61) 3344-2920 / 3344-2951 / 3344-1709 – Brasília

GOIÁS/TOCANTINS
Av. Independência, 5330 – Setor Aeroporto
Fone: (0XX62) 3225-2882 / 3212-2806 / 3224-3016 – Goiânia

MATO GROSSO DO SUL/MATO GROSSO
Rua 14 de Julho, 3148 – Centro
Fone: (0XX67) 3382-3682 / 3382-0112 – Campo Grande

MINAS GERAIS
Rua Além Paraíba, 449 – Lagoinha
Fone: (0XX31) 3429-8300 – Belo Horizonte

PARÁ/AMAPÁ
Travessa Apinagés, 186 – Batista Campos
Fone: (0XX91) 3222-9034 / 3224-9038 / 3241-0499 – Belém

PARANÁ/SANTA CATARINA
Rua Conselheiro Laurindo, 2895 – Prado Velho
Fone: (0XX41) 3332-4894 – Curitiba

PERNAMBUCO/ ALAGOAS/ PARAÍBA/ R. G. DO NORTE
Rua Corredor do Bispo, 185 – Boa Vista
Fone: (0XX81) 3421-4246 / 3421-4510 – Recife

RIBEIRÃO PRETO/SÃO PAULO
Av. Francisco Junqueira, 1255 – Centro
Fone: (0XX16) 3610-5843 / 3610-8284 – Ribeirão Preto

RIO DE JANEIRO/ESPÍRITO SANTO
Rua Visconde de Santa Isabel, 113 a 119 – Vila Isabel
Fone: (0XX21) 2577-9494 / 2577-8867 / 2577-9565 – Rio de Janeiro

RIO GRANDE DO SUL
Av. A. J. Renner, 231 – Farrapos
Fone: (0XX51) 3371-4001
Porto Alegre

S. JOSÉ DO RIO PRETO/SÃO PAULO (sala dos professores)
Av. Brig. Faria Lima, 6363 – Rio Preto Shopping Center – V. São José
Fone: (0XX17) 227-3819 / 227-0982 / 227-5249
São José do Rio Preto

S. JOSÉ DOS CAMPOS/SÃO PAULO (sala dos professores)
Rua Santa Luzia, 106 – Jd. Santa Madalena
Fone: (0XX12) 3921-0732 – São José dos Campos

SÃO PAULO
Av. Marquês de São Vicente, 1697 – Barra Funda
Fone: PABX (0XX11) 3613-3000 / 3611-3308 – São Paulo

ISBN 978-85-02-06764-6

CIP — BRASIL. CATALOGAÇÃO NA FONTE
SINDICATO NACIONAL DOS EDITORES DE LIVROS, RJ

Hagstrom, Robert G., 1956-
O jeito Warren Buffett de investir: os segredos do maior investidor do mundo / Robert G. Hastrom ; prefácio de Bill Miller ; introdução de Kenneth L. Fisher ; tradução Cristina Yamagami. – São Paulo : Saraiva, 2008.

Tradução de: The Warren Buffett Way, 2nd ed
Inclui bibliografia
ISBN 978-85-02-06764-6

1. Buffett, Warren, 1930-. 2. Capitalistas e financistas – Estados Unidos – Biografia. 3. Investimentos. 4. Mercado financeiro. I. Título.

CDD 332.6
08-0564 CDU 336.76

Traduzido de *The Warren Buffett Way*, de Robert G. Hagstrom.
Tradução autorizada da edição original em inglês publicada por John Wiley & Sons, Inc., Hoboken, New Jersey.
Publicada simultaneamente no Canadá.

Diretora editorial
Flávia Helena Dante Alves Bravin

Gerente editorial
Marcio Coelho

Editores
Rita de Cássia da Silva
Ana Maria da Silva

Produção editorial
Viviane Rodrigues Nepomuceno
Juliana Nogueira Luiz

Suporte editorial
Rosana Peroni Fazolari

Produção, capa e projeto gráfico
Candombá

Tradução
Cristina Yamagami

Revisão técnica
Marco Antonio Penteado

Robert G. Hagstrom

O jeito WARREN BUFFETT de investir

Os segredos do maior investidor do mundo

Tradução da 2ª edição americana

Editora Saraiva

APRESENTAÇÃO DA SEGUNDA EDIÇÃO

Bill Miller
CEO, Legg Manson Capital Management

A primeira edição deste livro, lançada em 1994, rapidamente se tornou um fenômeno. Até agora, mais de 1,2 milhão de exemplares foram vendidos. A popularidade do livro é uma prova da exatidão de sua análise e do valor de seus conselhos.

Sempre que o assunto é Warren Buffett, é fácil se impressionar com a grandeza dos números. Enquanto a maioria dos investidores pensa em termos de centenas, ou talvez milhares, Buffett transita em um mundo de milhões e bilhões. Mas isso não significa que ele não tenha nada a nos ensinar. É justamente o contrário. Se observarmos o que ele faz e o que fez e formos capazes de discernir o seu pensamento subjacente, podemos modelar nossas decisões de acordo com as dele.

É essa a profunda contribuição do livro de Robert Hagstrom. Ele observou atentamente as ações, as palavras e as decisões de Warren Buffett durante vários anos e as analisou em busca de padrões. Neste livro, esses padrões são refinados em 12 princípios atemporais que orientam a filosofia de investimentos de Buffett em todas as circunstâncias e em todos os mercados, sendo válidos para orientar qualquer investidor.

O valor do trabalho de Robert se deve a seu foco claro — apesar de o livro tratar de técnicas de investimento, ele é fundamentalmente uma obra sobre princípios de investimento. E princípios não mudam. Eu quase posso ouvir Warren dizendo, com seu sorriso irônico: "É por isso que são chamados de princípios".

Os últimos dez anos demonstram claramente essa verdade básica. Nesses dez anos, as tendências do mercado de ações mudaram repetidas vezes. Testemunhamos o crescimento de uma bolha que voou alto e enriqueceu muita gente, mas que explodiu e iniciou um prolongado e doloroso período de baixa. Isso se manteve até a primavera de 2003, quando o mercado atingiu o fundo do poço e começou a reagir.

A abordagem de investimentos de Warren Buffett, entretanto, permaneceu inalterada. Ele continuou a seguir os mesmos princípios esboçados neste livro:

- Pense na compra de ações como a compra de lucros fracionários do negócio por inteiro.
- Construa uma carteira focada e de baixo giro.
- Só invista no que for capaz de entender e analisar.
- Exija uma margem de segurança entre o preço de compra e o valor da empresa no longo prazo.

Os investidores da Berkshire Hathaway, como sempre, colhem os benefícios dessa abordagem estável. Desde o início da recuperação do mercado em 2003, as ações da Berkshire Hathaway subiram cerca de US$ 20 mil por unidade, mais de 30%, superando em muito o retorno médio do mercado no mesmo período.

Existe uma corrente do pensamento financeiro que começa com Benjamin Graham, passa por Warren Buffett e seus contemporâneos e segue até profissionais da próxima geração, como Robert Hagstrom. Buffett, o mais famoso discípulo de Graham, costuma aconselhar investidores a estudar seu livro *O investidor inteligente*. Eu faço a mesma recomendação com freqüência. Estou convencido de que a obra de Robert compartilha uma qualidade essencial com o clássico de Graham: os conselhos podem não enriquecê-lo, mas é altamente improvável empobrecer com eles. Se compreendidos e praticados de forma inteligente, os princípios e as técnicas apresentados neste livro devem transformá-lo em um investidor mais competente.

APRESENTAÇÃO DA PRIMEIRA EDIÇÃO

Peter S. Lynch

Numa noite no início de 1989, eu estava em casa quando o telefone tocou. Minha filha do meio, Annie, então com 11 anos, atendeu. Ela me disse que era Warren Buffett. Eu estava convencido de que só poderia ser um trote. A pessoa do outro lado da linha começou dizendo: "Aqui é Warren Buffett de Omaha [como se eu pudesse confundi-lo com outro Warren Buffett]. Acabei de ler seu livro e adorei. Gostaria de citar algumas partes no relatório anual da Berkshire. Eu sempre quis escrever um livro, mas nunca consegui parar para escrever". Ele falava muito rápido, com muito entusiasmo, e deve ter dito umas 40 palavras, entremeadas por algumas risadas, em 15 ou 20 segundos. Eu imediatamente concordei com o pedido e acho que conversamos por cinco ou dez minutos. Eu me lembro dele concluindo a ligação ao dizer: "Se um dia vier a Omaha e não me visitar, o seu nome estará na lama em Nebraska".

Para evitar ver meu nome na lama em Nebraska, aceitei a oferta cerca de seis meses depois. Warren Buffett me conduziu em uma excursão por cada metro quadrado do escritório (o que não levou muito tempo, já que as instalações ocupariam menos da metade de uma quadra de tênis), quando cumprimentei cada um dos 11 funcionários. Eu não vi nenhum computador ou terminal de cotação de ações.

Cerca de uma hora depois fomos a um restaurante, onde segui seu conselho e pedi um filé maravilhoso e minha primeira Cherry Coke em 30 anos. Conversamos sobre os empregos que tivemos na juventude, beisebol, *bridge* e empresas nas quais investimos no passado. Warren respondeu minhas perguntas e falou sobre os investimentos e a operação da Berkshire (ele nunca chamava sua empresa de Berkshire Hathaway).

Por que Warren Buffett foi o melhor investidor da história? Como ele é como pessoa, acionista, gestor e proprietário de empresas? O que é tão singular nos relatórios anuais da Berkshire Hathaway, por que ele dedica tanto esforço a isso e o que se pode aprender com eles? Para tentar responder a essas perguntas, conversei diretamente com ele e reli os últimos cinco relatórios anuais e seus primeiros relatórios como presidente do conselho (os relatórios de 1971 e 1972 tinham apenas duas páginas de texto cada). Além disso, conversei com nove pessoas que estiveram ativamente envolvidas com Warren Buffett em diferentes relacionamentos e de diferentes pontos de vista num período que vai dos últimos quatro anos a mais de 30 anos: Jack Byrne, Robert Denham, Don Keough, Carol Loomis, Tom Murphy, Charlie Munger, Carl Reichardt, Frank Rooney e Seth Schofield.

Em termos de suas qualidades pessoais, as respostas foram conclusivas. Warren Buffett é, antes de mais nada, uma pessoa muito satisfeita consigo mesma. Ele adora tudo o que faz, seja lidar com pessoas ou ler pilhas de relatórios anuais e trimestrais e diversos jornais e periódicos. Como investidor ele é disciplinado, paciente, flexível, corajoso, confiante e decidido. Está sempre em busca de investimentos onde o risco seja eliminado ou minimizado. Ademais, ele é um adepto das probabilidades, um criador de possibilidades. Acredito que essa habilidade seja proveniente de uma paixão natural por cálculos matemáticos simples, sua dedicação ao *bridge*, sua longa experiência com o *underwriting*[1] e da aceitação de altos níveis de risco em seguros e resseguros. Buffett está disposto a assumir riscos quando as chances de perda total são baixas e as probabilidades de lucro futuro são substanciais. Ele lista todos os seus fracassos e erros e não inventa desculpas. Adora ironizar a si mesmo e elogia seus associados em termos objetivos.

Warren Buffett é um grande estudioso dos negócios e um excelente ouvinte, capaz de identificar as principais características de uma empresa ou de questões complexas com rapidez e precisão. É capaz de decidir não investir em algo em dois minutos e concluir que é o momento de fazer uma grande compra com apenas alguns dias de pesquisa. E está sempre preparado, já que, como disse em um relatório anual, "Noé não começou a construir a Arca depois que começou a chover".

Como gestor, ele quase nunca procura diretores ou CEOs de empresas, mas se deleita sempre que o procuram a qualquer hora do dia ou da noite para informar alguma coisa ou em busca de conselhos. Depois de investir em determinadas ações ou comprar empresas, Buffett se transforma em um ferrenho defensor dessas operações: "Na Berkshire, não dizemos aos melhores rebatedores como girar o taco", ele resume com uma analogia ao beisebol.

Dois exemplos da disposição de Warren Buffett para aprender e se adaptar são seus discursos ao público e o uso do computador. Na década de 1950, Warren investiu US$ 100 em um curso com Dale Carnegie[2] "não para evitar que meus joelhos tremessem ao falar em público, mas para conseguir falar em público com os joelhos tremendo". Na reunião anual da Berkshire, diante de mais de 2 mil pessoas, Warren Buffett divide o palco com Charlie Munger e, sem levar nada por escrito, conduz a palestra e responde perguntas com um estilo que agradaria Will Rogers, Ben Graham, Phil Fisher, David Letterman, Billy Crystal e até mesmo ao rei Salomão. No início de 1994, Warren aprendeu a usar o computador para participar de uma rede na qual é possível jogar *bridge* com outras pessoas espalhadas pelos Estados Unidos. Num futuro próximo, talvez Buffett comece a utilizar algumas das centenas de serviços de coleta de dados e informações sobre empresas, atualmente disponíveis para pesquisas de investimentos.

Warren Buffett enfatiza que o principal fator de investimento é identificar o valor intrínseco de um negócio e pagar um preço justo ou baixo. Ele não se importa com as tendências do mercado de ações no presente ou no futuro. Buffett comprou mais de US$ 1 bilhão em ações da Coca-Cola em 1988 e 1989, depois de o preço das ações ter subido mais de 400% nos seis anos anteriores e de elas estarem cotadas a um valor 500 vezes acima do que valiam na década de 1920. Ele quadruplicou o investimento em três anos e planeja continuar ganhando com a Coca-Cola daqui a cinco, dez, 20 anos. Em 1976, Buffett comprou uma participação da GEICO depois de as ações terem despencado de US$ 61 para US$ 2, apesar de a percepção do mercado ser que elas bateriam no fundo do poço a qualquer momento.

Como um investidor comum pode empregar os métodos de Warren Buffett? Buffett nunca investe em negócios que não é capaz de entender ou que estejam fora de seu "círculo de competência". Todos os investidores podem, com o tempo, criar e ampliar seu "círculo de competência" em setores no qual estejam profissionalmente envolvidos ou em setores nos quais tenham interesses. Uma pessoa não precisa estar certa na maior parte das vezes ao longo da vida; como Warren afirma, 12 decisões de investimento que tomou em sua carreira de 40 anos fizeram toda a diferença.

O risco pode ser muito reduzido ao se concentrar em apenas algumas empresas se isso forçar os investidores a agir com mais cautela e aprofundar suas pesquisas. De modo geral, mais de 75% das participações em ações ordinárias da Berkshire correspondem a apenas cinco títulos diferentes. Um dos princípios claramente demonstrados várias vezes neste livro é o de comprar bons negócios quando eles estiverem atravessando problemas temporários ou quando o mercado de ações cai e gera preços baixos para papéis excelentes. Pare de tentar prever a direção do mercado de ações, da economia, das taxas de juros ou das eleições e pare de desperdiçar dinheiro com pessoas que vivem disso. Estude os fatos e as condições financeiras, avalie o panorama futuro da empresa e compre quando tudo estiver a seu favor. Muitas pessoas investem como quem passa a noite inteira jogando pôquer sem ao menos olhar para as cartas.

Raros investidores teriam os conhecimentos e a coragem necessários para comprar papéis da GEICO a US$ 2, ou da Wells Fargo ou da General Dynamics em meio a crises, enquanto várias analistas afirmavam que essas empresas enfrentavam problemas substanciais. Entretanto, Warren Buffett comprou ações de empresas como Capital Cities/ABC, Gillette, Washington Post, Affiliated Publications, Freddie Mac e Coca-Cola (que geraram mais de US$ 6 bilhões em lucros para a Berkshire Hathaway, ou 60% do patrimônio dos acionistas da empresa, que é de US$ 10 bilhões), todas bem administradas e com sólidos históricos de lucratividade, empresas líderes em seus setores.

Warren Buffett utiliza o relatório anual da Berkshire para ajudar não só seus acionistas, como o público em geral, a investir melhor. Ele descende de editores de jornal dos dois lados da família, e sua tia Alice foi professora de uma escola pública por mais de 30 anos. Warren Buffett gosta tanto de ensinar quanto de escrever sobre negócios em geral e investimentos em particular. Ele lecionou como voluntário quando tinha 21 anos de idade na University of Nebraska, em Omaha. Em 1955, quando trabalhava em Nova York, Buffett deu um curso para adultos sobre o mercado de ações na escola Scarsdale, de ensino médio. Durante dez anos, do final da década de 1960 à década de 1970, ele deu palestras gratuitas na Creighton University. Em 1977, atuou em um comitê liderado por Al Sommer Jr., oferecendo consultoria para a Securities and Exchange Commission sobre a publicação de informações corporativas. Depois desse envolvimento, a escala dos relatórios anuais da Berkshire mudou radicalmente a partir do relatório de 1977, escrito no final de 1977 e início de 1978. O formato ficou mais parecido ao dos relatórios societários elaborados por ele entre 1956 e 1969.

Desde o início da década de 1980, os relatórios anuais da Berkshire têm informado os acionistas sobre o desempenho das posições detidas pela empresa e seus novos investimentos, atualizado a situação do setor de seguros e resseguros e (desde 1982) relacionado os critérios para a aquisição de empresas que a Berkshire gostaria de comprar. O relatório é pontuado de exemplos, analogias, histórias e metáforas explicando o que fazer e o que não fazer no investimento em ações.

Warren Buffett definiu um alto padrão para o desempenho futuro da Berkshire ao estabelecer um objetivo de crescimento do valor intrínseco em 15% ao ano no longo prazo, uma meta que poucas pessoas, e ninguém além dele entre 1956 e 1993, conseguiu cumprir. Ele afirmou que esse padrão será difícil de manter devido ao porte muito maior da empresa, mas que sempre existem oportunidades e a Berkshire mantém muitos recursos livres para novos investimentos e cresce a cada ano. Sua confiança é de alguma forma enfatizada nas nove palavras finais do relatório anual de junho de 1993: "A Berkshire não declara dividendos em dinheiro desde 1967".

Warren Buffett declarou que sempre quis escrever um livro sobre investimentos. Espero que isso aconteça um dia. Contudo, até lá, seus relatórios anuais preenchem essa função em estilo de alguma forma similar ao de autores do século XIX, que escreviam no formato de folhetim, como Edgar Allan Poe, William Makepeace Thackery e Charles Dickens. Os relatórios anuais da Berkshire Hathaway de 1977 até 1993 compõem 17 capítulos desse livro. E, é claro, nesse meio-tempo, também podemos contar com *O jeito Warren Buffett de investir*, no qual Robert Hagstrom esboça a carreira de Buffett e apresenta exemplos de como sua técnica e seus métodos de investimento evoluíram, além das pessoas envolvidas nesse processo. O livro também detalha as principais decisões de investimentos que resultaram no inigualável recorde de desempenho de Buffett. Por fim, ele contém o pensamento e a filosofia de um investidor que consistentemente ganhou dinheiro utilizando ferramentas disponíveis a qualquer pessoa, independentemente de sua situação financeira.

PREFÁCIO

Robert G. Hagstrom

Há cerca de 20 anos, quando estava em treinamento para me tornar um corretor de investimentos da Legg Mason, recebi um relatório anual da Berkshire Hathaway como parte do material de treinamento. Foi meu primeiro contato com Warren Buffett.

Como a maioria das pessoas que lêem os relatórios anuais da Berkshire, fiquei imediatamente impressionado com o estilo claro de Buffett. Como acontecia com a maior parte dos jovens profissionais da área na década de 1980, percebi que minha cabeça girava sem parar quando eu tentava acompanhar o mercado de ações, a economia e a constante compra e venda dos títulos. Mas sempre que lia uma história sobre Warren Buffett ou um artigo escrito por ele, sua voz lógica parecia se destacar sobre o caos do mercado. Foi sua influência tranqüilizadora que me inspirou a escrever este livro.

O principal desafio que enfrentei foi comprovar ou refutar a seguinte afirmação de Buffett: "O que [eu] faço não está fora do alcance da competência de qualquer pessoa". Alguns críticos argumentam que, apesar de seu sucesso, as idiossincrasias de Warren Buffett implicam que sua abordagem de investimento não pode ser amplamente adotada. Eu discordo. Warren Buffett é idiossincrático — essa é uma fonte de seu sucesso —, mas sua metodologia, uma vez compreendida, é aplicável tanto para indivíduos quanto para instituições. Meu objetivo com este livro é ajudar os investidores a empregar as estratégias que tornaram Warren Buffett bem-sucedido.

Esta obra descreve, em sua essência, uma abordagem simples. Não há programas de computador para aprender, nem volumosos manuais de investimentos para decifrar. Independentemente de você ser financeiramente capaz de comprar 10% de uma empresa ou meras centenas de ações, este livro pode ajudá-lo a conseguir retornos lucrativos em investimentos.

Mas não tente julgar a si mesmo comparando-se a Warren Buffett. Suas cinco décadas de experiência como proprietário e investidor em negócios fazem com que seja improvável conseguir imitar seus retornos históricos de investimento. Em vez disso, compare o progresso de seus resultados com o seu grupo de colegas, independente de este grupo investir em fundos mútuos ativamente administrados, em fundos de índices ou no mercado como um todo.

A edição original deste livro foi um grande sucesso e me sinto gratificado pelo fato de tantas pessoas o terem considerado útil. Seu sucesso é, antes de tudo, um testamento a Warren Buffett, cuja sagacidade e integridade vêm encantando milhões de pessoas ao redor do mundo; e cujos intelecto e recordes de investimento têm, durante anos, fascinado os investidores, eu inclusive. Essa combinação faz de Warren Buffett a figura mais popular do mundo dos investimentos de hoje.

Eu nunca me encontrei com Warren Buffett antes de escrever este livro e não o consultei durante seu desenvolvimento. Apesar de saber que as consultas certamente teriam sido de grande ajuda, tive a sorte de poder recorrer a seus vários escritos sobre investimentos em um período de mais de quatro décadas. Ao longo do livro, usei extensas citações dos relatórios anuais da Berkshire Hathaway, em especial as famosas Cartas do Presidente do Conselho. O senhor Buffett me concedeu permissão para utilizar esse material protegido por direitos autorais, mas somente depois de ter analisado o livro. Essa permissão de maneira alguma implica sua cooperação com o livro ou a disponibilização de documentos ou estratégias secretas que não estivessem disponíveis em suas comunicações ao público.

Quase tudo o que Buffett faz é público, mas registrado de forma livre. Na minha opinião, era necessário e de grande valor para os investidores fazer uma profunda análise de seus pensamentos e estratégias alinhados com as compras que a Berkshire fez ao longo dos anos — compilados em uma única fonte. E foi esse o ponto de partida da edição original do livro.

Esta edição revisada, dez anos mais tarde, mantém o mesmo objetivo básico: estudar as ações mais recentes de Buffett para identificar as lições de investimento implícitas e analisar se as mudanças no cenário financeiro motivaram mudanças em suas estratégias.

Alguns fatores rapidamente se tornaram claros. O nível de atividade de Buffett no mercado de ações caiu significativamente nos últimos anos; ele comprou empresas inteiras com mais freqüência do que comprou ações. Ocasionalmente se voltou com mais ênfase aos títulos — corporativos com classificação de crédito, do governo e até de alto rendimento —, abandonando-os quando se tornaram menos atraentes.

Algumas dessas empresas são analisadas nos capítulos que se seguem, junto com uma discussão quanto a como suas características refletem os princípios do estilo de Warren Buffett. Entretanto, como muitas destas empresas eram de propriedade privada antes de Buffett tê-las comprado, seus dados financeiros específicos não estavam disponíveis ao público. Dessa forma, não tenho como discernir com certeza o que Buffett pode ter pensado das condições econômicas das empresas em questão, além de afirmar que ele claramente gostou do que viu.

Durante a produção desta edição atualizada, aproveitei a oportunidade de incorporar alguns materiais que não faziam parte do livro original. Acrescentei um capítulo sobre o estilo de gerenciamento de carteira de Buffett, um estilo que ele rotulou de "investimento focado". Trata-se de uma pedra fundamental de seu sucesso, e eu o recomendo vivamente. Também incluí um capítulo sobre a psicologia do dinheiro, as várias formas nas quais a emoção perturba as boas decisões. Para investir de forma sábia, é necessário se conscientizar de todas as tentações de se comportar de modo imprudente. Isso é necessário por duas razões: se você souber como reconhecer as armadilhas emocionais, é possível evitá-las. E você será capaz de reconhecer os passos equivocados dos outros a tempo de lucrar com os erros deles.

Dez anos pode ser muito ou pouco tempo, a depender de suas circunstâncias e de sua visão pessoal do mundo. Para os investidores, podemos dizer que, ao longo desses dez anos, o contexto mudou, mas não os fundamentos. Isso é bom, porque, nos próximos dez anos, o contexto pode mudar de volta ou mudar em uma direção completamente diferente. Aqueles que permanecem fiéis a princípios básicos têm maiores chances de sobreviver a turbulências do que os que não o fazem.

Nos dez anos desde que escrevi a primeira edição deste livro o nível de ruídos no mercado de ações continuou a aumentar, algumas vezes chegando a ser ensurdecedor. Comentaristas na televisão, escritores, analistas e estrategistas do mercado tentavam falar mais alto do que os outros para chamar a atenção dos investidores. Ao mesmo tempo, muitos investidores estão envolvidos em salas de bate-papo e fóruns na internet, trocando informações questionáveis e dicas enganosas. Entretanto, apesar da grande disponibilidade de informações, os investidores têm cada vez mais dificuldades em auferir lucros. Alguns são pressionados a insistir. Os preços das ações atingem as alturas sem motivos claros e mergulham em queda livre com a mesma rapidez. As pessoas que se voltaram aos investimentos para custear a educação dos filhos ou a própria aposentadoria estão inseguras. Muitas vezes não parece haver lógica no mercado, apenas uma grande insensatez.

Muito acima da loucura do mercado estão a sabedoria e os conselhos de Warren Buffett. Em um ambiente que parece favorecer o especulador e não o investidor, os conselhos de investimento de Buffett se provam, cada vez mais, um porto seguro para milhões de investidores perdidos. Ocasionalmente, investidores fracassados gritarão: "Mas desta vez é diferente"; e ocasionalmente estarão certos. A política gera surpresas, os mercados reagem e a economia reverbera em um tom levemente diferente. Novas empresas continuam a nascer enquanto outras amadurecem. Os setores evoluem e se adaptam. As mudanças são constantes, mas os princípios de investimento esboçados neste livro permaneceram os mesmos.

Eis uma lição sucinta e poderosa, do relatório anual de 1996: "Nossa meta como investidores deve ser simplesmente comprar, a preços razoáveis, negócios facilmente compreendidos cujos lucros serão, com certeza quase absoluta, concretamente mais altos em cinco, dez, 20 anos. Com o tempo, encontraremos apenas algumas empresas que atendem a esses padrões — de forma que, quando virmos uma que se qualifica, devemos comprar uma quantidade significativa de ações".

Independente do nível de recursos que tenha disponível para investir, do setor ou empresa na qual se interessa, você não poderá encontrar um critério melhor do que esse.

INTRODUÇÃO

Kenneth L. Fisher

Meu pai, Philip A. Fisher, via com grande orgulho a adoção, por Warren Buffett, de algumas de suas idéias e o longo e amigável relacionamento entre eles. Se estivesse vivo para escrever esta introdução, meu pai teria agarrado a oportunidade de compartilhar alguns dos bons sentimentos que vivenciou ao longo do seu relacionamento de décadas com um dos poucos homens cuja estrela dos investimentos brilhava a ponto de empalidecer a sua. Meu pai gostava sinceramente de Warren Buffett e sentia-se honrado com o fato de Buffett ter adotado algumas de suas idéias. Meu pai faleceu em 1996 — exatamente três meses antes de eu ter recebido uma carta inesperada onde era convidado a escrever sobre ele e Warren Buffett. Essa introdução me ajudou a ligar alguns pontos e a tirar algumas conclusões em relação ao meu pai e o senhor Buffett. Para os leitores deste livro espero poder proporcionar uma visão muito pessoal de um período importante da história dos investimentos e algumas idéias sobre como utilizar esta obra maravilhosa.

Não discorrerei sobre o senhor Buffett, já que ele é o objeto deste livro e Robert Hagstrom explorou esse tema com elegância e discernimento. Já se sabe que meu pai foi uma influência importante para Warren Buffett e, como ilustrado pelo senhor Hagstrom, essa influência tem transparecido de forma mais clara no pensamento de Buffett nos últimos anos. Por seu lado, quanto mais meu pai conhecia Warren Buffett, mais admirava suas qualidades, que sentia serem essenciais para o sucesso nos investimentos, apesar de raras nos administradores de investimentos.

Quando Buffett visitou meu pai há 40 anos, em um mundo com ferramentas de informação relativamente primitivas para os padrões atuais, meu pai tinha suas próprias técnicas para a coleta de informações. Ao longo das décadas, ele desenvolveu aos poucos um círculo de amizades — profissionais de investimento que ele respeitava e que o conheciam bem o suficiente para compreender no que ele se interessava ou não — com pessoas que pudessem compartilhar boas idéias com ele. Para esse fim, ele concluiu que conversaria com qualquer jovem profissional da área de investimentos pelo menos uma vez. Se o jovem lhe causasse uma boa impressão, ele marcaria um novo encontro e desenvolveria um relacionamento. Ele raramente via uma pessoa duas vezes. Padrões muito altos! Para ele, se você não tirasse um "A", sua nota seria um "F". E, se sua primeira impressão de alguém fosse negativa, ele simplesmente descartava aquela pessoa; para sempre. A pessoa tinha apenas uma chance de desenvolver um relacionamento. O tempo era escasso.

Warren Buffett foi um jovem entre os muito, muito poucos que impressionaram meu pai o suficiente no primeiro encontro para merecer um segundo encontro e muitos outros depois daquele. Meu pai era um julgador perspicaz de caráter e habilidade. Um raro talento! Ele baseou toda a sua carreira em julgar as pessoas. Essa era uma de suas melhores qualidades e um dos principais motivos pelos quais ele enfatizava a capacidade de julgamento qualitativo na gestão de negócios em suas análises de ações. Meu pai sempre se orgulhou muito de ter dado nota máxima a Warren Buffett antes de ele ter conquistado a merecida fama e aprovação.

O relacionamento entre Warren Buffett e meu pai sobreviveu aos lapsos ocasionais do meu pai, que se confundia e chamava o senhor Buffett de "Howard". Trata-se de uma história inusitada que nunca foi contada e talvez revele muita coisa tanto sobre meu pai quanto sobre Warren Buffett.

Meu pai era um homem franzino com uma grande mente, intensamente ativa. Apesar de gentil, ele era nervoso, normalmente agitado e pessoalmente inseguro. Era também uma pessoa muito, muito enraizada nos hábitos. Tinha rotinas diárias que seguia com rigor porque o deixavam mais seguro. E adorava dormir, porque, quando dormia, não se sentia nervoso ou inseguro. Assim, quando não conseguia acalmar sua mente à noite, o que era freqüente, ele se envolvia em jogos de memória em vez de contar carneiros. Um jogo do qual ele gostava era memorizar os nomes e os distritos de todos os membros do Congresso até pegar no sono.

Desde 1942, ele memorizou o nome Howard Buffett e o associou a Omaha, repetidamente, noite após noite, por mais de uma década. Seu cérebro já ligava mecanicamente os nomes "Omaha", "Buffett" e "Howard" como uma série relacionada muito antes de conhecer Warren Buffett. Mais tarde, conforme a carreira de Warren começou a se consolidar e sua estrela subiu aos céus, foram necessárias duas décadas para que meu pai conseguisse desvincular completamente Buffett e Omaha, de "Howard". Não conseguir controlar a própria mente irritava o meu pai, pois ele gostava de Warren Buffett e valorizava o relacionamento. Ele sabia exatamente quem era Warren Buffett, mas, em uma conversa casual, freqüentemente dizia algo como: "Aquele jovem brilhante, Howard Buffett, de Omaha". Quanto mais ele dizia isso, mais difícil ficava eliminar a relação de sua fraseologia. Um homem enraizado nos hábitos e atormentado por eles.

Eles haviam combinado de se encontrar certa manhã, e meu pai estava decidido a desvincular "Howard" de "Warren". Apesar disso, em um momento na conversa, meu pai se referiu a Warren como "Howard". Se Warren reparou nisso, não demonstrou e com certeza não corrigiu meu pai. Isso ocorreu esporadicamente ao longo da década de 1970. Já na década de 1980, meu pai finalmente conseguiu expurgar totalmente o nome "Howard" de qualquer frase na qual se referia a Buffett. Ele ficou verdadeiramente orgulhoso quando conseguiu excluir "Howard" para sempre. Anos mais tarde, perguntei se ele chegou a explicar isso a Warren. Ele disse que nunca tinha tocado no assunto, porque ficava muito envergonhado.

Aquele relacionamento sobreviveu por ser baseado em elementos muito mais sólidos. Acredito que um dos núcleos do relacionamento entre eles tenha sido a filosofia compartilhada pelos dois de se associar apenas com pessoas íntegras e competentes. Quando o senhor Buffett diz, referindo-se à supervisão dos administradores da Berkshire Hathaway, que "não dizemos aos melhores rebatedores como girar o taco", essa frase representa uma menção quase direta à estratégia de meu pai. Associe-se com os melhores, não se engane em relação a isso e não lhes diga o que fazer.

Ao longo dos anos, meu pai se impressionou muito com a forma como o senhor Buffett evoluiu como investidor sem abrir mão de nenhum de seus princípios. A cada década, o senhor Buffett fez coisas que ninguém poderia prever ao ler sobre seu passado, e fez isso muito bem. No mundo dos investimentos, a maioria das pessoas aprende, com profissionais mais experientes, algum estilo de investimento e nunca muda. Elas compram ações de baixo índice preço/lucro, empresas líderes do setor de tecnologia ou seguem qualquer outro critério. Desenvolvem esse pensamento e nunca mudam, ou mudam apenas superficialmente. Por outro lado, Warren Buffett adotou repetidamente novas abordagens, década após década — de forma que era impossível prever seu próximo passo. Você não teria como prever a orientação de *franchise* de Buffett na década de 1970 com base em sua inclinação original para o valor. Não teria como prever, a partir de suas abordagens anteriores, sua tendência, na década de 1980, a comprar empresas de bens de consumo a um índice de preço/lucro acima da média do mercado. Sua capacidade de mudar — e fazer isso com sucesso — seria um tema para um livro à parte. Quando a maioria das pessoas tenta evoluir como ele — elas fracassam. Meu pai acreditava que o senhor Buffett não fracassou por nunca ter perdido de vista quem era. Ele sempre se manteve fiel a si mesmo.

Meu pai nunca passou muito tempo fisicamente distante do famoso poema "Se", de Rudyard Kipling. Em sua mesa, na cabeceira de sua cama, em seu escritório — sempre por perto. Ele lia e relia o poema e muitas vezes o citava para mim. Mantenho o poema na minha mesa para manter meu pai perto de mim. Inseguro mas ao mesmo tempo destemido, ele lhe aconselharia, no estilo de Kipling, a levar sua carreira e seus investimentos muito a sério, mas a não levar a si mesmo muito a sério. Ele o incentivaria a levar em consideração as críticas dos outros em relação a você, mas nunca tomá-las como se fossem a declaração de um juiz. Ele o motivaria a se desafiar, mas a nunca se julgar radicalmente e, quando acreditar que fracassou, a se forçar a tentar novamente. E o estimularia a seguir em frente, mesmo que fosse em direção ao desconhecido.

Era essa faceta do senhor Buffett, esse talento para evoluir em perfeita conformidade com seus valores e seu passado — fazer a próxima coisa desconhecida —, que meu pai mais admirava. Seguir em frente livre das limitações do passado, das opiniões, das convenções ou do orgulho. Buffett, de acordo com meu pai, incorporava algumas das qualidades imortalizadas por Kipling.

Infelizmente, sempre haverá uma pequena porcentagem da sociedade, mas mesmo assim um grande número de pessoas, formada por incrédulos invejosos e de mentalidade limitada incapazes de criar vida própria. Em vez disso eles adoram jogar lama nos outros. O objetivo de vida dessas almas perdidas é tentar criar dor onde não conseguem criar valor. Ao fim de qualquer carreira bem-sucedida, lama terá sido lançada em quase todas as pessoas que conseguirem realizar alguma coisa. E, se um pouco dessa lama puder macular uma pessoa, é isso o que acontecerá. Meu inseguro pai sempre imaginava que as pessoas jogariam lama em todos, inclusive nele. Mas, no caso de pessoas que admirava, ele esperava que a lama não deixasse manchas. E, quando a lama era atirada, ele esperava que as pessoas que admirava, à maneira de Kipling, contemplassem a crítica ou a alegação sem se sentirem julgadas por isso. Sempre através dos olhos de Kipling!

Com uma carreira mais longa do que a maioria das pessoas, Warren Buffett conseguiu se sair notavelmente ileso — pouca lama foi jogada nele, e nunca às custas de manchas. É de fato um legado. Kipling ficaria orgulhoso. Bem como meu pai. Tudo devido aos valores essenciais do senhor Buffett — manter sempre em mente exatamente quem é e o que faz. Ele não se atormenta com conflitos de interesses que possam desgastar seus princípios e levar a comportamentos pouco admiráveis. Não havia lama para ser atirada, então a lama nunca o maculou. E essa é a principal característica de Warren Buffett que se deve tentar espelhar. Saiba quem você é.

Escrevo esta introdução em parte para propor uma sugestão de como utilizar este livro. Ao longo da minha carreira, as pessoas têm me perguntado por que não faço as coisas como o meu pai, ou por que não faço as coisas como o senhor Buffett. A resposta é simples. Eu sou eu, e não eles. Eu preciso utilizar minhas próprias vantagens comparativas. Eu não tenho a grande capacidade de julgar as pessoas que meu pai tinha nem a genialidade de Buffett.

É importante utilizar este livro para aprender, mas não utilizá-lo para tentar ser como Warren Buffett. Você não pode ser Warren Buffett e, se tentar fazer isso, sofrerá. Use este livro para compreender as idéias de Buffett e então integrar essas idéias em sua própria abordagem para os investimentos. Só é possível gerar grandes realizações a partir de suas próprias idéias. Os *insights* apresentados neste livro só serão úteis se incorporados à sua própria personalidade, ao invés de tentar torcê-la para que se encaixe aos *insights*. (Uma pessoa com personalidade torcida ou pervertida é um mau investidor a menos que sua personalidade tenha sido naturalmente torcida ou seja naturalmente pervertida). Independentemente disso, posso garantir que você não poderá ser Warren Buffett por mais que leia ou por mais que tente. Você precisa ser você mesmo.

Esta é a maior lição que aprendi com meu pai, um verdadeiro professor em muitos sentidos — não ser como ele ou qualquer outra pessoa, mas ser o melhor que eu pudesse ser, sem jamais abrir mão da evolução. Qual é a maior lição que você pode captar dos ensinamentos de Warren Buffett? Aprender com ele sem desejar ser como ele. Se você for um jovem leitor, a maior lição de investimento é descobrir quem você realmente é. Se você for mais velho, a melhor lição é que você na verdade é muito mais jovem do que pensa que é e deve agir como tal — um raro dom. Se isso não fosse possível o senhor Buffett não continuaria a evoluir com tanta competência em uma idade na qual muitas pessoas já se aposentaram. Pense em Warren Buffett como um professor, não como uma figura exemplar, e pense neste livro como a melhor explicação dos ensinamentos dele, de forma clara e de fácil entendimento. Você pode aprender muito com este livro e ele pode compor as bases para desenvolver sua própria filosofia de investimentos bem-sucedida.

SUMÁRIO

| CAPÍTULO 1 |

O MAIOR INVESTIDOR DO MUNDO

Todos os anos, a revista *Forbes* publica uma lista das 400 pessoas mais ricas dos Estados Unidos. Os nomes nessa lista variam de ano para ano, à medida que circunstâncias pessoais mudam e setores crescem ou encolhem, mas alguns nomes são constantes. O topo da lista é ocupado, via de regra, por megabilionários cuja fortuna está ligada a produtos (*software* ou *hardware* de computadores), serviços (varejo) ou ascendência (herança). Mas um dentre os integrantes recorrentes das cinco primeiras posições construiu sua fortuna em função do talento nos investimentos. Seu nome é Warren Buffett.

No início da década de 1990, Buffett encabeçava a lista. Depois, por alguns anos, ele oscilou entre o primeiro e o segundo lugar, alternando posições com um jovem chamado Bill Gates. Mesmo no ano 2000, marcado pela atividade frenética das empresas pontocom, quando grande parte da prosperidade representada pela lista Forbes 400 era proveniente do fenomenal crescimento tecnológico, Buffett, que sempre evitou com um sorriso no rosto tudo o que era de alta tecnologia, se manteve firme na quarta posição. Ele ainda era o único dos cinco primeiros da lista cuja coluna "fonte da fortuna" indicava "mercado de ações". Em 2004, ele estava solidamente de volta à segunda posição.

Em 1956, Buffett montou sua sociedade de investimentos com US$ 100; 13 anos mais tarde, ele saiu da sociedade com US$ 25 milhões. Quando este livro foi revisado (meados de 2004), seu patrimônio pessoal tinha aumentado para US$ 42,9 bilhões, as ações de sua empresa estavam sendo vendidas a US$ 92.900 cada e milhões de investidores ao redor do mundo o seguem com fervor.

Mas para entendermos Warren Buffett devemos ir além dos dólares, das realizações e de sua reputação.

O início da carreira como investidor

Warren Edward Buffett nasceu no dia 30 de agosto de 1930, em Omaha, Nebraska. Seu avô era proprietário de uma mercearia (e empregador do jovem Charlie Munger); seu pai era um corretor da bolsa local. Quando criança, Warren Buffett sempre foi fascinado pelos números e conseguia fazer, com facilidade, cálculos matemáticos complexos mentalmente. Aos 8 anos de idade, ele começou a ler os livros de seu pai sobre o mercado de ações; aos 11 anos, fazia anotações no quadro da corretora onde o pai trabalhava. Sua juventude foi animada por iniciativas empreendedoras e ele foi tão bem-sucedido que disse ao pai que não queria ir à faculdade e preferia entrar diretamente nos negócios. Seu pedido foi negado.

Buffett freqüentou a faculdade de administração da University of Nebraska e, nesse período, leu um livro recém-lançado sobre investimentos escrito por um professor da Columbia University chamado Benjamin Graham. O livro era, é claro, *O investidor inteligente*. Buffett se empolgou tanto com as idéias de Graham que se matriculou na Columbia Business School para estudar com ele. Bill Ruane, hoje presidente do conselho do Sequoia Fund, era da mesma classe. Ele se recorda de uma química mental instantânea entre Graham e Buffett, o resto da turma não passava de uma platéia para eles.[1]

Pouco depois de Buffett ter se formado pela Columbia com um mestrado em economia, Graham convidou o ex-aluno para trabalhar com ele na Graham-Newman Corporation. Durante os dois anos que passou lá, Buffett se viu totalmente imerso na abordagem de investimentos de seu mentor (veja uma discussão mais abrangente da filosofia de Graham no Capítulo 2).

Em 1956, a Graham-Newman foi dissolvida. Graham, então com 61 anos, decidiu se aposentar e Buffett voltou para Omaha. Munido dos conhecimentos adquiridos com Graham, do apoio financeiro da família e de amigos, e de US$ 100 no bolso, Buffett deu início a uma sociedade limitada de investimentos. Ele tinha 25 anos de idade.

A Buffett Partnership, Ltd.

A sociedade começou com sete sócios com responsabilidade limitada que, juntos, contribuíram com US$ 105 mil. Os sócios recebiam 6% anuais sobre os investimentos e 75% dos lucros acima desse limite; os outros 25% iam para Buffett, que era o sócio solidário e tinha carta branca para investir os fundos da sociedade.

Ao longo dos 13 anos seguintes, Buffett acumulou juros compostos em uma taxa anual de 29,5%.[2] Não era uma tarefa fácil. Apesar de o índice Dow Jones — Dow Jones Industrial Average — ter apresentado quedas de preços em cinco anos diferentes ao longo daquele período de 13 anos, a sociedade de Buffett não teve sequer um ano de baixa. Buffett, inclusive, iniciou a sociedade com a ambiciosa meta de superar o índice Dow Jones em dez pontos todos os anos. E foi o que ele fez — não em dez — mas em 22 pontos!

À medida que a reputação de Buffett crescia, mais pessoas lhe pediam para administrar seu dinheiro. Buffett comprou, para a sociedade, a participação majoritária de várias empresas públicas e privadas e, em 1962, começou a comprar ações de uma empresa têxtil com problemas chamada Berkshire Hathaway.

Naquele mesmo ano, 1962, Buffett mudou o escritório da sociedade de sua casa para o Kiewit Plaza em Omaha, onde seu escritório permanece até hoje. No ano seguinte, ele realizou uma compra surpreendente.

Abalada por um escândalo envolvendo um de seus clientes, a American Express viu suas ações caírem de US$ 65 para 35 quase da noite para o dia. Buffett aprendeu bem a lição de Ben Graham: quando as ações de uma empresa sólida estão sendo vendidas abaixo de seu valor intrínseco, aja com firmeza. Buffett tomou a ousada decisão de investir 40% do total do ativo da sociedade, US$ 13 milhões, em ações da American Express. Nos dois anos seguintes, o preço das ações triplicou e os sócios embolsaram um lucro líquido de US$ 20 milhões. Foi puro Graham — e puro Buffett.

Em 1965, os ativos da sociedade tinham crescido para US$ 26 milhões. Quatro anos mais tarde Buffett decidiu dissolver a sociedade de investimentos, por considerar o mercado altamente especulativo e com oportunidades de lucro cada vez mais escassas.

Quando a sociedade foi dissolvida, os investidores receberam seus lucros proporcionais. Alguns, por recomendação de Buffett, procuraram o administrador de recursos financeiros Bill Ruane, um antigo colega de classe na Columbia. Ruane concordou em administrar o dinheiro deles e assim nasceu o Sequoia Fund. Outros, inclusive Buffett, investiram as receitas da sociedade na Berkshire Hathaway. Com isso, a participação de Buffett na sociedade cresceu para US$ 25 milhões, o suficiente para lhe dar o controle da Berkshire.

O que ele fez é bem conhecido no mundo dos investimentos. Mesmo aqueles com interesse apenas passageiro no mercado de ações reconhecem o nome de Buffett e sabem alguma coisa sobre seu impressionante sucesso. Nos capítulos a seguir, acompanharemos a trajetória ascendente da Berkshire Hathaway nos 40 anos em que Buffett esteve no controle da companhia. E talvez o mais importante, concentraremos o nosso olhar abaixo da superfície para revelar a filosofia fundamentada no bom senso que norteou o seu sucesso.

O homem e sua empresa

Não é fácil descrever Warren Buffett. Fisicamente, ele não se destaca, com uma aparência muitas vezes comparada à de um avô. Intelectualmente, ele é considerado um gênio. Contudo, seu relacionamento prático com as pessoas é no mínimo descomplicado. Buffett é simples, direto, franco e honesto. Possui uma cativante combinação de sagacidade e senso de humor singelo e despretensioso. Tem um profundo respeito por tudo o que é lógico e antipatia declarada pela imbecilidade. Acolhe o que é simples e evita complicações.

Ao ler os relatórios anuais da Berkshire, sempre nos surpreendemos com a forma como Buffett demonstra desenvoltura citando a Bíblia, John Maynard Keynes ou Mae West. A palavra-chave aqui é leitura. Cada relatório possui entre 60 e 70 páginas de informações densas: sem ilustrações, gráficos coloridos ou diagramas. Aqueles que possuem a disciplina suficiente para começar na primeira página e prosseguir sem interrupções são agraciados com uma dose saudável de perspicácia financeira, humor despretensioso e franqueza. Buffett é sincero ao relatar seus resultados. Enfatiza tanto os pontos fortes quanto os fracos do negócio da Berkshire, acredita que as pessoas que possuem ações na Berkshire Hathaway são as proprietárias da empresa, e lhes conta tudo o que gostaria de saber se estivesse no lugar delas.

Quando Buffett assumiu o controle da Berkshire, o patrimônio líquido da empresa era de US$ 22 milhões. Quarenta anos depois, esse valor tinha crescido para US$ 69 bilhões. Há muito tempo a meta de Buffett tem sido aumentar o valor contábil da Berkshire Hathaway em uma taxa anual de 15% — muito acima do retorno obtido por uma empresa norte-americana média. Desde que assumiu o controle da Berkshire em 1964, o ganho tem sido muito maior: o valor contábil por ação cresceu de US$ 19 para 50.498, um crescimento anual composto de 22,2%. Esse desempenho é ainda mais impressionante se levarmos em consideração que a Berkshire é penalizada por impostos tanto de renda quanto sobre ganhos de capital, e os retornos do índice de ações da Standard & Poor's 500 consideram os valores antes da dedução de impostos.

Em termos anuais, os retornos da Berkshire foram por vezes voláteis; mudanças no mercado de ações e, portanto, das ações subjacentes que a Berkshire mantém criam grandes oscilações no valor por ação (ver Tabela 1.1).

Tabela 1.1 Desempenho corporativo da Berkshire em comparação com o índice S&P 500

	VARIAÇÃO PERCENTUAL ANUAL		
ANO	VALOR CONTÁBIL POR AÇÃO DA BERKSHIRE (1)	S&P 500 COM DIVIDENDOS INCLUÍDOS (2)	VALORES RELATIVOS (1)–(2)
1965	23,8	10,0	13,8
1966	20,3	(11,7)	32,0
1967	11,0	30,9	(19,9)
1968	19,0	11,0	8,0
1969	16,2	(8,4)	24,6
1970	12,0	3,9	8,1
1971	16,4	14,6	1,8

[continua]

[continuação]

ANO	VARIAÇÃO PERCENTUAL ANUAL		
	VALOR CONTÁBIL POR AÇÃO DA BERKSHIRE (1)	S&P 500 COM DIVIDENDOS INCLUÍDOS (2)	VALORES RELATIVOS (1)–(2)
1972	21,7	18,9	2,8
1973	4,7	(14,8)	19,5
1974	5,5	(26,4)	31,9
1975	21,9	37,2	(15,3)
1976	59,3	23,6	35,7
1977	31,9	(7,4)	39,3
1978	24,0	6,4	17,6
1979	35,7	18,2	17,5
1980	19,3	32,3	(13,0)
1981	31,4	(5,0)	36,4
1982	40,0	21,4	18,6
1983	32,3	22,4	9,9
1984	13,6	6,1	7,5
1985	48,2	31,6	16,6
1986	26,1	18,6	7,5
1987	19,5	5,1	14,4
1988	20,1	16,6	3,5
1989	44,4	31,7	12,7
1990	7,4	(3,1)	10,5
1991	39,6	30,5	9,1
1992	20,3	7,6	12,7
1993	14,3	10,1	4,2
1994	13,9	1,3	12,6
1995	43,1	37,6	5,5
1996	31,8	23,0	8,8
1997	34,1	33,4	0,7
1998	48,3	28,6	19,7
1999	0,5	21,0	(20,5)
2000	6,5	(9,1)	15,6
2001	(6,2)	(11,9)	5,7
2002	10,0	(22,1)	32,1
2003	21,0	28,7	(7,7)
Ganho anual médio 1965–2000	322,2	10,4	11,8
Ganho geral 1964–2003	259.485	4.743	

Fonte: Relatório Anual da Berkshire Hathaway, 2003.

Observações: Os dados são dos anos civis, com as seguintes exceções: 1965 e 1966, o ano terminou em 30/9; 1967, 15 meses com término em 31/12.

A partir de 1979, as normas contábeis passaram a exigir que as empresas seguradoras avaliassem as ações possuídas a valor de mercado e não mais com base no menor valor, de custo ou mercado, como anteriormente. Na tabela, os resultados da Berkshire até 1978 foram reavaliados para se adequar à alteração das regras. Em todos os outros aspectos, os resultados foram calculados utilizando os números originalmente informados.

Os resultados do S&P 500 são mensurados antes dos impostos, enquanto os da Berkshire são mensurados depois dos impostos. Se uma empresa como a Berkshire simplesmente fosse a proprietária das empresas da S&P 500 e provisionasse os impostos adequados, seus resultados estariam abaixo do índice S&P 500 em anos no qual ele teve retorno positivo, mas teriam excedido o S&P em anos nos quais o índice teve um retorno negativo. Ao longo dos anos, os custos dos impostos teriam causado uma substancial defasagem agregada.

Para perceber a volatilidade, compare os resultados de 1998 com os de 1999. Em 1998, o valor das ações da Berkshire aumentou mais de 48%. Então, em 1999, o aumento caiu para um modesto 0,5%; o S&P 500, contudo, aumentou 21%. Dois fatores estavam envolvidos: os resultados da Berkshire podem ter sido uma conseqüência dos baixos retornos do setor de bens de consumo não duráveis (Coca-Cola e Gillette), enquanto o aumento do S&P foi alavancado pelo notável desempenho das ações de tecnologia, que a Berkshire não mantinha.

Falando com a franqueza pela qual é famoso, Buffett admitiu no relatório anual de 1999 que "grandes vantagens sobre o índice [S&P] são coisas do passado".[3] Ele previu, entretanto, que, ao longo do tempo, o desempenho da Berkshire seria "modestamente" melhor do que o do S&P. E foi isso o que aconteceu nos três anos seguintes. Então, em 2003, apesar de a Berkshire ter tido um ano maravilhoso — o valor contábil aumentou 21% —, o S&P teve um desempenho ainda melhor.

Buffett hoje

Nos últimos anos, a começar do final da década de 1990, Buffett tem se mostrado menos ativo no mercado de ações do que foi na década de 1980 e no início da década de 1990. Muitos notaram essa falta de atividade e se perguntaram se isso sinalizava que o mercado havia atingido o teto. Outros teorizaram que a falta de novas grandes aquisições de ações ordinárias simplesmente implicava que o tipo de ações que Buffett gosta de comprar não estava mais sendo negociado a preços atrativos.

Sabemos que a preferência de Buffett é "comprar certezas em liquidação". As "certezas" são definidas pela previsibilidade do desempenho econômico de uma empresa. Quanto mais previsível for esse desempenho, mais certeza teremos em relação a sua avaliação patrimonial. Quando analisamos a relação das ações que Buffett detém, bem como as empresas de propriedade integral da Berkshire, é impressionante o alto grau de previsibilidade refletida nessa lista. A palavra "liquidação" da afirmação de Buffett obviamente se refere ao preço da ação.

Sabendo que Buffett gosta de comprar desempenhos altamente previsíveis a preços abaixo do valor intrínseco do negócio, podemos concluir que sua "greve de compras" reflete a falta de alternativas com essas características. Posso dizer com um alto grau de segurança que, se hoje a Coca-Cola, a Gillette ou outras companhias similares estivessem à venda por 50 centavos de dólar, Buffett acrescentaria mais ações à carteira da Berkshire.

Também conhecemos a disciplina adotada por Buffett de operar somente dentro de seu "círculo de competência". Pense nesse círculo de competência como o acúmulo de experiência ao longo da vida. Se alguém operou com sucesso um determinado negócio em um determinado setor por uma década ou mais, diríamos que essa pessoa atingiu um alto nível de competência no que se refere às tarefas em questão. Entretanto, se outra pessoa tem alguns poucos anos de experiência operando um novo negócio, poderíamos com razão questionar o nível de competência dessa pessoa. Talvez, na mente racional de Buffett, a soma total de sua experiência em analisar e operar os negócios da carteira da Berkshire leva os padrões de competência a um patamar tão elevado que seria difícil atingir um nível semelhante de discernimento em novos setores.

Portanto, hoje Buffett talvez esteja diante de um dilema. Dentro de seu círculo de competência, os tipos de ações que ele gosta de comprar não estão atualmente sendo vendidas a preços mais baixos. Ao mesmo tempo, fora de seu círculo de competência, negócios de crescimento acelerado estão nascendo em novos setores que ainda precisam atingir o alto nível de certeza econômica exigida por Buffett. Se essa análise for correta, ela explica por que grandes compras de ações ordinárias não têm sido feitas nos últimos anos.

Seria ingênuo pressupor que a redução no cardápio de ações disponíveis para compra tenha deixado Warren Buffett sem alternativas de investimento. Ele sem dúvida tem estado ativo no mercado de renda fixa, inclusive adotando um significativo posicionamento em títulos de alto rendimento em 2002. Ele também se mantém alerta para oportunidades periódicas de arbitragem, mas, considerando a quantidade de capital que Buffett precisa alocar para realizar retornos significativos, os mercados de arbitragem talvez não sejam tão produtivos quanto foram no passado.

Entretanto, os acionistas da Berkshire Hathaway não deveriam se sentir como se estivessem desprovidos de oportunidades. Com muita freqüência os acionistas esquecem um dos princípios mais importantes que Buffett delineia todos os anos no relatório anual. O quarto princípio afirma: "Nossa preferência é atingir nossa meta [de maximizar a taxa anual média de ganho em valor intrínseco da Berkshire] mantendo um grupo diversificado de negócios geradores de caixa e regularmente ganhar retornos acima da média sobre o capital. Nossa segunda escolha é manter partes de negócios similares obtidos principalmente por meio de compras de ações ordinárias comercializáveis".

Nos primeiros anos da Berkshire, manter ações ordinárias era o que mais fazia sentido em termos econômicos. Agora, à medida que os preços das ações ordinárias aumentaram radicalmente e o poder de compra dos lucros acumulados da Berkshire decolou, a estratégia de comprar empresas, preferência assumida de Buffett, passou para o primeiro plano.

Existe também um fator pessoal. Sabemos que Buffett aprecia seus relacionamentos com os gestores operacionais e tem muito orgulho da coleção de negócios operantes da Berkshire. Por outro lado, a ansiedade pela qual ele passou sendo um acionista de empresas de capital aberto, com as questões de remuneração executiva e estratégias questionáveis de reinvestimento de capital que acompanham o controle da empresa, pode ter feito a posição de ser um acionista menos atraente para Buffett hoje do que costumava ser. Se os fatores econômicos não são convincentes, por que Buffett escolheria suportar os fiascos da governança corporativa associados a ser um acionista majoritário?

A única atividade na qual Buffett se envolve nos negócios operantes da Berkshire é a definição da remuneração executiva e a alocação dos lucros. No mundo da Berkshire, essas decisões são altamente racionais. Fora do mercado de ações, as decisões gerenciais referentes a remuneração executiva e realocação de capital nem sempre refletem a racionalidade.

O que isso significa para os investidores? Pelo fato de Buffett não se envolver ativamente no mercado de ações, eles também deveriam automaticamente se retirar? A estratégia alternativa de Buffett é comprar negócios às claras, uma opção que está fora do alcance da maioria dos investidores. Então, como eles deveriam proceder?

Parece haver duas escolhas óbvias. Uma delas é investir na Berkshire Hathaway e, assim, participar dos processos econômicos desses negócios fora de série. A segunda opção é adotar a abordagem de Buffett para os investimentos, expandir o círculo de competência estudando sistematicamente os modelos de negócio de empresas atuantes na Nova Economia e seguir em frente.

Acredito que os princípios fundamentais que até agora orientaram as decisões de Buffett são firmes e ainda apresentam oportunidades para que investidores cautelosos tenham um desempenho melhor do que o índice de ações S&P 500. O objetivo deste livro é apresentar esses princípios de forma que investidores conscientes possam compreendê-los e utilizá-los.

| CAPÍTULO 2 |

A FORMAÇÃO DE WARREN BUFFETT

Muito poucas pessoas são capazes de se aproximar da folha corrida de investimentos de Warren Buffett e ninguém pode superá-lo. Durante quatro décadas de ascensões e quedas do mercado, ele prosseguiu em um percurso estável com inigualável sucesso. O que ele faz não é ostentoso, chegando a ser, por vezes, impopular. Apesar disso, Buffett repetidamente prevaleceu sobre investidores cujas manobras renderam estrelato passageiro. Ele observa, sorri e continua em seu caminho.

Como Buffett moldou sua filosofia de investimentos? Quem influenciou seu pensamento e como ele integrou esses ensinamentos a ações? Para fazer a pergunta de outra forma, como este gênio acabou sendo tão singular?

A abordagem de Warren Buffett aos investimentos é característica dele e, ao mesmo tempo, fundamentada nas sólidas filosofias absorvidas de quatro personalidades poderosas: Benjamin Graham, Philip Fisher, John Burr Williams e Charles Munger. Juntos, eles foram os responsáveis pela formação financeira de Buffett, tanto formal quanto informal. Os três primeiros eram educadores no sentido clássico e o último é o sócio, alter ego e amigo de Buffett. Todos tiveram uma influência importante no pensamento deste gênio das finanças e têm muito a oferecer aos investidores de hoje.

Benjamin Graham

Graham é considerado o pai da análise financeira. Ele recebeu essa distinção porque "antes dele, a área [de análise financeira] não existia e, depois dele, foi como ela passou a ser chamada".[1] Seus dois trabalhos mais famosos são *Security Analysis*, em co-autoria com David Dodd e publicado em 1934; e *O investidor inteligente*, publicado em 1949.

Security Analysis (inédito no Brasil) foi publicado apenas alguns anos depois da quebra da bolsa em 1929, durante o auge da maior recessão que os Estados Unidos já enfrentaram. Enquanto outros acadêmicos buscavam explicar esse fenômeno econômico, Graham ajudava as pessoas a recuperar suas bases financeiras e prosseguir em um caminho lucrativo.

Graham iniciou sua carreira em Wall Street como mensageiro da corretora Newburger, Henderson & Loeb, listando os preços de títulos, obrigações e ações em um quadro-negro por US$ 12 semanais. De mensageiro ele passou a redigir relatórios de pesquisas e logo se tornou sócio da empresa. Em 1919, ele recebia um salário de US$ 600 mil anuais; Graham tinha então 25 anos de idade.

Em 1926, Graham fundou uma sociedade de investimentos com Jerome Newman. Foi essa sociedade que contratou Buffett cerca de 30 anos depois. A Graham-Newman sobreviveu ao *crash* de 1929, à Grande Depressão, à Segunda Guerra Mundial e à Guerra da Coréia até de ser dissolvida em 1956.

De 1928 a 1956, enquanto estava na Graham-Newman, Graham lecionava finanças à noite na Columbia University. Poucos sabiam que ele ficou financeiramente arruinado pelo *crash* de 1929. Pela segunda vez na vida — a primeira foi quando seu pai faleceu, deixando a família sem proteção financeira —, Graham se dedicou a reconstruir sua fortuna. O refúgio da academia lhe deu a oportunidade de refletir e reavaliar. Com o aconselhamento de David Dodd, também professor na Columbia, Graham produziu o que se tornou o tratado clássico do investimento conservador: *Security Analysis*. Graham e Dodd tinham mais de 15 anos de experiência em investimentos, e levaram quatro anos para concluir o livro.

A essência de *Security Analysis* é que uma carteira bem escolhida e diversificada de ações ordinárias, com base em preços razoáveis, pode ser um investimento sólido. Passo a passo, cautelosamente, Graham vai descortinando ao investidor a lógica de sua abordagem.

O primeiro problema que Graham precisava enfrentar era a falta de uma definição universal para investimento que o distinguisse de especulação. Levando em consideração as complexidades da questão, Graham propôs sua própria definição. "Uma operação de investimentos é aquela que, após uma análise extensiva, promete segurança do principal e um retorno satisfatório. As operações que não estão de acordo com esses requisitos são especulativas".[2]

O que ele quis dizer com "análise extensiva"? Somente isto: "o estudo meticuloso dos fatos disponíveis na tentativa de chegar a conclusões com base em princípios estabelecidos e em lógica sólida".[3]

A próxima parte da definição de Graham é fundamental: um verdadeiro investimento deve ter duas qualidades — certo grau de segurança do principal e uma taxa de retorno satisfatória. A segurança, ele previne, não é absoluta; ocorrências incomuns ou improváveis podem colocar até mesmo uma obrigação segura em inadimplência. Em vez disso, os investidores devem procurar algo que possa ser considerado livre de perdas em condições razoáveis.

Um retorno satisfatório — o segundo requisito — inclui não apenas a renda, mas também a valorização do preço. Graham observa que "satisfatório" é um termo subjetivo. O retorno pode ser qualquer quantia, ainda que baixa, contanto que o investidor aja com inteligência e se atenha à definição geral do investimento.

Não fosse pelo baixo desempenho do mercado de títulos, a definição de investimento de Graham teria sido negligenciada. Mas quando, entre 1929 e 1932, o índice Dow Jones Bond Average caiu de 97,70 para 65,78, os títulos não mais podiam ser rotulados sem critério como investimentos puros. Assim como aconteceu com as ações, os títulos não apenas perderam um valor considerável, como muitos de seus emissores abriram falência. Era necessário, portanto, um processo que pudesse distinguir as características de investimento tanto para ações quanto para títulos de seus similares especulativos.

Graham reduziu o conceito de investimento sólido a um lema que chamou de "margem de segurança". Com isso, buscou unir todos os títulos, ações e obrigações em uma única abordagem aos investimentos.

Essencialmente, uma margem de segurança existe quando os títulos estão sendo vendidos — por qualquer motivo — a um preço mais baixo que seu valor real. A noção de comprar títulos subvalorizados independentemente dos níveis de mercado era uma idéia inovadora nas décadas de 1930 e 1940. O objetivo de Graham era delinear essa estratégia.

Na visão de Graham, definir um conceito de margem de segurança para as obrigações não era tão difícil. Não era necessário, ele dizia, determinar com precisão a renda futura de uma empresa, mas apenas observar a diferença entre os lucros e as despesas fixas. Se essa margem fosse grande o suficiente, o investidor estaria protegido de uma queda inesperada na renda da empresa. Se, por exemplo, um analista revisse o histórico operacional de uma empresa e descobrisse que, em média, ao longo dos últimos cinco anos a empresa foi capaz de ganhar anualmente cinco vezes mais que suas despesas fixas, então as obrigações da empresa tinham uma margem de segurança.

O verdadeiro teste foi a capacidade de Graham de adaptar o conceito para as ações ordinárias. Ele argumentou que, se o *spread* entre o preço de uma ação e o valor intrínseco de uma empresa fossem altos o suficiente, o conceito de margem de segurança poderia ser utilizado para selecionar as ações.

Para que essa estratégia funcionasse sistematicamente, Graham admitiu, os investidores precisavam de uma forma de identificar as ações subvalorizadas. E isso significava que eles precisavam de uma técnica para estimar o valor intrínseco de uma empresa. A definição de Graham para o valor intrínseco, como descrita em *Security Analysis*, era que "o valor é determinado pelos fatos". Esses fatos incluíam o patrimônio de uma empresa, seus lucros e dividendos e quaisquer perspectivas futuras definidas.

Graham reconheceu que o fator mais importante na estimativa do valor de uma empresa era seu poder de lucros futuros, um cálculo que tende a ser impreciso. Em resumo, o valor intrínseco de uma empresa poderia ser definido estimando-se seus lucros e multiplicando-se esses lucros por um fator adequado de capitalização. A estabilidade de lucros, ativos, política de dividendos e saúde financeira da empresa influenciava esse fator de capitalização, ou multiplicador.

Graham nos pedia para aceitar o fato de que o valor intrínseco é um conceito vago. Ele é diferente do preço de cotação do mercado. Originalmente, considerava-se que o valor intrínseco era o mesmo que o valor contábil de uma empresa ou a soma de seus ativos reais menos as obrigações. Essa noção levou à crença de que o valor intrínseco era definitivo. Entretanto, os analistas passaram a perceber que o valor de uma empresa não era apenas o de seus ativos reais líquidos, mas também o valor dos lucros produzidos por esses ativos. Graham propôs que não era fundamental estimar o valor intrínseco exato de uma empresa; em vez disso, os investidores deveriam aceitar uma medida aproximada, ou faixa de valor. Mesmo o valor aproximado, se comparado com o preço de venda, seria suficiente para avaliar a margem de segurança.

Há duas regras para investir, de acordo com Graham. A primeira regra é: não perca. A segunda regra é: nunca se esqueça da regra número um. Essa filosofia de "não perder" orientou Graham na direção de duas abordagens para selecionar ações ordinárias que, quando aplicadas, estavam de acordo com a margem de segurança. A primeira abordagem era comprar uma empresa por menos de dois terços de seu valor do ativo líquido e a segunda era se concentrar em ações com baixos índices preço/lucro (P/L).

Comprar uma ação por um preço abaixo de dois terços de seus ativos líquidos se adequava perfeitamente à idéia de Graham e satisfazia seu desejo de alguma esperança matemática. Graham não dava muita importância às instalações, propriedades e equipamentos de uma empresa. Além disso, ele deduzia todos os passivos de curto e longo prazos da empresa. O restante seriam os ativos circulantes líquidos. Se o preço da ação estivesse abaixo desse valor por ação, Graham concluía que havia uma margem de segurança e que a compra seria garantida.

Graham considerava que este era um método de investimento à prova de acidentes, mas reconhecia que não seria lógico esperar por uma correção do mercado antes de fazer um investimento. Então se dedicou a definir uma segunda abordagem para a compra de ações. Ele se concentrava em ações cujos preços estavam em queda e que estavam sendo vendidas a um baixo índice P/L. Além disso, o valor do ativo líquido da empresa deveria ser aceitável; ela necessitava dever menos do que valia.

Ao longo dos anos, muitos investidores buscaram atalhos similares para estimar o valor intrínseco. Baixos índices P/L — a primeira técnica de Graham — tinha a preferência geral. Aprendemos, entretanto, que tomar decisões unicamente com base em índices P/L não é o suficiente para garantir retornos lucrativos. Hoje em dia, a maioria dos investidores conta com a definição clássica de valor, de John Burr Williams, descrita mais diante neste capítulo: o valor de qualquer investimento é o valor presente de seu fluxo de caixa futuro descontado.

> “As idéias básicas para o investimento são olhar para as ações como se fossem negócios, se aproveitar das flutuações do mercado e buscar uma margem de segurança. Isso foi o que Ben Graham nos ensinou. Daqui a 100 anos elas ainda serão as pedras fundamentais do investimento.[4]”
>
> WARREN BUFFETT, **1994**

As duas abordagens de Graham — comprar uma ação por menos de dois terços do valor do ativo líquido e comprar ações com baixos índices P/L — tinham uma característica em comum. As ações que Graham selecionou com base nesses métodos estavam profundamente desfavorecidas no mercado. Algum macro ou microevento fez com que o mercado determinasse o preço dessas ações abaixo de seu valor. Graham defendia que essas ações, a preços “injustificavelmente baixos”, seriam compras atrativas.

A convicção de Graham se baseava em alguns pressupostos. Primeiro, ele acreditava que o mercado com freqüência definia erroneamente o preço das ações, normalmente em função de emoções humanas como medo ou ganância. No auge do otimismo, a ganância elevava as ações para além de seu valor intrínseco, criando um mercado de preços exagerados. Em outros momentos, o medo empurra os preços abaixo do valor intrínseco, criando um mercado subvalorizado. Seu segundo pressuposto se baseava no fenômeno estatístico conhecido como “regressão à média”, embora não tivesse utilizado esses termos. Eloqüente, ele citou o poeta Horácio: “Muitos que hoje caíram serão restaurados, e muitos que agora estão em honra deverão cair”. Independente da linguagem escolhida, a estatística ou a poética, Graham acreditava que um investidor poderia lucrar com as forças de correção de um mercado ineficiente.

Philip Fisher

Enquanto Graham escrevia *Security Analysis*, Philip Fisher iniciava sua carreira como consultor de investimentos. Depois de se formar pela Graduate School of Business Administration da Stanford University, Fisher começou a trabalhar como analista no Anglo London & Paris National Bank em São Francisco. Em menos de dois anos, ele foi promovido a chefe do departamento de estatística do banco, tendo dali testemunhado o *crash* da bolsa de 1929. Depois de uma breve e improdutiva carreira em uma corretora local, Fisher decidiu abrir sua própria empresa de consultoria de investimentos. No dia 1º de março de 1931, a Fisher & Company começou a aceitar clientes.

Abrir uma empresa de consultoria de investimentos no início dos anos 1930 pode ter parecido um ato temerário, mas Fisher percebeu que tinha duas vantagens. Em primeiro lugar, qualquer investidor que tivesse algum dinheiro sobrando depois da queda da bolsa provavelmente estaria muito infeliz com o corretor atual. Em segundo lugar, em meio à Grande Depressão, os homens de negócio tinham muito tempo para conversar com Fisher.

Na Stanford, em uma das disciplinas de administração, Fisher acompanhou seu professor em visitas periódicas a empresas na região de São Francisco. Os gestores das empresas falavam sobre suas operações ao professor, que muitas vezes os ajudava a solucionar algum problema urgente. No caminho de volta à Stanford, Fisher e seu professor resumiam o que observaram nas empresas e nos gestores que visitaram. "Aquela hora a cada semana", Fisher disse, "me proporcionou o treinamento mais útil que jamais recebi".[5]

A partir dessas experiências, Fisher passou a acreditar que as pessoas poderiam realizar lucros superiores ao: (1) investir em empresas com potencial acima da média e (2) alinhar-se com a gestão mais capaz. Para isolar essas empresas fora de série, Fisher desenvolveu um sistema de pontuação que avaliava uma empresa com base nas características de seu negócio e de sua gestão.

Quanto ao primeiro critério — empresas com potencial acima da média —, a característica que mais impressionou Fisher foi a capacidade de uma empresa de apresentar vendas crescentes ao longo dos anos em taxas mais altas que a média do setor.[6] Esse crescimento, por sua vez, normalmente era uma combinação de dois fatores: um significativo comprometimento com pesquisa e desenvolvimento e uma organização eficaz das vendas. Uma empresa poderia desenvolver produtos e serviços fora de série mas, a menos que fossem "comercializados de forma inteligente", o esforço de pesquisa e desenvolvimento nunca se traduziria em receita.

Na opinião de Fisher, entretanto, o potencial de mercado, por si, representa só metade da história; a outra metade são lucros consistentes. Nas suas palavras, "Nem todo o crescimento de vendas do mundo produzirá o tipo certo de veículo de investimento se, ao longo dos anos, os lucros não crescerem de acordo".[7] Dessa forma, Fisher analisava as margens de lucro de uma empresa, sua dedicação em manter e melhorar essas margens e, por fim, sua análise de custos e controles contábeis.

Nenhuma empresa, defendia Fisher, poderá sustentar sua lucratividade a menos que seja capaz de reduzir os custos de fazer negócios enquanto ao mesmo tempo compreende o custo de cada etapa do processo de produção. Para isso, ele explicava, uma empresa deve incorporar controles contábeis e análises de custo adequadas. Essas informações sobre custos, Fisher observou, permitem que uma empresa direcione seus recursos aos produtos ou serviços com maior potencial econômico. Além disso, os controles contábeis ajudarão a identificar armadilhas nas operações da empresa. Essas armadilhas, ou ineficiências, atuam como um sinal de alerta visando a proteger a lucratividade geral da empresa.

A sensibilidade de Fisher em relação à lucratividade da empresa se relacionava com outra preocupação: a capacidade que uma empresa tem de crescer no futuro sem necessidade de aumentos de capital. De acordo com Fisher, se uma empresa só for capaz de crescer por meio da venda de ações, o maior número de ações emitidas anulará qualquer benefício que os acionistas possam ganhar com o crescimento da empresa. Uma empresa com altas margens de lucro, ele defende, é mais capaz de gerar recursos internamente e, assim, sustentar o crescimento sem diluir a propriedade dos atuais acionistas.

O segundo critério de Fisher para identificar empresas notáveis era a qualidade da gestão. Gestores competentes, ele acreditava, estão determinados em desenvolver novos produtos e serviços que continuarão a alavancar o crescimento das vendas muito tempo depois que os produtos ou serviços atuais forem amplamente explorados. A gestão deve determinar políticas para garantir ganhos consistentes por dez ou doze anos, mesmo correndo o risco de reduzir os lucros imediatos. Reduzir, ele enfatizou, não sacrificar. O gerente acima da média consegue implementar os planos de longo prazo da empresa ao mesmo tempo em que se concentra nas operações diárias.

Outro fator que Fisher considerava fundamental: o negócio possui uma gestão de integridade e honestidade inquestionáveis? Os gestores se comportam como representantes dos acionistas ou estão mais preocupados com seu próprio bem-estar?

Uma forma de identificar essa intenção, Fisher revelou, é observar como os gestores se comunicam com os acionistas. Todos os negócios, bons e ruins, passarão por períodos de dificuldades inesperadas. Normalmente, quando os negócios vão bem, a gestão fala abertamente, mas, quando os negócios vão mal, alguns gestores se calam. A forma como a admnistração reage às dificuldades, observou Fisher, diz muito sobre a empresa.

Para que um negócio seja bem-sucedido, ele argumentou, a gestão também deve desenvolver boas relações de trabalho com todos os seus funcionários. Os funcionários devem sentir que a empresa é um bom lugar para se trabalhar. Os operários devem sentir que são tratados com respeito e decência. Os executivos devem sentir que as promoções de cargo são baseadas na capacidade e não em favoritismo.

Fisher também levou em consideração a consistência da gestão. O CEO tem uma equipe talentosa, ele indaga, e é capaz de delegar a autoridade de administrar partes do negócio?

Por fim, Fisher analisava as características específicas dos negócios e da gestão de uma empresa e as comparava com outros negócios no mesmo setor. Nessa análise, Fisher procurava revelar indicadores que pudessem ajudá-lo a entender a superioridade de uma empresa em relação a seus concorrentes.

Ele argumentou que a simples leitura dos relatórios financeiros de uma empresa não é o suficiente para justificar um investimento. O passo fundamental para o investimento prudente, ele explicou, é descobrir o máximo possível sobre a empresa por meio das pessoas que a conhecem bem. Fisher admitiu que essa se tratava de uma pesquisa abrangente, que chamou de "mexerico". Hoje em dia a chamaríamos de "rádio corredor". Se bem utilizado, Fisher alegava, o "mexerico" pode proporcionar aos investidores indicações substanciais para identificar investimentos fora de série.

A abordagem investigativa do "mexerico" levou Fisher a entrevistar o máximo possível de fontes. Ele conversava com clientes e vendedores. Procurava ex-funcionários e consultores que trabalharam para a empresa. Entrava em contato com pesquisadores em universidades, funcionários públicos e executivos de associações do setor. Também entrevistava os concorrentes. Apesar de os executivos algumas vezes hesitarem em revelar informações demais sobre sua própria empresa, Fisher afirma que eles nunca deixam de emitir opiniões sobre os concorrentes.

A maioria dos investidores não está disposta a dedicar o tempo e a energia que Fisher achava ser necessários para entender uma empresa. Leva tempo desenvolver uma rede de "mexericos" e agendar entrevistas; replicar o processo do "mexerico" para cada empresa em análise pode ser exaustivo. Fisher descobriu uma forma simples de minimizar essa carga de trabalho — reduziu o número de empresas que comprava. Ele sempre dizia que preferia ter algumas poucas empresas excelentes a grandes quantidades de negócios medianos. Em geral, sua carteira incluía menos de dez empresas e normalmente três ou quatro empresas representavam 75% de sua carteira de ações.

Fisher acreditava que, para terem sucesso, os investidores precisavam fazer bem apenas algumas coisas. Uma delas é investir somente em empresas que estivessem em seu círculo de competência. O próprio Fisher cometeu esse erro no começo. "Eu comecei a investir fora dos setores que acreditava conhecer em profundidade, em esferas completamente diferentes de atividade; situações nas quais eu não tinha um conhecimento comparável".[8]

John Burr Williams

John Burr Williams se formou pela Harvard University em 1923 e continuou seus estudos na Harvard Business School, onde teve seu primeiro contato com a previsão econômica e a análise de títulos.

Depois da Harvard, ele trabalhou como analista de títulos em duas reconhecidas empresas de Wall Street. De lá testemunhou os tempos turbulentos da década de 1920 e a desastrosa quebra de 1929 e suas conseqüências. A experiência o convenceu de que, para ser um bom investidor, também era necessário ser um bom economista.[9]

Assim, em 1932, aos 30 anos de idade e já um bom investidor, ele se matriculou na Graduate School of Arts and Sciences da Harvard. Trabalhando com base em uma sólida crença de que o que acontecia na economia poderia afetar o valor das ações, ele decidiu obter um doutorado em economia.

Quando chegou a hora de escolher um tema para sua tese de doutorado, Williams pediu o conselho de Joseph Schumpeter, o renomado economista austríaco, mais conhecido por sua teoria da destruição criativa, que na época era professor de economia na Harvard. Schumpeter sugeriu que Williams analisasse "o valor intrínseco de uma ação ordinária", já que isso se adequaria à sua formação e experiência. Williams mais tarde comentou que talvez Schumpeter tivesse um motivo menos idealista: o tema evitaria que ele, Williams, entrasse em conflito com os professores da instituição, "já que ninguém iria querer desafiar minhas próprias idéias sobre investimentos".[10] Mesmo assim, a sugestão de Schumpeter foi o ponto de partida para a famosa tese de doutorado de Williams, que, intitulada *The Theory of Investment Value* (não publicada no Brasil), tem influenciado analistas financeiros e investidores desde então.

Williams concluiu sua tese em 1937. Embora ainda não a tivesse defendido — e para a absoluta indignação de vários professores —, submeteu o trabalho para ser publicado pela Macmillan. A Macmillan recusou o manuscrito. E o mesmo aconteceu na McGraw-Hill. As duas editoras concluíram que o livro continha símbolos algébricos demais. Enfim, em 1938, a Harvard University Press aceitou publicar o livro de Williams, mas somente se ele concordasse em pagar parte dos custos de impressão. Dois anos mais tarde, Williams defendeu sua tese e, após algumas discussões calorosas sobre as causas da Grande Depressão, foi aprovado.

The Theory of Investment Value é um verdadeiro clássico. Por 60 anos, tem servido de base para o trabalho de economistas de renome como Eugene Fama, Harry Markowitz e Franco Modigliani, para citar apenas alguns. Warren Buffett o considera um dos mais importantes livros sobre investimentos já escritos.

A teoria de Williams, conhecida hoje como *modelo do desconto de dividendos*, ou análise do fluxo de caixa líquido descontado, proporciona uma forma de atribuir um valor para uma ação ou obrigação. Como acontece com muitas idéias importantes, sua teoria pode ser reduzida a um preceito muito simples: para saber quanto vale um título hoje, faça uma estimativa de todo o caixa que ele poderá gerar ao longo da vida e desconte esse total a valor presente. Essa é a metodologia básica que Warren Buffett utiliza para avaliar ações e empresas.

Buffett resumiu a teoria de Williams da seguinte forma: "O valor de um negócio é determinado pelos fluxos de caixa líquidos esperados em toda a vida deste negócio descontados a uma taxa de juros adequada". Williams a descreveu assim: "Uma vaca pelo leite; uma galinha pelos ovos; e uma ação por, que diabos, por seus dividendos".[11]

O modelo de Williams é um processo de duas etapas. Primeiro os fluxos de caixa são mensurados para calcular o valor presente e futuro da empresa. Como estimar fluxos de caixa? Uma medida rápida é utilizar os dividendos pagos aos acionistas. No caso de empresas que não distribuem dividendos, Williams acreditava que, em teoria, todos os lucros acumulados deveriam mais cedo ou mais tarde se transformar em dividendos. Uma vez que uma empresa atingisse seu estágio de maturação, ela não precisaria reinvestir seus lucros para o crescimento, de forma que a gestão poderia começar a distribuir os lucros na forma de dividendos. Williams escreveu: "Se os lucros não pagos na forma de dividendos forem todos reinvestidos com sucesso, então os lucros devem produzir dividendos mais tarde; se não, eles perderam dinheiro. Em resumo, uma ação vale só o que se pode tirar dela".[12]

A segunda etapa é descontar esses fluxos de caixa estimados, como garantia em face de eventuais incertezas. Nunca podemos ter certeza absoluta do que uma empresa fará, como serão as vendas de seus produtos ou o que a gestão fará ou não para melhorar o negócio. Sempre há um elemento de risco, especialmente para as ações, apesar de a teoria de Williams se aplicar igualmente às obrigações.

O que, então, deveríamos usar como taxa de desconto? O próprio Williams não é claro a esse respeito, aparentemente acreditando que seus leitores possam determinar sozinhos o que seria mais adequado. O critério de mensuração de Buffett é bastante direto: ele utiliza a taxa de juros para obrigações norte-americanas de longo prazo (dez anos) ou, quando as taxas de juros estiverem muito baixas, utiliza uma taxa média de retorno cumulativa para o mercado de ações em geral.

Ao utilizar o que equivale a uma taxa livre de risco, Buffett modificou a tese original de Williams. Ao limitar suas compras pela margem de segurança de Ben Graham, Buffett se certifica de cobrir o risco na própria transação e, assim, acredita ser adequado utilizar uma taxa livre de risco para o desconto.

Peter Bernstein, em seu livro *Capital Ideas* (não publicado no Brasil), defende que o sistema de Graham é um conjunto de regras, enquanto o modelo de desconto de dividendos de Williams é uma teoria; mas "ambas as abordagens acabam recomendando os mesmos tipos de ações para compra".[13]

Warren Buffett utiliza os dois, com grande sucesso.

Charles Munger

Quando Warren Buffett abriu sua sociedade de investimento em Omaha, em 1956, ele tinha um capital de pouco mais de US$ 100 mil para trabalhar. Uma das primeiras tarefas, portanto, era convencer outros investidores a entrar no jogo. Ele expunha seu discurso habitual, cauteloso e detalhado, a um casal de vizinhos, o doutor Edwin Davis e sua esposa, quando Davis o interrompeu e anunciou abruptamente que investiria US$ 100 mil. Quando Buffett perguntou por quê, Davis respondeu: "Porque você me lembra Charlie Munger".[14]

Quem?

Apesar de os dois homens terem crescido em Omaha e terem muitos conhecidos em comum, eles nunca se encontraram até 1959. Na época, Munger havia se mudado para o sul da Califórnia, mas voltou a Omaha para uma visita quando seu pai faleceu. O doutor Davis decidiu que os dois jovens deveriam se conhecer e organizou um jantar em um restaurante local. O encontro marcou o início de uma extraordinária parceria.

Munger, filho de um advogado e neto de um juiz federal, abriu um bem-sucedido escritório de advocacia na região de Los Angeles, mas seu interesse pelo mercado de ações já era grande. Naquele primeiro jantar, os dois jovens tiveram muito sobre o que falar, incluindo investimentos. Eles passaram a se falar com freqüência, e Buffett incentivava Munger a abandonar a advocacia e se concentrar em investimentos. Por algum tempo, Munger manteve as duas atividades. Em 1962, ele abriu uma sociedade de investimentos, nos mesmos moldes da de Buffett, enquanto mantinha o escritório de advocacia. Depois de três anos de muito sucesso, ele abandonou completamente a advocacia apesar de até hoje ter um escritório em seu nome.

A sociedade de investimentos de Munger em Los Angeles e a de Buffett em Omaha tinham abordagens similares: ambas buscavam obter desconto sobre o valor básico. (Eles também tiveram resultados similares, ambos apresentando um desempenho superior ao índice Dow Jones com margens impressionantes.) Não é de surpreender, portanto, que tenham investido nas mesmas ações. Munger, como Buffett, começou a comprar ações da Blue Chip Stamps no fim dos anos 1960 e mais tarde se tornou o presidente do conselho da empresa. Quando a Berkshire e a Blue Chip Stamps se fundiram em 1978, ele se tornou o vice-presidente do conselho da Berkshire, posição que mantém até hoje.

O relacionamento profissional entre Munger e Buffett não foi formalizado em um acordo de sociedade oficial, mas evoluiu ao longo dos anos em algo talvez ainda mais próximo, mais simbiótico. Mesmo antes de Munger passar a integrar o conselho de administração da Berkshire, os dois tomaram muitas decisões de investimento juntos, muitas vezes se consultando diariamente; aos poucos seus negócios começaram a ficar cada vez mais interligados.

Hoje Munger continua como vice-presidente do conselho da Berkshire Hathaway e também como presidente do conselho da Wesco Financial, que por sua vez tem 80% do capital controlado pela Berkshire e mantém muitos dos mesmos investimentos. Em quase todos os aspectos, ele atua como alter ego e sócio de Buffett. Para se ter uma noção do alinhamento entre os dois, basta contar o número de vezes que Buffett diz "Charlie e eu" fizemos isso, ou decidimos aquilo, ou acreditamos nisso, ou analisamos aquilo, ou achamos isso — quase como se "Charlie-e-eu" fosse o nome de uma só pessoa.

Munger levou, para esse relacionamento profissional, não apenas seu talento financeiro, mas também os fundamentos das leis comerciais. Ele também levou uma perspectiva intelectual bastante diferente da de Buffett. Munger é um apaixonado por muitas áreas do conhecimento — ciência, história, filosofia, psicologia, matemática — e acredita que cada uma dessas áreas possui conceitos importantes que as pessoas podem, e devem, aplicar em seus empreendimentos, incluindo suas decisões de investimentos. Ele as chama de "as grandes idéias", e elas compõem o núcleo de sua famosa noção de "malha de modelos mentais" para os investidores.[15]

Esses fios entrelaçados — conhecimento financeiro, formação em direito e apreço por outras áreas do conhecimento — geraram em Munger uma filosofia de investimento um pouco diferente da de Buffett. Enquanto Buffett ainda estava em busca de oportunidades de barganha, Munger acreditava em pagar um preço justo por empresas de qualidade. E ele pode ser muito convincente.

> "É muito melhor comprar uma empresa espetacular a um preço moderado que uma empresa moderada a um preço espetacular.[16]"
>
> **WARREN BUFFETT**

Foi Munger quem convenceu Buffett que pagar três vezes o valor contábil pela See's Candy seria na verdade um bom negócio (leia a história completa no Capítulo 4). Este fato marcou o início de um gigantesco deslocamento de placas tectônicas no pensamento de Buffett, e ele reconhece com satisfação que foi Charlie quem o empurrou nessa nova direção. Ambos logo acrescentariam que, quando você encontrar uma empresa de qualidade que estiver disponível a um preço baixo, isso quer dizer que você acabou de achar um poço de petróleo — ou, no caso da Berkshire, algo quase tão bom quanto: a Coca-Cola (veja o Capítulo 4).

Uma razão pela qual Buffett e Munger se alinham tão bem é que os dois possuem uma atitude inflexível em relação a princípios de negócios baseados no bom senso. Assim como Buffett, que suportou baixos retornos no setor de seguros e por um tempo se recusou a emitir apólices, Charlie, em sua função como CEO da Wesco, se recusou a fazer empréstimos ao se deparar com um setor de financiamentos e poupança incontrolável. Ambos possuem as competências gerenciais necessárias para administrar negócios de alta qualidade. Os acionistas da Berkshire Hathaway têm o privilégio de ter sócios que cuidam de seus interesses e os ajudam a ganhar dinheiro em todos os ambientes econômicos. Com a política de Buffett em relação à aposentadoria compulsória — ele não acredita nisso —, os acionistas da Berkshire continuarão a se beneficiar não de uma mente, mas de duas, por muito tempo ainda.

Uma mistura de influências

Logo após o falecimento de Graham em 1976, Buffett se tornou o maior defensor da abordagem do valor de Graham. E o nome de Buffett acabou se tornando um sinônimo de investimento em valor. É fácil ver por quê. Ele foi o mais famoso dos dedicados alunos de Graham, e nunca perdeu uma oportunidade de reconhecer a dívida intelectual que tinha para com seu mentor. Mesmo nos dias de hoje, Buffett considera Graham a pessoa, depois de seu pai, que mais o influenciou em sua carreira como investidor.[17]

Como, então, Buffett concilia sua dívida intelectual com Graham à compra de ações como as da Washington Post Company (1973) e da Coca-Cola Company (1988)? Nenhuma delas passaria no rigoroso teste financeiro de Graham para a compra e, mesmo assim, Buffett fez investimentos significativos em ambas.

Já em 1965, Buffett começou a perceber que a estratégia de compra de ações baratas de Graham não era ideal.[18] Ao seguir a abordagem de seu mentor de buscar empresas com ações vendidas a um preço inferior ao seu capital circulante líquido, Buffett acabou comprando alguns verdadeiros fracassos. Diversas ações compradas por ele a preços baixos (e que, portanto, passavam no teste de Graham para a compra), estavam baratas porque os negócios das empresas enfrentavam problemas.

A partir desses erros, Buffett começou a se distanciar dos ensinamentos estritos de Graham. "Eu evoluí", ele admitiu, "mas não passei de macaco a ser humano ou de ser humano a macaco de forma estável e sem problemas".[19] Ele estava começando a reparar na natureza qualitativa de algumas empresas, em comparação com os aspectos quantitativos de outras. Apesar disso, entretanto, ainda se via procurando barganhas, algumas vezes com resultados horríveis. "A minha punição", ele confessou, "foi me aprofundar nos fatores econômicos dos fabricantes de implementos agrícolas (Dempster Mill Manufacturing), lojas de departamentos (Hochschild-Kohn) e indústrias têxteis da Nova Inglaterra (Berkshire Hathaway)".[20] A evolução de Buffett foi postergada, ele admitiu, em virtude do valor dos ensinamentos de Graham.

Ao avaliar ações, Graham não pensava nas especificidades dos negócios. Ele não levava em consideração as competências da gestão. Ele limitava suas pesquisas à investigação de registros corporativos e relatórios anuais. Se houvesse uma probabilidade matemática de ganhar dinheiro porque o preço da ação era mais baixo que os ativos da empresa, Graham comprava, independentemente do negócio ou de sua gestão. Para aumentar a probabilidade de sucesso, ele comprava o maior número possível dessas equações estatísticas.

Se os ensinamentos de Graham se limitassem a esses preceitos, Buffett não o respeitaria tanto. Mas a teoria de margem de segurança que Graham enfatizava era tão importante para Buffett que ele se permitia fazer vista grossa aos pontos fracos da metodologia do mestre. Até hoje Buffett continua adotando a principal idéia de Graham, a teoria da *margem de segurança*. "Quarenta e dois anos depois de ler aquilo", Buffett observou, "ainda acho que essas são as três palavras certas".[21] A principal lição que Buffett aprendeu com Graham foi que o investimento bem-sucedido envolve comprar ações quando seu preço de mercado estiver com um desconto significativo em relação ao valor do negócio subjacente.

Além da teoria da margem de segurança, que se tornou referência intelectual para o pensamento de Buffett, Graham o ajudou a perceber a tolice de acompanhar as flutuações do mercado de ações. As ações possuem uma característica de investimento e uma característica especulativa, Graham ensinava, e as características especulativas são uma conseqüência do medo e da ganância das pessoas. Essas emoções, presentes na maioria dos investidores, fazem com que os preços das ações pairem muito acima e, o mais importante, muito abaixo, do valor intrínseco da empresa, apresentando, assim, uma margem de segurança. Graham ensinou a Buffett que se ele pudesse se livrar dos turbilhões emocionais do mercado de ações, ele teria a oportunidade de explorar o comportamento irracional dos outros investidores, que compravam ações com base em emoções e não na lógica.

Com Graham, Buffett aprendeu a pensar de maneira independente. Caso se chegue a uma conclusão lógica com base em análises sólidas, o conselho de Graham era não se dissuadir em virtude da discordância de outras pessoas. "Você não está certo ou errado porque a multidão discorda de você", ele escreveu. "Você está certo porque os seus dados e a sua lógica estão corretos".[22]

Phil Fisher, em muitos aspectos, era exatamente o oposto de Ben Graham. Fisher acreditava que, para tomar boas decisões, os investidores precisavam de informações completas sobre um negócio. Isso significa que eles precisavam investigar todos os aspectos da empresa. Eles precisavam olhar além dos números e conhecer o negócio em si porque essas informações são muito relevantes. Eles também precisavam analisar os atributos da gestão de uma empresa, já que isso pode afetar o valor do negócio subjacente. Eles deveriam aprender o máximo que pudessem sobre o setor no qual a empresa opera e sobre os concorrentes. Cada fonte de informação deveria ser explorada.

> "Em uma entrevista no programa da *PBS Money World* em 1993, perguntaram a Buffett qual conselho de investimento ele daria a um administrador de recursos financeiros em início de carreira. "Eu lhe diria para fazer exatamente o que eu fiz 40 anos atrás: aprender sobre cada empresa dos Estados Unidos que negociou títulos". O moderador, Adam Smith, protestou: "Mas são 27 mil empresas de capital aberto". "Bem", disse Buffett, "comece pela letra A".[23]"

Com Fisher, Buffett aprendeu o valor do "mexerico". Ao longo dos anos, Buffett desenvolveu uma ampla rede de contatos que o ajudam a avaliar os negócios.

Para completar, Fisher ensinou a Buffett os benefícios de se concentrar apenas em alguns investimentos. Ele acreditava ser um erro dizer aos investidores que colocar seus ovos em várias cestas reduz o risco. O perigo de comprar ações demais, ele acreditava, é que se torna impossível observar todos os ovos em todas as cestas. Deste ponto de vista, comprar ações de uma empresa sem dedicar o tempo necessário para desenvolver uma profunda compreensão do negócio era muito mais arriscado do que uma diversificação limitada.

John Burr Williams proporcionou a Buffett uma metodologia para calcular o valor intrínseco de um negócio, que é um dos fundamentos de sua abordagem para os investimentos.

As diferenças entre Graham e Fisher são flagrantes. Graham, o analista quantitativo, enfatizava somente os fatores que pudessem ser mensurados: ativos fixos, lucros atuais e dividendos. Sua pesquisa investigativa se limitava a registros corporativos e relatórios anuais. Ele não entrevistava clientes, concorrentes ou gestores.

A abordagem de Fisher era a antítese da de Graham. Fisher, o analista qualitativo, enfatizava os fatores que, como acreditava, aumentavam o valor de uma empresa: em especial as perspectivas futuras e a competência da gestão. Enquanto Graham se interessava em comprar somente ações baratas, Fisher se interessava em comprar empresas que tivessem o potencial de aumentar seu valor intrínseco no longo prazo. Ele não media esforços, que incluíam longas e abrangentes entrevistas para descobrir informações que pudessem aprofundar seu processo de seleção.

Buffett diz que, apesar das diferenças entre as abordagens de Graham e Fisher, elas são "comparáveis no mundo dos investimentos".[24] Eu tomaria a liberdade de dizer que, em vez de comparáveis, em Warren Buffett as abordagens se encaixam: sua abordagem para os investimentos combina o entendimento qualitativo do negócio e de sua gestão (como ensinado por Fisher) e o entendimento quantitativo do preço e do valor (como ensinado por Graham).

Warren Buffett disse: "Sou 15% Fisher e 85% Benjamin Graham".[25] Essa observação tem sido amplamente citada, mas é importante manter em mente que ela foi feita em 1969. Nesse ínterim, Buffett fez um movimento gradual, mas definitivo, na direção da filosofia de Fisher: comprar alguns bons negócios selecionados e mantê-los por vários anos. Minha impressão é que, se ele fizesse uma afirmação similar hoje, o equilíbrio ficaria bem perto de 50/50.

Sem dúvida, Charlie Munger foi o principal responsável pela movimentação de Buffett em direção ao pensamento de Fisher.

Em um sentido real, Munger é a incorporação ativa das teorias qualitativas de Fisher. Desde o início, Charlie demonstrou uma grande preocupação com o valor de bons negócios e a sabedoria de pagar um preço razoável por eles. Ao longo de seus anos juntos, Charlie pregou a sabedoria de pagar mais por um bom negócio.

Mas por outro lado, Munger também é o eco contemporâneo de Ben Graham. Anos antes, Graham ensinou a Buffett o duplo significado das emoções nos investimentos — os erros que provocam para os que baseiam decisões irracionais nelas e as oportunidades que isso cria para aqueles que conseguem evitar cair nas mesmas armadilhas. Munger, por meio de suas leituras sobre psicologia, sempre desenvolveu esse tema. Ele o chama de "psicologia da má decisão", uma noção que veremos com mais profundidade no Capítulo 11; e, com persistente ênfase, ele a mantém como parte integral do processo decisório na Berkshire. Essa é uma de suas contribuições mais importantes.

A dedicação de Buffett a Ben Graham, Phil Fisher, John Burr Williams e Charlie Munger é compreensível. Graham deu a Buffett a base intelectual para investir, a margem de segurança, e o ajudou a entender como dominar suas emoções para se aproveitar das flutuações do mercado. Fisher deu a Buffett uma metodologia atualizada e viável que lhe permitiu identificar bons investimentos de longo prazo e administrar uma carteira no longo prazo e ensinou o valor de se concentrar apenas em algumas poucas boas empresas. Williams lhe deu um modelo matemático para calcular o valor real. Munger ajudou Buffett a considerar os retornos econômicos provenientes da compra de excelentes negócios. A freqüente confusão em torno das decisões de investimento de Buffett é facilmente compreendida quando reconhecemos que Buffett é a síntese desses quatro homens.

"Não basta ter inteligência", escreveu Descartes; "o principal é aplicá-la bem". É a aplicação que distingue Buffett dos outros administradores de investimentos. Muitos de seus colegas são altamente inteligentes, disciplinados e dedicados. Buffett se destaca de todos em função de sua formidável capacidade de integrar as estratégias de quatro sábios em uma abordagem coesa.

| CAPÍTULO 3 |

"NOSSO PRINCIPAL NEGÓCIO SÃO OS SEGUROS"

O INÍCIO DA BERKSHIRE HATHAWAY

Quando a Buffett Partnership assumiu o controle da Berkshire Hathaway em 1965, o patrimônio líquido dos acionistas tinha caído pela metade e a perda operacional excedia US$ 10 milhões. Buffett e Ken Chace, que administrava o grupo têxtil, trabalharam intensamente para reverter esse quadro. Os resultados foram decepcionantes; o retorno sobre o patrimônio líquido mal atingia dois dígitos.

Nesse cenário sombrio, havia uma luz no fim do túnel, um sinal do que estava por vir: o habilidoso tratamento dado por Buffett à carteira de ações ordinárias da empresa. Quando Buffett assumiu, a empresa tinha US$ 2,9 milhões em títulos negociáveis. Ao final do primeiro ano, a carteira e empresas já havia engordado para US$ 5,4 milhões. Em 1967, o retorno em dólares sobre o investimento era três vezes o retorno de toda a divisão têxtil, que tinha dez vezes a base do patrimônio.

Mesmo assim, ao longo da década seguinte, Buffett passou a compreender algumas realidades. Para começar, a própria natureza do negócio têxtil fazia com que os altos retornos sobre o patrimônio líquido fossem improváveis. Os produtos têxteis são commodities, e as commodities, por definição, são difíceis de diferenciar dos produtos da concorrência. A concorrência estrangeira, que empregava uma força de trabalho mais barata, estava achatando as margens de lucro. Em segundo lugar, para se manter competitivas, as fábricas precisavam de melhorias significativas em suas instalações — uma perspectiva assustadora em um ambiente inflacionário e desastrosa para negócios com retornos anêmicos.

Buffett não tentou ocultar as dificuldades, mas, em várias ocasiões, explicou sua linha de pensamento: as fábricas eram o maior empregador da região; a força de trabalho era um grupo de idade mais avançada com habilidades relativamente não transferíveis; a gestão tinha mostrado um alto nível de entusiasmo; os sindicatos estavam sendo razoáveis; e, para completar, ele acreditava que o negócio têxtil tinha chances de gerar algum lucro.

Entretanto, Buffett deixou claro que esperava que o grupo têxtil produzisse retornos positivos com despesas modestas de capital. "Eu não vou fechar um negócio de lucratividade abaixo do normal só para acrescentar uma fração de um ponto aos nossos retornos corporativos", disse Buffett. "Eu também acho ser inadequado que até mesmo uma empresa excepcionalmente lucrativa financie uma operação que apresente uma perspectiva de perdas infinitas. Adam Smith discordaria da minha primeira proposição e Karl Marx discordaria da segunda; o meio-termo", ele explicou, "é a única posição na qual me sinto à vontade".[1]

Em 1980, o relatório anual revelou indicativos sinistros para o futuro do grupo têxtil. Naquele ano, o grupo perdeu sua prestigiosa posição de destaque na Carta do Presidente do Conselho. No ano seguinte, os produtos têxteis nem chegaram a ser mencionados. Então veio o inevitável: em julho de 1985, Buffett desistiu do grupo têxtil, descontinuando um negócio que tinha sido fundado cerca de 100 anos antes.

A experiência não foi um fracasso total. Para começar, Buffett aprendeu uma valiosa lição sobre as mudanças de direção corporativas: elas raramente têm sucesso. E por fim, o grupo têxtil havia gerado capital suficiente nos anos anteriores para comprar uma empresa de seguros, o que deu início a uma história muito mais feliz.

O negócio dos seguros

Em março de 1967, a Berkshire Hathaway comprou, por US$ 8,6 milhões, as ações emitidas por duas seguradoras com sede em Omaha: a National Indemnity Company e a National Fire & Marine Insurance Company. Foi o início de uma história de sucesso fenomenal. A Berkshire Hathaway têxtil não sobreviveria por muito tempo, mas a Berkshire Hathaway seguradora estava prestes a decolar.

Para compreender este fenômeno, precisamos reconhecer o verdadeiro valor de se possuir uma empresa de seguros. Algumas vezes as seguradoras são bons investimentos e, em outras vezes, não. Elas sempre são, entretanto, excelentes *veículos* de investimento. Os segurados, ao pagarem seus prêmios, fornecem um fluxo constante de caixa, conhecido como *float*. As seguradoras reservam parte do caixa (chamada de reserva) para pagar sinistros todos os anos, com base em suas melhores estimativas, e investem o resto. Para permitir um alto nível de liquidez, já que é praticamente impossível saber quando os sinistros precisarão ser pagos, a maioria opta por investir em títulos negociáveis — principalmente ações e obrigações. Assim, Warren Buffett adquiriu não somente duas empresas razoavelmente saudáveis, mas um veículo blindado para administrar investimentos.

Para um analista de ações experiente como Buffett, era um casamento perfeito. Em apenas dois anos, ele aumentou as carteiras de títulos e ações das duas empresas de US$ 31,9 milhões para quase US$ 42 milhões. Ao mesmo tempo, os dois negócios de seguros estavam indo muito bem. Em apenas um ano, a renda líquida da National Indemnity teve um aumento de US$ 1,6 milhão para US$ 2,2 milhões.

O rápido sucesso de Buffett na área de seguros o levou a se expandir agressivamente nesse grupo. No decorrer da próxima década, ele comprou três seguradoras e montou outras cinco. E não desacelerou. Em 2004, a Berkshire tinha 38 empresas seguradoras, incluindo dois gigantes, a Government Employees Insurance Company (GEICO) e a General Re, cada uma com várias controladas.

Government Employees Insurance Company

O primeiro contato de Warren Buffett com a GEICO aconteceu quando ele estudava na Columbia. Seu mentor, Ben Graham, era o presidente de conselho de administração da empresa. Uma das partes favoritas da história de Buffett é o hoje conhecido caso do jovem estudante que visita o escritório da empresa em uma manhã de sábado e bate na porta até que um zelador o deixou entrar. Buffett então passou cinco horas recebendo orientações sobre o negócio de seguros da única pessoa que estava trabalhando naquele dia: Lorimer Davidson, um diretor de investimentos que acabou se tornando o CEO da empresa. Buffett ficou intrigado com o que aprendeu.

A GEICO se apoiava em conceitos simples mas de certa forma revolucionários: se você tiver só segurados com bons históricos de hábitos de direção, terá menos sinistros; e, se vender diretamente aos clientes, sem utilizar agentes, manterá os custos indiretos baixos.

De volta a Omaha e trabalhando na corretora do pai, o jovem Warren Buffett escreveu um artigo sobre a GEICO para um periódico financeiro onde observou: "Há motivos para acreditar que a maior parte do crescimento ainda está reservada para o futuro".[2] Buffett investiu US$ 10.282 na empresa e vendeu essa participação no ano seguinte com um lucro de 50%. Mas nunca deixou de acompanhar a empresa.

Ao longo das décadas de 1950 e 1960, a GEICO prosperou. Mas então começou a tropeçar. Por muitos anos, a empresa tentou expandir sua base de clientes com uma política de preços mais baixos e flexibilização de exigências para aceitar novos segurados e, por dois anos subseqüentes, cometeu sérios erros de cálculo na definição da quantia necessária para as reservas (das quais os sinistros são pagos). O efeito combinado desses erros foi que, em meados da década de 1970, a companhia outrora promissora estava às margens da falência.

Quando o preço das ações caiu de US$ 61 para US$ 2 por unidade em 1976, Warren Buffett começou a comprar. Durante um período de cinco anos, com uma crença inabalável de se tratar de uma empresa forte cujas vantagens competitivas permaneciam inalteradas, Buffett investiu US$ 45,7 milhões na GEICO.

No ano seguinte, 1977, a empresa voltou a obter lucros. Nas duas décadas seguintes, a GEICO teve índices positivos de *underwriting* — significando que recebia mais prêmios do que pagava em sinistros — em todos os anos com exceção de um. No setor, em que índices negativos são a regra e não a exceção, um histórico como esse é quase inédito. E esse *float* em excesso proporcionou à GEICO enormes recursos para os investimentos, brilhantemente administrados por um homem notável chamado Lou Simpson.

Em 1991, a Berkshire era proprietária de quase metade (48%) da GEICO. O desempenho impressionante da seguradora e o interesse de Buffett na empresa continuaram a crescer. Em 1994, a Berkshire começou a negociar a compra da empresa inteira e, um ano depois, a compra foi anunciada. A Berkshire tinha então 51% da GEICO e concordou em comprar o restante por US$ 2,3 bilhões. Isso em uma época em que a maior parte do setor de seguros se esforçava para manter a lucratividade e a maioria dos investidores preferia se manter cautelosamente distante. Toda a papelada ficou pronta no início de 1996. Assim, a GEICO se tornou oficialmente uma unidade de propriedade integral da Berkshire Hathaway, administrada independentemente das outras *holdings* de seguros da Berkshire.

Apesar de um ou dois períodos difíceis, a confiança de Buffett no conceito básico da GEICO foi muito bem recompensada. Entre 1996 e 2003, a empresa aumentou sua participação de mercado de 2,7 para 5%. O ano de 2000 marcou o período de maior turbulência, quando muitos segurados migraram para outras seguradoras e uma enorme e dispendiosa campanha publicitária (de US$ 260 milhões) fracassou em produzir o volume estimado de novos negócios.

A situação começou a se estabilizar em 2001 e, em 2002, a GEICO estava solidamente de volta ao mercado, com um crescimento substancial na participação de mercado e nos lucros. Naquele ano, a GEICO recebeu US$ 6,9 bilhões em prêmios, um crescimento enorme em relação aos US$ 2,9 bilhões recebidos em 1996, o ano em que a Berkshire se tornou a única proprietária da empresa. Em abril de 2003, a empresa atingiu um grande marco quando conquistou 5 milhões de segurados. Ao final de 2003, esses 5 milhões de segurados pagaram prêmios num total de US$ 8,1 bilhões.

Em função do aumento das margens de lucro quando os segurados ficam mais tempo com a empresa, a GEICO se concentrou em desenvolver relacionamentos de longo prazo com seus clientes. Quando Buffett assumiu a empresa em 1996, ele promoveu um novo sistema de incentivos para recompensar esse foco. Metade das bonificações e da participação nos lucros eram baseadas em apólices de pelo menos um ano de idade e a outra metade no crescimento do número de segurados.

O cliente médio da GEICO tem mais de um carro segurado, paga prêmios anuais de aproximadamente US$ 1.100, mas mantém um excelente histórico de hábitos de direção. Como Buffett certa vez observou, os fatores econômicos dessa fórmula são simples: "O dinheiro está entrando e não saindo".[3]

Buffett começou a comprar a GEICO pela pechincha inicial de US$ 2 por ação em 1976, mas pagou cerca de US$ 70 por ação pelo resto da empresa em 1996. E não se arrepende. Ele considera a GEICO uma empresa inigualável com um potencial ilimitado, algo pelo qual vale a pena pagar um alto preço. Quanto a essa visão de negócios — se você quiser as melhores empresas, deverá estar disposto a pagar mais quando elas estiverem disponíveis —, o sócio de Buffett, Charlie Munger, foi uma influência decisiva.

Conhecendo o estreito relacionamento profissional entre eles, seria uma aposta segura imaginar que Munger teve muito a dizer em relação a outra decisão da Berkshire envolvendo uma empresa seguradora.

General Re Corporation

Em 1996, Buffett pagou US$ 2,3 bilhões por metade da GEICO. Dois anos mais tarde, ele pagou *sete* vezes mais — cerca de US$ 16 bilhões em ações da Berkshire Hathaway — para adquirir uma empresa de resseguros chamada General Re.[4] Aquela havia sido a sua maior aquisição até então; alguns a consideram o maior evento na história da Berkshire.[5]

O resseguro é uma área do setor de seguros não muito bem conhecida pelo público geral, já que não lida com seguros de vida, imóveis ou automóveis. Simplificando, as resseguradoras fazem seguros para outras seguradoras. Por meio de um contrato que especifica como os prêmios e as perdas serão alocadas, a resseguradora assume uma porcentagem do risco da empresa original. Isso permite que a seguradora direta assuma um nível mais alto de risco, reduza as necessidades de capital operacional e diminua os índices de perdas.

Por sua vez, a resseguradora recebe uma participação dos prêmios recebidos, para investir como achar melhor. Na General Re, esse investimento havia sido feito principalmente em obrigações. Isso, na verdade, foi uma parte fundamental da estratégia de Buffett na compra da empresa.

Quando Buffett a adquiriu, a General Re tinha aproximadamente US$ 19 bilhões em obrigações, US$ 5 bilhões em ações e US$ 15 bilhões em *floats*. Ao usar ações da Berkshire para comprar a empresa e seus pesados investimentos de renda fixa, Buffett, em uma elegante manobra, mudou a participação das ações nos invstimentos da Berkshire de 80% para 60%. Quando o IRS — a Receita Federal dos Estados Unidos — determinou, no final de 1998, que a incorporação não envolveu ganhos de capital, ficou patente que ele conseguiu "vender" quase 20% das participações societárias da Berkshire, evitando com habilidade o pior da volatilidade de preços e praticamente livre de impostos.

A única mudança de pessoal significativa promovida após a incorporação foi a eliminação da unidade de investimentos da General Re. Cerca de 150 pessoas eram encarregadas de decidir onde investir os recursos da empresa; elas foram substituídas por apenas uma: Warren Buffett.

Logo depois que a Berkshire comprou a General Re, a empresa passou por um de seus piores anos. Em 1999, a GenRe, como é conhecida, pagou sinistros resultantes de desastres naturais (uma grande tempestade de granizo na Austrália, terremotos na Turquia e uma série devastadora de tempestades na Europa), do maior incêndio da história e de fracassos de filmes de alta exposição (a empresa tinha feito o seguro de receitas de bilheteria). Para piorar ainda mais as coisas, a GenRe fazia parte de um grupo de várias seguradoras e resseguradoras que se viram envolvidas em complicadas negociações salariais que terminaram em litígio coletivo e uma exposição a riscos de aproximadamente US$ 275 milhões por dois anos consecutivos (1998 e 1999).

O problema, como ficou evidente mais tarde, era que a GenRe praticava preços baixos demais. Os prêmios que entram, como já mencionamos, ao final serão pagos aos segurados que sofrem sinistros. Se a empresa pagar mais do que receber, o resultado é uma perda em seguros. O coeficiente dessa perda e dos prêmios recebidos em determinado ano é conhecido como o custo do *float* para aquele ano. Quando as duas partes da equação são iguais, o custo do *float* é zero — o que é bom. Melhor ainda seria um custo menor do que zero, ou custo do *float* negativo, que ocorre quando os prêmios superam os pagamentos dos sinistros, produzindo um lucro de seguros. Isso é chamado de custo do *float* negativo, mas na verdade é positivo: a seguradora está literalmente sendo paga para manter o capital.

O *float* é maravilhoso, Buffett comenta com certa frequência, a menos que seja resultado de preços muito altos. Prêmios baixos demais ou perdas mais altas do que o esperado afetam desfavoravelmente o custo do *float*; quando ambos ocorrem simultaneamente, o custo do *float* dispara.

E foi exatamente o que ocorreu com a GenRe, apesar de isso não ter ficado claro a princípio. Buffett percebera, já em 1999, que as apólices estavam com preços baixos demais e começou a trabalhar para reverter essa situação. Os efeitos dessas mudanças não foram sentidos da noite para o dia, entretanto, e em 2000 a General Re passou por uma perda de seguros de US$ 1,6 bilhão, gerando um custo de *float* de 6%. Mesmo assim, Buffett se sentiu confortável para informar em sua carta aos acionistas de 2000 que a situação estava melhorando e que esperava que a tendência ascendente continuasse. Então, em um prenúncio terrível e involuntário, ele acrescentou: "Na ausência de uma grande catástrofe, esperamos que o nosso custo do *float* caia em 2001".[6] Cerca de seis meses mais tarde, no dia 11 de setembro, os Estados Unidos tiveram um buraco enorme rasgado em sua alma por uma catástrofe até então inimaginável.

Em uma carta aos acionistas enviada com o relatório do terceiro trimestre de 2001, Buffett escreveu: "A ocorrência de uma catástrofe de grandes proporções não causa nenhum surpresa. Elas ocorrem de tempos em tempos e esta não será a última. Entretanto, não especificamos um preço para catástrofes *provocadas pelo homem* e isso foi uma estupidez".[7]

Buffett estimou que as perdas da Berkshire em função dos ataques terroristas de 11 de setembro totalizaram US$ 2,275 bilhões, dos quais US$ 1,7 bilhão recaíram sobre a General Re. Esse nível de perdas motivou uma mudança na companhia. Medidas mais agressivas foram tomadas para garantir a boa formação de preços das apólices e que reservas suficientes estivessem à disposição para pagar sinistros. Essas manobras corretivas foram bem-sucedidas. Em 2002, após cinco anos de perdas, a GenRe informou seu primeiro lucro com seguros, levando Buffett a anunciar no encontro anual de 2002: "Estamos de volta".

Warren Buffett, como se sabe, olha para o longo prazo. Ele é o primeiro a admitir, com a franqueza que lhe é característica, que não tinha percebido os problemas da GenRe. Isso por si só é interessante, e estranhamente irônico, para os observadores de Buffett. O fato que uma pessoa tão experiente quanto Buffett pudesse deixar de ver os problemas demonstra a complexidade do setor de seguros. Se esses problemas fossem evidentes, eu não tenho nenhuma dúvida de que Buffett não teria pago o preço que pagou pela GenRe. Mas também estou bastante certo de que ele teria prosseguido de qualquer forma, porque sua visão está voltada para o longo prazo.

O setor de resseguros oferece um grande potencial e um negócio de resseguros bem administrado pode gerar um enorme valor aos acionistas. Buffett sabe disso melhor do que a maioria das pessoas. Assim, apesar de os erros de precificação da GenRe terem causado problemas no curto prazo, e apesar de ele ter adquirido esses problemas junto com a empresa, isso não anula a sua conclusão básica de que uma empresa de resseguros bem gerenciada poderia criar muito valor para a Berkshire. Em uma situação como essa, a primeira reação de Buffett é solucionar os problemas, não descartar a empresa.

Como costuma fazer, Buffett dá os créditos pela recuperação da disciplina de seguros aos gestores da empresa, ao estabelecer preços razoáveis para as apólices e definir reservas suficientes. Sob a liderança deles, ele escreveu aos acionistas em 2003, a General Re "será um poderoso motor que impulsionará a lucratividade futura da Berkshire".[8]

Até a época da revisão deste livro, a General Re era um das duas maiores resseguradoras globais com classificação AAA.[9] A outra resseguradora também era uma empresa da Berkshire: a divisão de resseguros da National Indemnity.

Berkshire Hathaway Reinsurance Group

As operações de seguros da National Indemnity no âmbito da Berkshire estão hoje muito distantes da empresa que Buffett comprou em 1967 – no que diz respeito a operações e abrangência, mas não à filosofia básica.

Um aspecto da National Indemnity que não existia na gestão de seu fundador, Jack Ringwalt, é a divisão de resseguros. Hoje, essa divisão, administrada do escritório da National Indemnity em Stamford, Connecticut, contribui de forma decisiva para a receita da Berkshire.

O grupo ressegurador é liderado pelo indiano Ajit Jain, com formação no Indian Institute of Technology e em Harvard. Jain recentemente brincou que, quando entrou na Berkshire em 1982, mal sabia soletrar resseguro, mas desenvolveu uma divisão extremamente lucrativa merecedora dos melhores elogios de Buffett entra ano e sai ano.[10]

Trabalhando com base na força financeira da Berkshire, o grupo ressegurador consegue emitir apólices com as quais outras empresas, e até outras resseguradoras, se intimidariam. Algumas delas se destacam por serem extremamente incomuns: uma apólice de seguro contra lesões para a estrela do beisebol Alex Rodrigez, do Texas Rangers, ou contra o pagamento de US$ 1 bilhão para uma loteria na Internet. Comentando sobre a última apólice, um vice-presidente da divisão de resseguros observou: "Enquanto o prêmio for mais alto que a probabilidade, nos sentimos à vontade com isso".[11]

A maior parte das operações de seguros do grupo ressegurador não é tão extravagante. Elas são, contudo, extremamente lucrativas. Houve aumentos significativos de receita em 2002 e 2003. Como resultado do 11 de setembro, muitas empresas e indivíduos aumentaram sua cobertura de seguro, muitas vezes de forma significativa e não houve perdas catastróficas nos dois anos subseqüentes. Em 2003, o Berkshire Hathaway Reinsurance Group gerou US$ 4,43 bilhões em prêmios, levando seu *float* total a pouco menos de US$ 14 bilhões.

Talvez o fato mais significativo seja que o custo do *float* naquele ano ficou em 3 pontos percentuais negativos — isso significa que não houve custo, e sim lucro. (Neste caso, lembre-se, "negativo" é positivo.) Isso ocorre porque o grupo ressegurador teve em 2003 um ganho de seguros (mais prêmios do que pagamentos) de mais de US$ 1 bilhão. Como base de comparação, no mesmo ano o ganho de seguros da GEICO foi de US$ 452 milhões e o da General Re foi de US$ 145 milhões.

Não é de se espantar que Buffett diga: "Se você vir Ajit no nosso encontro anual, faça uma profunda reverência a ele".[12]

Warren Buffett entende o negócio de seguros como poucos. Seu sucesso é em grande parte proveniente do reconhecimento da natureza de commodity do setor e de elevar suas empresas seguradoras ao nível de *franchise*.

As empresas de seguros vendem um produto que não se distingue dos produtos dos concorrentes. As apólices são padronizadas e podem ser copiadas por qualquer um. Não há marcas registradas, patentes, vantagens de localização ou matérias-primas. É fácil obter uma licença e as taxas dos seguros são um livro aberto. O seguro, em outras palavras, é uma commodity.

No negócio de commodities, uma forma comum de ganhar participação de mercado é reduzir os preços. Em períodos de concorrência intensa, outras empresas se dispuseram a vender apólices de seguro abaixo do custo do negócio em vez de arriscar a perda da participação de mercado. Buffett se manteve firme: evitou enveredar com as operações de seguros da Berkshire em território não lucrativo. Isso aconteceu apenas uma vez — na General Re — e Buffett foi pego desprevenido.

> “É sempre possível redigir apólices de seguro idiotas. Há um mercado ilimitado para apólices de seguro idiotas. E elas são tão perturbadoras porque a última vez que se vê o dinheiro é quando o prêmio entra. A partir daí, ele só sai. E não é esse o nosso objetivo de vida.[13]”
>
> **WARREN BUFFETT, 2001**

Recusando-se a competir com base no preço, Buffett busca distinguir as empresas de seguros da Berkshire de duas outras formas. Primeiro, pelo vigor financeiro. Atualmente, o grupo de seguros da Berkshire está classificado em segundo lugar, em termos de receita e lucros anuais, perdendo apenas para a AIG, no setor de bens e acidentes. Além disso, o coeficiente entre carteira de investimentos da Berkshire (US$ 35,2 bilhões) e seu volume de prêmios (US$ 8,1 bilhões) é significativamente mais alto do que a média do setor.

O segundo método de diferenciação envolve a filosofia de seguros de Buffett. Sua meta é simples: sempre contratar grandes volumes de seguros mas somente a preços que façam sentido. Se os preços estiverem baixos, ele se contenta em fechar muito poucos negócios. Essa filosofia foi incutida na National Indemnity por seu fundador, Jack Ringwalt. Desde aquela época, diz Buffett, a Berkshire nunca se desviou intencionalmente de sua disciplina com os seguros. A única exceção foi a General Re, e a má formação de preços provocou um grande impacto no desempenho geral da Berkshire por vários anos. Entretanto, essa situação desagradável já foi corrigida.

O vigor financeiro da Berkshire tem distinguido suas companhias de seguros do resto do setor. Quando os concorrentes somem do mercado, assustados com as perdas recentes, a Berkshire permanece como uma constante fornecedora de seguros. Em resumo, a integridade financeira que Buffett impôs às empresas seguradoras da Berkshire criou uma *franchise* que, em outros aspectos, é um negócio de commodities. Não surpreende que Buffett tenha observado, com seu estilo direto característico: "Nosso principal negócio são os seguros".[14]

O rio de dinheiro gerado pelas operações de seguros da Berkshire é impressionante: cerca de US$ 44,2 bilhões em 2003. É o que Buffett faz com esse caixa que o define e à sua empresa. E isso nos leva ao próximo capítulo.

| CAPÍTULO 4 |

COMPRANDO UM NEGÓCIO

A Berkshire Hathaway, Inc. é complexa, mas não complicada. Ela é proprietária de pouco menos de 100 empresas — as seguradoras descritas no capítulo anterior, e uma ampla variedade de negócios não relacionados a seguros, adquiridos com o fluxo contínuo de renda da operação de seguros. Utilizando essa mesma fonte de caixa, a Berkshire também compra obrigações e ações de empresas de capital aberto. Permeando tudo isso está a forma realista de Warren Buffett encarar um negócio, seja uma empresa que ele avalia para comprar integralmente ou para investir em suas ações.

Não existe uma diferença fundamental, Buffett acredita, entre os dois propósitos. Ambos o tornam proprietário do negócio e, portanto, ambas as decisões deveriam, em sua visão, partir desse mesmo ponto de vista. Este é o aspecto mais importante da abordagem de investimentos de Buffett: comprar ações significa comprar um negócio e requer a mesma disciplina. Com efeito, Buffett sempre preferiu comprar diretamente uma empresa, já que isso lhe permite influenciar o que ele considera o fator crítico de um negócio: a alocação de capital. Mas, quando as ações representam um valor melhor, sua escolha é investir em parte de uma empresa por meio da compra de ações ordinárias.

Nos dois casos, Buffett segue a mesma estratégia: ele procura por empresas que entenda, com um histórico consistente de lucros e perspectivas favoráveis de longo prazo, que apresentem um bom retorno sobre o patrimônio líquido e poucas dívidas, que sejam administradas por pessoas honestas e competentes e, também importante, que estejam disponíveis a preços atrativos. Essa forma de encarar os investimentos potenciais, sob o ponto de vista de um proprietário, é fundamental na abordagem de Buffett.

> “Tudo o que queremos é atuar em negócios que entendemos, administrados por pessoas de quem gostamos e a preços atrativos em relação a suas perspectivas futuras.[1]”
>
> WARREN BUFFETT, **1994**

Por operar do ponto de vista do proprietário, para o qual a compra de uma ação é o mesmo que a compra de uma empresa, o oposto também é verdadeiro, ou seja, a compra de uma empresa é o mesmo que a compra de uma ação. Os mesmos princípios se aplicam nos dois casos e, assim, ambos fornecem lições importantes.

Esses princípios são descritos em mais detalhes nos Capítulos 5 a 8. Juntos, eles compõem o que chamo de “jeito Warren Buffett de investir” e são aplicados, quase inconscientemente, sempre que ele pensa em comprar ações de uma empresa ou a empresa como um todo. Neste capítulo, faremos um breve passeio pelo histórico de algumas dessas compras, para compreendermos melhor as lições que elas oferecem.

Um mosaico de muitos negócios

A Berkshire Hathaway, Inc., da forma como existe hoje, pode ser melhor entendida como uma *holding*. Além das empresas seguradoras, ela também é proprietária de um jornal, uma fábrica de doces, uma rede de lanchonetes, uma editora de enciclopédias, várias lojas de móveis, uma fabricante de botas de caubói, joalherias, um fornecedor de materiais para molduras personalizadas, uma fabricante de tintas, uma fabricante e distribuidora de uniformes, uma fabricante de aspiradores de pó, uma empresa de serviços públicos, duas empresas de calçados e uma famosa marca de roupas íntimas — entre outras.

Algumas dessas empresas, em particular as aquisições mais recentes, são pérolas que Buffett encontrou com a sua forma característica de agir: ele incluiu elogios a elas nos relatórios anuais da Berkshire Hathaway.

Seus critérios são diretos: negócios simples e de fácil compreensão com capacidade consistente de gerar receitas, bom retorno sobre o patrimônio líquido, poucas dívidas e boa gestão. Buffett se interessa por empresas avaliadas entre US$ 5 bilhões e US$ 20 bilhões, e quanto maior, melhor. Ele não está interessado em mudanças de direção, aquisições hostis ou situações temporárias sem preço de venda determinado. Ele garante a confidencialidade e uma resposta rápida.

Nos relatórios anuais da Berkshire Hathaway e em observações para os acionistas, ele descreve sua estratégia de aquisição da seguinte maneira: "É um processo muito científico. Charlie e eu nos sentamos e esperamos o telefone tocar. Algumas vezes é engano".[2]

A estratégia funciona. Por meio desse anúncio público e também por indicações de gestores das empresas da Berkshire, Buffett adquiriu uma incrível série de negócios de sucesso. Algumas pertencem à Berkshire há décadas e suas histórias se tornaram parte do aprendizado de Buffett.

A See's Candy Shops, por exemplo, é uma controlada da Berkshire desde 1972. Isso é digno de nota porque representa a primeira vez em que Buffett se afastou do dogma de Ben Graham de comprar somente empresas subvalorizadas. O preço de compra líquido — US$ 30 milhões — era o triplo do valor contábil. Sem dúvida, foi uma boa decisão. Só em 2003, os lucros da See's antes dos impostos foram de US$ 59 milhões — quase o dobro do preço de compra da empresa.

No encontro anual da Berkshire de 1997, 25 anos após a compra da See's, Charlie Munger recordou: "Aquela foi a primeira vez em que pagamos pela qualidade". Ao que Buffett acrescentou: "Se não tivéssemos comprado a See's, não teríamos investido na Coca-Cola".[3] Mais adiante, neste capítulo, a importância desse comentário se tornará evidente.

Outra empresa muito conhecida dos seguidores da Berkshire é a Nebraska Furniture Mart. Essa enorme varejista foi fundada em Omaha, cidade natal de Buffett, em 1937, quando uma imigrante russa chamada Rose Blumkin, que vendia móveis em seu porão, investiu US$ 500 para abrir uma pequena loja. Em 1983, Buffett pagou à senhora B, como era conhecida, US$ 55 milhões por 80% de sua loja.

Hoje, a Nebraska Furniture Mart, que conta com três unidades de varejo totalizando 110 mil m^2 em um enorme terreno, vende mais móveis domésticos do que qualquer outra loja dos Estados Unidos. Uma segunda loja, de porte similar ao da primeira, foi aberta em 2002 em Kansas City. Em sua carta aos acionistas de 2003, Buffett relacionou o sucesso dessa loja de 40 mil m^2 à lendária senhora B, que trabalhou até o ano de seu falecimento, aos 104 anos de idade. "Uma parte da sabedoria que ela nos transmitiu", Buffett escreveu, "foi que 'se você tiver os preços mais baixos, os clientes o encontrarão mesmo no fundo de um rio'. Nossa loja, que atende toda a região de Kansas City, localizada em uma das regiões de menor densidade populacional da cidade, provou o argumento da senhora B. Apesar de termos mais de 100 mil m^2 de estacionamento, às vezes não há espaço para todos os carros".[4]

Em janeiro de 1986, Buffett pagou US$ 315 milhões à vista pela Scott & Fetzer Company, um conglomerado de 21 empresas independentes, incluindo os fabricantes dos aspiradores de pó Kirby e a editora da enciclopédia *World Book*. Foi uma das maiores aquisições da Berkshire até aquele momento e desde então tem excedido as expectativas já otimistas de Buffett. Trata-se de um modelo organizacional que cria um grande retorno sobre o patrimônio líquido com muito poucas dívidas — e essa é uma das características preferidas de Buffett. Com efeito, ele calcula que o retorno sobre o patrimônio líquido da Scott & Fetzer facilmente a colocaria no 1% superior da lista Fortune 500.

As várias empresas da Scott & Fetzer fabricam uma série de produtos industriais bastante especializados (alguns diriam insossos), mas o que elas de fato produzem é dinheiro para a Berkshire Hathaway. Desde que Buffett a comprou, a Scott & Fetzer distribuiu mais de 100% de seus lucros de volta à Berkshire enquanto ao mesmo tempo aumentou seus próprios lucros.

Nos últimos anos, Warren Buffett tem voltado cada vez mais sua atenção para a compra de empresas e não de ações. A história de como Buffett adquiriu seus variados negócios é interessante por si só. Talvez o essencial seja que o conjunto das histórias nos proporciona um valioso *insight* sobre a forma como Buffett encara as empresas. Neste capítulo, faremos uma breve análise de três dessas aquisições, mas isso representa só uma parte da história. Para ilustrar a ampla variedade de setores nos quais a Berkshire atua, eis alguns exemplos de aquisições recentes:

- A Fruit of the Loom, que produz um terço de todas as roupas íntimas masculinas vendidas nos Estados Unidos. A empresa foi comprada em 2002 por US$ 835 milhões, o que, após a contabilização dos juros auferidos sobre a dívida presumida, representava um líquido de US$ 730 milhões.
- A Garan, que produz roupas infantis, inclusive a famosa linha Garanimals. Comprada em 2002 por US$ 270 milhões.
- A MiTek, que produz equipamentos estruturais para o setor de construção civil. Comprada em 2001 por US$ 400 milhões. Um aspecto interessante dessa transação é que a Berkshire é hoje proprietária de apenas 90% da empresa. Os outros 10% pertencem a 55 gestores da empresa que a adoram e desejavam uma participação; esse espírito empreendedor na gestão é uma das qualidades que Buffett procura.
- A Larson-Juhl, principal fornecedora de materiais para molduras personalizadas dos Estados Unidos. Comprada em 2001 por US$ 225 milhões.
- A CORT Business Services, que aluga móveis de qualidade para empresas. Comprada em 2000 por US$ 467 milhões, incluindo uma dívida de US$ 83 milhões.
- A Ben Bridge Jeweler, uma rede de joalherias da costa oeste americana administrada pela mesma família há quatro gerações. Um requisito para a compra era que a família Bridge permanecesse à frente do negócio. Comprada em 2000 por valor não revelado ao público.
- A Justin Industries, que fabrica botas de caubói (Justin, Tony Lama e outras marcas) e, sob o nome de marca Acme, tijolos. Comprada em 2000 por US$ 600 milhões.
- A Benjamin Moore, fabricante de tintas com fundada há 121 anos. Comprada em 2000 por US$ 1 bilhão.
- A Shaw Industries, maior fabricante de carpetes do mundo. 87% da empresa foram comprados em 2000 e o restante no início de 2002, pelo total de US$ 2 bilhões. Atualmente, a Shaw representa, com exceção das seguradoras, o maior negócio da Berkshire, com lucros de US$ 436 milhões em 2003.

Clayton Homes

Em 1966, James Clayton, filho de um meeiro do Tennessee, fundou um negócio de casas pré-fabricadas com US$ 25 mil que tomara emprestados. Em quatro anos, a Clayton Homes já vendia 700 unidades anuais. A Clayton é hoje uma das maiores produtoras de casas pré-fabricadas dos Estados Unidos, com cerca de US$ 1,2 bilhão em vendas em 2003. Os modelos variam do simples (US$ 10 mil, com 45 m^2) ao luxuoso (US$ 100 mil; com 140 m^2, equipado com pisos de madeira maciça, eletrodomésticos de aço inoxidável e cozinhas modulares).

A Clayton tem cerca de 976 varejistas nos Estados Unidos, incluindo 302 lojas próprias, 86 escritórios de vendas próprios, e 588 conjuntos habitacionais em 33 estados. Ela também é proprietária e administradora de controladas de financiamento, empréstimos e seguros. A empresa abriu o capital em 1983, e a Berkshire Hathaway a comprou em agosto em 2003 por US$ 1,7 bilhão.

James Clayton obteve sua experiência e instrução a duras penas. Determinado a escapar do trabalho pesado (seu pai colhia algodão e sua mãe trabalhava em uma fábrica de camisas), Clayton pagou sua formação universitária na University of Tennessee tocando violão no rádio. Ele acabou trabalhando em meio expediente como apresentador no *Startime*, um programa de variedades semanal, na Knoxville TV, e cantou com pessoas como Dolly Parton. Então, enquanto estudava, abriu um negócio de carros usados com colegas de faculdade, mas a empresa faliu em 1961, quando o banco exigiu o pagamento de um empréstimo. "Meus pais acharam que eu com certeza acabaria na cadeia e eu prometi a mim mesmo o que cumpro até hoje: eu nunca mais ficaria à mercê de um banco".[5]

A aquisição da Clayton Homes é uma história típica de Buffett — o que significa que é incomum em comparação com o restante do mundo dos negócios.

O primeiro aspecto da história é que Buffett tinha alguma experiência no setor. Em 2002, a Berkshire comprou títulos de segunda linha da Oakwood Homes, outra empresa de casas pré-fabricadas. Como Buffett admite abertamente, na época ele não tinha total consciência das "práticas atrozes de financiamento ao consumidor" comuns no setor. "Mas eu aprendi", ele acrescenta. "A Oakwood abriu falência muito rapidamente."[6]

Aceleremos a história para fevereiro de 2003. Al Auxier, um professor de finanças da University of Tennessee, levou um grupo de alunos de MBA até Omaha para conhecer Buffett no que este descreve como "duas horas de troca". Era a quinta vez que Auxier fazia a viagem, e seus alunos sempre levavam um presente de agradecimento para Buffett. Desta vez, o presente foi a autobiografia de James Clayton, que tinha aberto sua empresa em Knoxville, cidade-sede da universidade onde estudou.

Quando terminou de ler o livro, Buffett ligou para o filho de James Clayton, Kevin, que é hoje o CEO da empresa. "Enquanto conversava com Kevin, ficou claro que ele era ao mesmo tempo capaz e objetivo. Logo depois, fiz uma oferta para o negócio com base unicamente no livro de Jim, minha avaliação de Kevin, os indicadores financeiros públicos da Clayton e o que aprendi com a experiência na Oakwood".[7] Duas semanas mais tarde, a Berkshire anunciou a aquisição da Clayton Homes. "Fechei o negócio por telefone", Buffett disse, "sem ao menos chegar a vê-lo".[8]

No outono de 2003, Buffett foi convidado para participar do Simpósio do MBA da University of Tennessee. Ele contou a história da Clayton e presenteou todos os alunos que tinham dado o pontapé inicial com Ph.D.s honrosos (sigla de "*Phenomenal, hard-working Dealmaker*", "Negociadores Esforçados e Fenomenais") pela University of Berkshire Hathaway. Cada aluno recebeu ainda uma ação de classe B da Berkshire, e o professor, Al Auxier, ganhou uma ação de classe A.

McLane Company

Em 1894, Robert McLane, escapando da miséria que se seguiu à Guerra de Secessão na Carolina do Sul, se mudou para Cameron, Texas, e abriu uma pequena mercearia. Ao longo dos anos, o negócio cresceu e se transformou em um atacadista e distribuidor de artigos de mercearia. Seu filho, Robert D. McLane, conhecido pelo nome do meio, Drayton, entrou na empresa em 1921. O filho de Drayton, Drayton Jr., começou a trabalhar no negócio familiar aos 9 anos de idade e passou muitos sábados da adolescência varrendo o chão do depósito. Depois de se formar, ele passou a trabalhar em período integral na empresa.

Drayton Jr. convenceu o pai a transferir a empresa para mais perto de uma rodovia interestadual e, em 1962, a informatizar o negócio. Em 1990, ele vendeu a empresa a um companheiro de tênis, Sam Walton, e a McLane se tornou uma controlada do Wal-Mart, abastecendo as lojas Wal-Mart e Sam's Club, bem como lojas de conveniência e restaurantes de *fast-food* em todos os Estados Unidos com itens variados, de amendoins a lingüiças.

Em 2003, a McLane já era o maior distribuidor para lojas de conveniência e mercearias de bairro dos Estados Unidos. Os inovadores sistemas de *software* da McLane para formação de preços, frete, entregas e gestão de pontos-de-venda e seu excelente serviço de entregas a transformaram em uma empresa de entregas enxuta e eficiente.

Uma empresa eficiente e bem administrada construída sobre sólidos princípios e com lucratividade consistente é exatamente o que Warren Buffett gosta de ver. Em maio de 2003, a Berkshire anunciou a aquisição da McLane por US$ 1,45 bilhão à vista e assumiu US$ 1,2 bilhão adicionais em passivos.

A aquisição posicionou a McLane para um crescimento ainda maior, já que isso deu à empresa maior liberdade para a busca de contratos de distribuição com redes de supermercados e com concorrentes do Wal-Mart, como Target e Dollar General. "No passado alguns varejistas evitavam a McLane", escreveu Buffett em sua carta aos acionistas de 2003, "por pertencer a seu principal concorrente. Mas Grady Rosier, o competente CEO da McLane, já fechou contratos com alguns desses clientes — ele já andava a passos largos no dia em que o negócio foi fechado — e isso é só o começo ".[9]

The Pampered Chef

Em 1980, Doris Christopher, uma ex-professora de economia doméstica, mãe e dona-de-casa em período integral, estava à procura de um trabalho de meio expediente com horários flexíveis que a ajudasse na renda familiar mas que lhe permitisse tempo para ficar com as duas filhas pequenas. Ela decidiu se aproveitar do que sabia — culinária e ensino —, o que lhe deu a idéia de vender utensílios de cozinha por demonstração nas casas dos clientes. Ela tomou emprestados US$ 3 mil usando sua apólice de seguro de vida, saiu às compras em atacadistas, onde comprou US$ 175 em produtos que admirava e pediu a uma amiga para organizar uma reunião de demonstração em sua casa.

Christopher estava uma pilha de nervos antes da primeira reunião, mas fez um sucesso estrondoso. Não somente todos se divertiram muito, como vários convidados disseram que também gostariam de organizar reuniões. Aquilo marcou o nascimento da Pampered Chef, uma empresa que comercializa utensílios de cozinha sofisticados por meio de vendas diretas em reuniões nas casas dos clientes.

Doris Christopher, com 34 anos de idade e sem formação em negócios, abriu a empresa no porão de sua casa em Chicago com um empréstimo de US$ 3 mil. No primeiro ano, trabalhando com o marido, a empresa alcançou uma receita de US$ 50 mil, e não parou de crescer. Em 1994, a Pampered Chef estava entre as 500 empresas de capital fechado de crescimento mais rápido dos Estados Unidos de acordo com a revista *Inc.*, e Christopher foi reconhecida pela revista *Working Woman* como uma das 500 empreendedoras mais bem-sucedidas dos Estados Unidos.

Doris Christopher abriu seu negócio com uma entusiasmada crença de que se sentar à mesa durante as refeições une as famílias de uma forma comparável a poucas outras experiências. Essa filosofia moldou e orientou a Pampered Chef desde o início e está no cerne da sua abordagem de vendas: uma experiência prática para donas de casa que une a qualidade da vida familiar à qualidade dos utensílios de cozinha.

Muitas das "consultoras de culinária" da empresa, como são chamadas, são mães e donas de casa e a maioria das vendas é feita em suas casas, em "shows de cozinha". São demonstrações de culinária nas quais os convidados vêem os produtos e as receitas na prática, aprendem técnicas rápidas e fáceis para o preparo de refeições e são orientadas a como receber convidados com estilo e tranqüilidade. Os produtos são ferramentas de cozinha de qualidade profissional e itens para armazenar os alimentos; cerca de 80% dos produtos são exclusivos da empresa ou só podem ser comprados por meio de representantes da TPC.

Hoje, a Pampered Chef conta com 950 empregados nos Estados Unidos, Alemanha, Reino Unido e Canadá, e seus produtos são vendidos por mais de 71 mil consultores independentes em demonstrações domiciliares. Mais de um milhão de "shows de cozinha" foram conduzidos nos Estados Unidos em 2002, gerando vendas de US$ 730 milhões. E a única dívida que a empresa já teve foram os US$ 3 mil do capital inicial.

Em 2002, Doris Christopher percebeu que, caso tivesse um problema ou decidisse desacelerar, a Pampered Chef precisaria de um plano B. Assim, aconselhada por seu gerente do banco Goldman Sachs, ela procurou Warren Buffett. Naquele agosto, Christopher e sua então CEO, Sheila O'Connell Cooper, se reuniram com Buffett em Omaha. Um mês depois, a Berkshire anunciou a compra da empresa, por um preço estimado em US$ 900 milhões.

Recordando-se daquela reunião em agosto, Buffett escreveu aos acionistas da Berkshire: "Levei cerca de dez segundos para decidir se aquelas mulheres seriam duas gestoras com as quais eu gostaria de fazer uma parceria, e fechamos o negócio imediatamente. Eu participei de um "show" da TPC e foi fácil ver por que esse negócio é um sucesso. Os produtos da empresa, em sua maioria exclusivos, são bonitos e altamente úteis e as consultoras conhecem bem os produtos e são entusiasmadas em relação a eles. Todos se divertem muito".[10]

Muitas vezes perguntam a Buffett os tipos de empresas que ele comprará no futuro. Primeiro, ele diz, eu evitarei negócios de commodities e gestores nos quais eu não confio muito. Ele tem três critérios: deve ser um tipo de empresa que ele compreende, apresentar bons indicadores econômicos e ser administrado por gestores confiáveis. E são os mesmos critérios que ele utiliza para as ações — pelas mesmas razões.

Investindo em ações

É mais do que óbvio que poucos de nós estamos em uma posição de comprar empresas inteiras, como faz Buffett. Essas histórias foram incluídas neste capítulo para proporcionar uma visão clara da forma de pensar de Buffett.

Essa mesma lógica também se aplica a suas decisões de compra de ações e isso apresenta alguns exemplos que os simples mortais podem seguir. Podemos não ter os recursos para comprar ações na mesma proporção que Warren Buffett, mas podemos lucrar observando o que ele faz.

No final de 2003, a carteira de ações ordinárias da Berkshire Hathaway apresentava um valor total de mercado de mais de US$ 35 bilhões (ver Tabela A.27, no Apêndice) — um incremento de quase US$ 27 bilhões em relação aos preços de compra. Nessa carteira, a Berkshire Hathaway mantém, entre outras, 200 milhões de ações da Coca-Cola, 96 milhões de ações da Gillette Company e mais de 56 milhões de ações da Wells Fargo & Company. Refrigerantes, barbeadores, bancos de bairro — produtos e serviços que todos conhecemos bem. Nada de esotérico, nada de alta tecnologia, nada difícil de entender. Esta é uma das crenças mais enraizadas de Buffett: não faz sentido investir em uma empresa ou setor que você não entenda, porque você não será capaz de determinar seu valor ou acompanhar o que está sendo feito.

The Coca-Cola Company

A Coca-Cola é a maior produtora, comerciante e distribuidor de concentrados e xaropes de refrigerantes gasosos do mundo. O refrigerante da empresa, lançado nos Estados Unidos em 1886, é hoje comercializado em mais de 195 países.

O relacionamento de Buffett com a Coca-Cola data de sua infância. Ele tomou sua primeira Coca-Cola aos 5 anos de idade. Logo depois, começou a comprar seis Cocas por 25 centavos de dólar na mercearia do avô, revendendo-as no bairro a um lucro de 5 centavos cada. Ao longo dos 50 anos seguintes, Buffett admite, ele acompanhou o crescimento fenomenal da Coca-Cola, mas comprou fábricas têxteis, lojas de departamentos e fabricantes de equipamentos para moinhos de vento e implementos agrícolas. Mesmo em 1986, quando anunciou que a Cherry Coke seria o refrigerante oficial das reuniões anuais da Berkshire Hathaway, Buffett ainda não tinha comprado uma única ação da Coca-Cola. Apenas dois anos depois, no verão de 1988, ele comprou as primeiras ações da Coca-Cola.

A força da Coca-Cola não está apenas em sua marca, mas também em seu inigualável sistema global de distribuição. Atualmente, as vendas internacionais dos produtos da Coca-Cola representam 69% das vendas totais da empresa e 80% de seus lucros. Além da Coca-Cola Amatil[11], a empresa possui participação acionária em envasadoras localizadas no México, América do Sul, Sudeste Asiático, Taiwan, Hong Kong e China. Em 2003, a empresa vendeu mais de 19 bilhões caixas de bebidas.

O melhor negócio para se ter, diz Buffett, é aquele que, com o tempo, consegue empregar grandes quantias de capital a altas taxas de retorno. Essa descrição se aplica perfeitamente à Coca-Cola. É fácil entender por que Buffett considera a Coca-Cola, o nome de marca mais amplamente reconhecido no mundo, como a franchise mais valiosa do planeta.

Em virtude de sua força financeira, e também pelo fato de o produto ser tão conhecido, utilizo a Coca-Cola como o principal exemplo dos Capítulos 5 a 8, que detalham os princípios de Warren Buffett.

> “Eu compro negócios, não ações, mas negócios que eu estou disposto a manter para sempre.[12]”
>
> WARREN BUFFETT, 1998

THE GILLETTE COMPANY

A Gillette é uma empresa internacional de produtos de consumo que fabrica e distribui aparelhos e lâminas de barbear, produtos de higiene pessoal e cosméticos, produtos de papelaria, barbeadores elétricos, pequenos eletrodomésticos e aparelhos elétricos e produtos para cuidados bucais. Ela possui operações de produção em 14 países e distribui seus produtos em mais de 200 países e territórios. As operações fora dos Estados Unidos respondem por mais de 63% das vendas e dos lucros da Gillette.

King C. Gillette fundou a empresa na virada do século XX. Ainda jovem, Gillette passou muito tempo traçando estratégias para construir sua fortuna. Um amigo sugeriu que ele deveria inventar um produto que os consumidores usassem uma vez, jogassem fora e substituíssem por um novo. Enquanto trabalhava como vendedor para a Crown Cork & Seal, Gillette teve a idéia de lâminas de barbear descartáveis. Em

1903, sua empresa recém-criada começou a vender o aparelho de barbear Gillette com 25 lâminas descartáveis por US$ 5.

Hoje, a Gillette é a líder mundial em fabricação e distribuição de lâminas e aparelhos de barbear. As lâminas representam aproximadamente um terço das vendas da empresa, mas dois terços de seus lucros. Sua participação global de mercado é de 72,5%, quase seis vezes maior que o concorrente mais próximo. A empresa detém uma participação de mercado de 70% na Europa e 80% na América Latina; e as vendas estão apenas começando a crescer no Leste Europeu, na Índia e na China. Para cada lâmina vendida pela Gillette nos Estados Unidos, cinco são vendidas no exterior. Com efeito, a Gillette é tão dominante no mundo todo que em muitos idiomas seu nome se tornou sinônimo de "lâmina de barbear".

Buffett se interessou pela Gillette na década de 1980. Observadores de Wall Street estavam começando a ver a Gillette como uma empresa de bens de consumo madura e de lento crescimento pronta para a aquisição. As margens de lucro pairavam entre 9 e 11%, o retorno sobre o patrimônio líquido se estabilizou sem sinal de melhoria e o crescimento da receita e o valor de mercado estavam anêmicos (veja as Figuras 4.1 e 4.2). Em resumo, a empresa parecia estagnada.

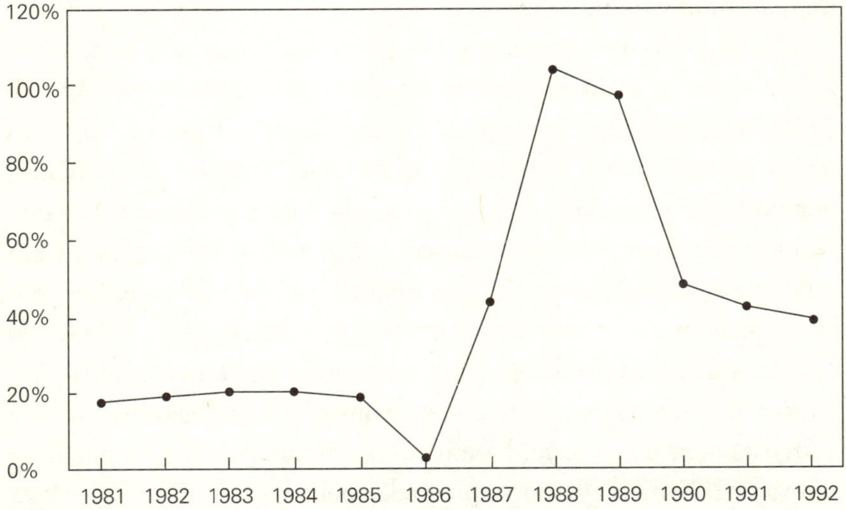

Figura 4.1 Retorno sobre o patrimônio líquido da Gillette Company

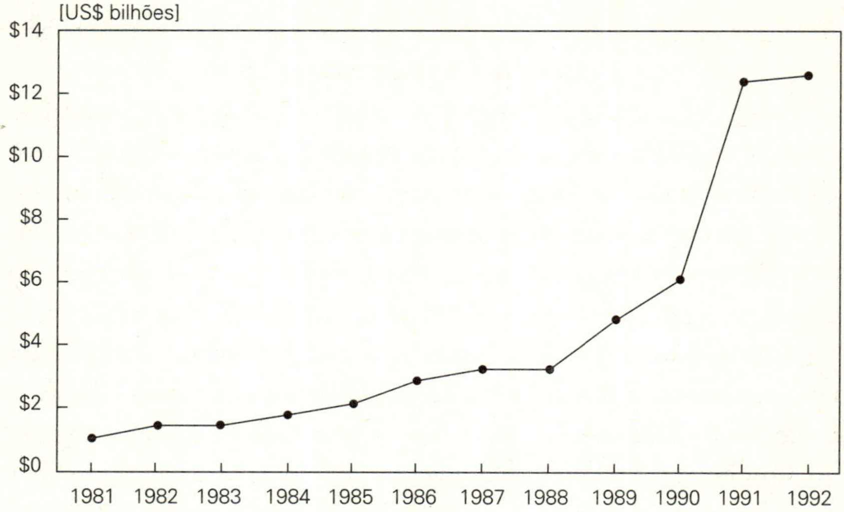

Figura 4.2 Valor de mercado da Gillette Company

O CEO Colman Mockler repeliu quatro tentativas de aquisição nesse período, o que culminou em uma batalha sangrenta com a Coniston Partners em 1988. A Gillette ganhou — por pouco —, mas com isso obrigou-se a recomprar 19 milhões de suas ações a US$ 45 por ação. Entre 1986 e 1988, a empresa substituiu US$ 1,5 bilhão de patrimônio por dívidas e, por um curto período, a Gillette apresentou um patrimônio líquido negativo.

Neste momento, Buffett ligou para seu amigo Joseph Sisco, membro do conselho de administração da Gillette e propôs um investimento da Berkshire na empresa. "O negócio da Gillette se parece muito com o tipo de negócio que gostamos", Buffett disse. "Charlie e eu achamos que entendemos os fatores econômicos da empresa e, portanto, acreditamos que podemos fazer uma aposta razoavelmente inteligente em relação ao futuro da empresa."[13] A Gillette emitiu US$ 600 milhões em ações preferenciais conversíveis em ordinárias à Berkshire em julho de 1989 e utilizou os fundos para abater dívidas. Buffett recebeu 8,75% em títulos preferenciais conversíveis com resgate obrigatório em dez anos e a opção de convertê-los em ações ordinárias a US$ 50 por ação, um valor 20% mais alto que o preço da época.

Em 1989, Buffett entrou para o conselho de administração da Gillette. Naquele mesmo ano, a empresa lançou um novo produto de grande sucesso, o Sensor. Foi o início da virada. Com as vendas do Sensor, a prosperidade da Gillette se ampliou. Os lucros por ação começaram a crescer a uma taxa anual de 20%. As margens antes dos impostos aumentaram de 12 para 15% e o retorno sobre o patrimônio líquido atingiu 40%, o dobro do retorno no início da década de 1980.

Em fevereiro de 1991, a empresa anunciou um desdobramento de ações de dois por um. A Berkshire converteu suas ações preferenciais e recebeu 12 milhões de ações ordinárias ou 11% das ações emitidas da Gillette. Em menos de dois anos, o investimento de US$ 600 milhões da Berkshire na Gillette cresceu para US$ 875 milhões. O próximo passo de Buffett foi calcular o valor desses 12 milhões de ações; no Capítulo 8, veremos como ele fez isso.

O negócio de lâminas de barbear se favoreceu muito da globalização. Normalmente, a Gillette começa a atuar em novos mercados com lâminas mais baratas, com margens mais baixas e, com o tempo, lança sistemas de barbear aprimorados, com margens mais altas. A empresa se beneficia não apenas de maiores vendas unitárias mas de margens de lucro em constante alta. O futuro da Gillette se insinua brilhante. "É um prazer ir para a cama toda noite", diz Buffett, "sabendo que há 2,5 bilhões de homens no mundo que precisarão se barbear de manhã".[14]

The Washington Post Company

A Washington Post Company é hoje um conglomerado de mídia com operações em publicação de jornais, transmissões de televisão, sistemas de televisão a cabo, publicação de revistas e prestação de serviços educacionais. A divisão de jornais publica o *Washington Post*, o *Everett* (Washington) *Herald* e os jornais *Gazette*, com 39 jornais semanais. A divisão de transmissões de televisão possui seis estações localizadas em Detroit, Miami, Orlando, Houston, San Antonio e Jacksonville. A divisão de sistemas de televisão a cabo fornece serviços de cabo e vídeo digital a mais de 1,3 bilhão de assinantes. A divisão de revistas publica a *Newsweek*, com circulação de mais de 3 milhões de cópias nos EUA e cerca de 600 mil internacionalmente.

Além das quatro principais divisões, a Washington Post Company mantém o Stanley H. Kaplan Educational Center, uma ampla rede de escolas preparatórias para admissão em universidades e exames de licenciamento profissional. Mais conhecido por seu programa que ajuda alunos do ensino médio a obter um bom desempenho no Scholastic Aptitude Tests[15], o centro Kaplan expandiu agressivamente suas operações nos últimos anos. Suas atividades atualmente incluem aulas particulares para alunos do ensino fundamental ao médio, a única faculdade de direito on-line certificada do mundo, material didático para engenheiros e analistas financeiros e cursos voltados a estudantes universitários de áreas como administração, economia, tecnologia, e saúde. Em 2003, as vendas do Kaplan totalizaram US$ 838 milhões, fazendo dele um elemento significativo da Post Company.

A empresa detém 28% da Cowles Media, que publica o *Minneapolis Star Tribune*, vários jornais militares e 50% dos canais de notícias Los Angeles News Service (LANS) e Washington News Service (WNS).

Hoje, a Washington Post Company é uma empresa avaliada em US$ 8 bilhões que gera US$ 3,2 bilhões anuais em vendas. Suas realizações são particularmente impressionantes quando se considera que 70 anos atrás a empresa se concentrava em apenas um negócio — publicar um jornal.

Em 1931, o *Washington Post* era um dos cinco jornais diários que competiam por leitores. Dois anos mais tarde, o *Post*, incapaz de pagar pelo papel, entrou em concordata. Naquele verão, a empresa foi vendida em leilão para quitar as dívidas com os credores. O financista e milionário Eugene Meyer comprou o jornal por US$ 825 mil. Nas duas décadas seguintes, ele sustentou a operação até ela gerar lucro.

A administração do jornal foi passada para Philip Graham, um brilhante advogado formado pela Harvard, casado com a filha de Meyer, Katherine. Em 1954, Phil Graham convenceu Eugene Meyer a comprar o jornal rival, o *Times-Herald*. Mais tarde, Graham comprou a revista *Newsweek* e duas estações de televisão antes de sua trágica morte em 1963. Phil Graham recebeu os créditos por transformar o *Washington Post* de um jornal em um conglomerado de mídia e comunicações.

Após o falecimento de Phil Graham o controle do *Washington Post* foi passado a sua esposa, Katherine. Apesar de não ter a menor experiência em gerenciar uma grande empresa, ela rapidamente se destacou pela sua condução de problemas.

Katherine Graham percebeu que, para ter sucesso, a empresa precisaria de alguém que tomasse decisões, e não de um zelador para manter as coisas em ordem. "Eu rapidamente aprendi que as coisas não param", ela disse. "É preciso tomar decisões."[16] Duas decisões que tiveram um grande impacto no *Washington Post* foram a contratação de Ben Bradlee como editor-geral do jornal e o convite a Warren Buffett para dirigir a empresa. Bradlee incentivou Katherine Graham a publicar os Pentagon Papers[17] e a investigar o caso Watergate, o que deu ao *Washington Post* uma reputação de jornalismo de primeira linha. Buffett ensinou Katherine Graham a administrar um negócio bem-sucedido.

Buffett e Katherine Graham se conheceram em 1971. Naquela época, Buffett tinha ações da revista *New Yorker*. Quando ouviu falar que a revista poderia estar à venda, ele perguntou a Katherine Graham se o *Washington Post* não estaria interessado em comprá-la. Apesar de a venda nunca ter se concretizado, Buffett ficou muito impressionado com a administradora do *Washington Post*.

Naquele mesmo ano, Katherine Graham decidiu abrir o capital do *Washington Post*. Duas classes de ações foram criadas. As ações ordinárias de classe A elegiam a maioria do conselho de administração e, assim, na realidade controlavam a empresa. As ações de classe A eram, e ainda são, mantidas pela família Graham. As ações de classe B elegiam uma minoria do conselho de administração. Em junho de 1971, o *Washington Post* emitiu 1.354.000 ações de classe B. Dois dias depois, apesar das ameaças do governo federal, Katherine Graham concedeu a Ben Bradlee permissão para publicar os Pentagon Papers.

Durante os dois anos seguintes, enquanto os negócios do jornal melhoravam, a disposição de Wall Street começou a assumir uma aparência sombria. No começo do ano de 1973, o índice Dow Jones principiou a cair. Os preços das ações do *Washington Post* também entraram em declínio; em maio, elas estavam cotadas a US$ 23, uma queda de 14 pontos. Naquele mesmo mês, as ações da IBM caíram mais de 69 pontos, a cotação de onça de ouro superior a US$ 100, o Banco Central Norte-Americano elevou a taxa de desconto para 6% e o índice Dow Jones caiu 18 pontos — a maior queda em três anos. Enquanto isso, Warren Buffett calmamente comprava ações do *Washington Post* (ver Figura 4.3). Em junho, ele havia comprado 467.150 ações a um preço médio de US$ 22,75, no valor de US$ 10,628 milhões.

Em princípio, Katherine Graham se irritou com a idéia de uma pessoa que não era membro da família deter tantas ações do *Post*, apesar de as ações não permitirem o controle da empresa. Buffett lhe garantiu que a compra da Berkshire era exclusivamente para fins de investimento. Para tranqüilizá-la ainda mais, ele se ofereceu para dar ao filho dela, Don, que assumiria o controle da empresa no futuro, uma procuração para votar pelas ações da Berkshire. Aquilo dissolveu quaisquer dúvidas. Katherine Graham reagiu convidando Buffett a entrar para o conselho de administração em 1974 e logo o nomeou presidente do comitê financeiro.

Katherine Graham faleceu em julho de 2001, após uma queda na qual sofreu vários ferimentos na cabeça. Warren Buffett participou de seu funeral na Washington National Cathedral conduzindo as pessoas a seus lugares.

Donald E. Graham, filho de Phil e Katherine, é o presidente do conselho da Washington Post Company. Don Graham se formou com

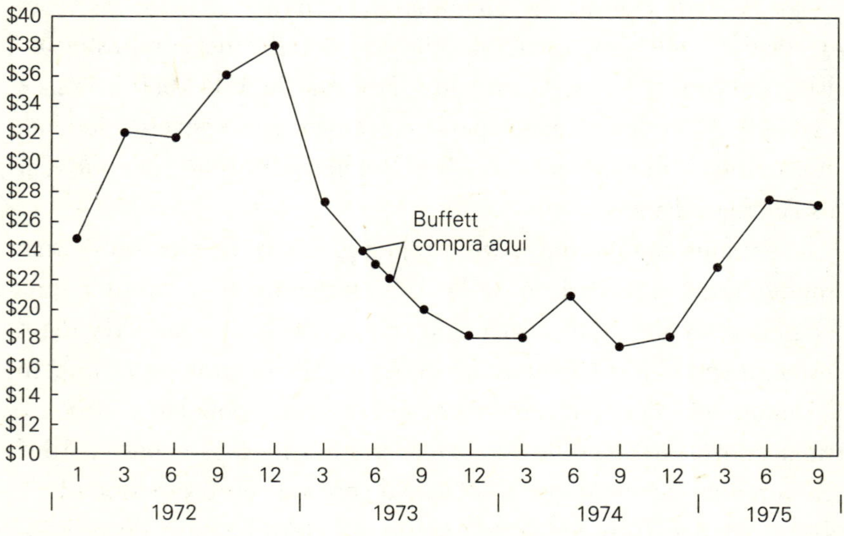

Figura 4.3 Preço por ação da The Washington Post Company, 1972–1975

louvor pela Harvard em 1966, com especialização em história e literatura inglesa. Após se formar, ele passou dois anos no exército. Sabendo que mais cedo ou mais tarde lideraria o *Washington Post*, Graham decidiu conhecer melhor a cidade. Ele optou pelo caminho incomum de entrar na polícia metropolitana de Washington, DC, e passou 14 meses patrulhando um bairro da cidade. Em 1971, Graham passou a trabalhar na reportagem local do *Washington Post*. Depois, passou dez meses trabalhando como repórter no escritório de Los Angeles da revista *Newsweek*. Graham voltou ao *Post* em 1974 e se tornou o editor-geral de esportes. Naquele ano, ele entrou para o conselho de administração da empresa.

O papel de Buffett no *Washington Post* é amplamente documentado. Ele ajudou Katherine Graham a enfrentar as greves trabalhistas da década de 1970 e também atuou como tutor de Don Graham nos negócios, ajudando-o a compreender o papel da gestão e sua responsabilidade em relação aos proprietários. "Quando o assunto é finanças", Don Graham diz, "ele é o sujeito mais esperto que conheço. E ainda não sei quem seria a segunda pessoa".[18]

Analisando o outro lado da moeda, fica claro que o *Post* também teve um papel importante para Buffett. O jornalista financeiro Andrew Kilpatrick, que acompanhou a carreira de Buffett durante anos, acredita que o investimento na Washington Post Company "consolidou a reputação de Buffett como um mestre dos investimentos".[19] A Berkshire não vendeu nenhuma de suas ações do *Washington Post* desde que começou a investir na empresa, em 1973. Em 2004, as ações de classe B estavam sendo vendidas por mais de US$ 900 cada, fazendo dela a segunda ação mais cara da bolsa de Nova York. A participação da Berkshire hoje vale mais de US$ 1 bilhão e o valor do investimento de Buffett aumentou em mais de 50 vezes nesse período.[20]

Wells Fargo & Company

Em outubro de 1990, a Berkshire Hathaway anunciou a compra de 5 milhões de ações da Wells Fargo & Company a um preço médio de US$ 57,88 cada, um investimento total de US$ 289 milhões. Com essa compra, a Berkshire se tornou a maior acionista do banco, retendo 10% das ações emitidas.

A manobra foi polêmica. Antes, no mesmo ano, as ações da empresa chegaram a ser negociadas a US$ 86 e caíram abruptamente à medida que os investidores abandonavam os bancos da Califórnia aos bandos. Na época, a Costa Oeste estava em meio a uma grave recessão e algumas pessoas especulavam que os bancos, com suas carteiras de empréstimos repletas de hipotecas residenciais e comerciais, estavam com problemas. Especulava-se que o banco Wells Fargo, maior financiador de imóveis comerciais da Califórnia, estava em uma posição especialmente vulnerável.

Nos meses que se seguiram ao anúncio da Berkshire, a batalha pela Wells Fargo mais pareceu uma luta de pesos-pesados. Buffett, em um canto, era o otimista, apostando US$ 289 milhões que a Wells Fargo se valorizaria. No outro canto, vendedores a descoberto eram os pessimistas, apostando que a Wells Fargo, que já tinha caído 49% naquele ano, estava destinada a despencar ainda mais. O restante do mundo dos investimentos decidiu se reclinar em suas cadeiras e assistir à luta.

Em duas ocasiões, em 1992, a Berkshire adquiriu mais ações, elevando o total para 63 milhões de ações ao final do ano. O preço excedeu a marca dos US$ 100 por ação, mas os vendedores a descoberto ainda estavam apostando que os papéis perderiam metade do valor. Buffett continuou bancando sua posição e, ao final de 2003, a Berkshire possuía mais de 56 milhões de ações, com um valor de mercado de US$ 4,6 bilhões e um custo de compra acumulado de US$ 2,8 bilhões. Em 2003, a Moody's concedeu à Wells Fargo a classificação de crédito AAA, o único banco dos Estados Unidos com essa distinção.

O investidor inteligente

O fator mais característico da filosofia de investimentos de Buffett é o entendimento claro de que, ao ter participações em ações, ele possui negócios, não pedaços de papel. A idéia de comprar ações sem entender as funções operacionais da empresa — seus produtos e serviços, suas relações trabalhistas, suas despesas com matérias-primas, fábricas e equipamentos, requisitos de reinvestimento de capital, estoques, contas a receber e necessidades de capital de giro — está fora de questão, diz Buffett. Essa mentalidade reflete a atitude do proprietário de um negócio em oposição à de um proprietário de ações, e é a única mentalidade que um investidor deve ter. Na conclusão do livro *O investidor inteligente*, Benjamin Graham escreveu: "O investimento é mais inteligente quanto maior for sua relação com os negócios". Essas são, de acordo com Buffett, "as palavras mais importantes jamais escritas sobre investimentos".

Uma pessoa que detém ações tem a escolha de se tornar proprietário de um negócio ou de títulos negociáveis. Os proprietários de ações ordinárias que acreditam só ter um pedaço de papel estão muito distantes das demonstrações financeiras da empresa. Eles se comportam como se o preço em eterna mudança do mercado fosse um reflexo mais preciso do valor de suas ações do que o balanço patrimonial e o demonstrativo de resultados do negócio. Compram e descartam as ações como se fossem cartas de baralho. Para Buffett, as atividades do detentor de uma ação ordinária e do proprietário de um negócio são intimamente relacionadas. Ambos deveriam encarar a propriedade de um negócio da mesma maneira. "Sou um investidor melhor porque sou um homem de negócios", diz Buffett, "e um homem de negócios melhor porque sou um investidor".[21]

OS PRINCÍPIOS DE WARREN BUFFETT

Princípios de negócios

- O negócio é simples e fácil de entender?
- O negócio tem um histórico operacional consistente?
- O negócio tem perspectivas favoráveis no longo prazo?

Princípios de gestão

- A administração é racional?
- A administração é honesta com seus acionistas?
- A administração resiste ao imperativo institucional?

Princípios financeiros

- Qual é o retorno sobre o patrimônio líquido?
- Quais são os "lucros do proprietário" da empresa?

- Quais são as margens de lucro?
- A empresa criou pelo menos um dólar de valor de mercado para cada dólar retido?

Princípios de valor

- Qual é o valor da empresa?
- Ela pode ser comprada com um desconto significativo em relação a seu valor?

| CAPÍTULO 5 |

ORIENTAÇÕES DE INVESTIMENTO

PRINCÍPIOS DE NEGÓCIOS

Chegamos agora ao ponto principal — a essência do pensamento de Warren Buffett sobre investimentos. Warren Buffett é tão identificado com o mercado de ações que mesmo pessoas que não têm nenhum interesse no mercado conhecem seu nome e sua reputação. Outros, aqueles que lêem o caderno de finanças do jornal só casualmente, podem conhecê-lo como o líder de uma empresa incomum cujas ações são vendidas por mais de US$ 90 mil cada. E até os vários investidores iniciantes que, empolgados, dedicam cuidadosa atenção às notícias do mercado de ações, pensam nele principalmente como um analista de ações brilhante.

Poucos negariam que o mais famoso e mais bem-sucedido investidor do mundo é de fato um analista de ações brilhante. Mas isso seria subestimar Buffett. Seu verdadeiro talento é selecionar empresas. Faço essa afirmação em dois sentidos: primeiro, a Berkshire Hathaway, além de sua famosa carteira de ações, é proprietária direta de várias empresas. Depois, ao analisar as compras de ações, Buffett observa o negócio da mesma maneira meticulosa como faria quando compra a empresa inteira, utilizando um conjunto de princípios básicos desenvolvidos ao longo de vários anos. "Quando investimos", ele diz, "nos vemos como analistas de negócios — não como analistas do mercado, não como analistas macroeconômicos, nem como analistas de títulos".[1]

Se voltarmos no tempo para rever todas as compras de Buffett em busca de pontos em comum, encontraremos um conjunto de princípios básicos que orientaram suas decisões. Se extrairmos esses princípios e os analisarmos mais profundamente, veremos que eles se agrupam em quatro categorias:

- Princípios de negócios: três características básicas do negócio em si.
- Princípios de gestão: três qualidades importantes que os gestores devem possuir.
- Princípios financeiros: quatro decisões financeiras críticas que a empresa deve sustentar.
- Princípios de valor: duas diretrizes inter-relacionadas sobre o preço de compra.

Nem todas as aquisições de Buffett apresentarão todos esses princípios, mas, vistos em conjunto, eles constituem o núcleo de sua abordagem para os investimentos. Eles também podem servir como sinalização para todos os investidores. Neste capítulo, analisaremos o primeiro grupo — as características do negócio — e veremos como algumas das decisões de investimento de Buffett refletem esses princípios.

> "Eu quero estar em negócios tão bons que até um idiota conseguiria ganhar dinheiro.[2]"
>
> WARREN BUFFETT, 1988

Para Buffett, as ações são uma abstração.[3] Ele não pensa em termos de teorias de mercado, conceitos macroeconômicos ou tendências do setor. Em vez disso, ele toma decisões de investimentos com base unicamente nas operações de um negócio. Ele acredita que, se as pessoas escolhem um investimento por motivos superficiais ao invés de baseadas nos fundamentos do negócio, elas tendem a fugir ao primeiro sinal de problema, muito provavelmente, perdendo dinheiro no processo. Buffett se concentra em aprender tudo o que puder sobre o negócio analisado, se concentrando em três áreas principais:

- O negócio é simples e fácil de entender?
- O negócio tem um histórico operacional consistente?
- O negócio tem perspectivas favoráveis no longo prazo?

Um negócio simples e fácil de entender

Na visão de Buffett, o sucesso financeiro dos investidores se correlaciona com o nível de compreensão de seu investimento. Essa compreensão é uma característica distintiva que separa os investidores com orientação para o negócio da maioria dos investidores menos envolvidos com o negócio, que simplesmente compram ações. Isso é fundamental para a decisão de compra pela seguinte razão: na análise final, depois de todas as pesquisas, os investidores devem se convencer de que o negócio que estão comprando terá um bom desempenho ao longo do tempo. Eles devem ter algum grau de confiança em sua estimativa dos lucros futuros e isso tem muita relação com o seu nível de compreensão dos fundamentos do negócio. Prever o futuro é sempre complicado; e isso se torna extremamente difícil em áreas que se desconhece.

Ao longo dos anos, Buffett teve uma ampla variedade de negócios: um posto de gasolina; um negócio de implementação de fazendas; empresas têxteis; um grande varejista; bancos; seguradoras; agências de publicidade; empresas de alumínio e cimento; jornais; empresas de petróleo e mineração; empresas de alimentos, bebidas e cigarros; empresas de transmissão de televisão e TV a cabo. Ele controlou algumas dessas empresas e foi ou é acionista minoritário em outras. Mas em todos os casos ele foi ou é muito consciente no que se refere a como esses negócios funcionam. Ele compreende a receita, as despesas, o fluxo de caixa, as relações trabalhistas, a flexibilidade de precificação e as necessidades de alocação de capital de cada uma das posições detidas pela Berkshire.

Buffett é capaz de manter um alto nível de conhecimento sobre os negócios da Berkshire por intencionalmente limitar suas seleções a empresas que estão em sua área de conhecimento financeiro e intelectual. Ele chama a isso de seu "círculo de competência". Sua lógica é convincente: se você for o proprietário de uma empresa (totalmente ou de algumas de suas ações) em um setor que não entende, é impossível interpretar sua expansão com precisão e, portanto, impossível tomar decisões inteligentes. "Invista em seu círculo de competência", ele aconselha. "Não é o tamanho do círculo que importa, é a boa definição dos parâmetros."[4]

Os críticos têm argumentado que as restrições de Buffett impostas a si mesmo o excluem de setores que oferecem o maior potencial de investimento, como o setor de tecnologia. A resposta de Buffett é: o sucesso nos investimentos não é uma questão do quanto você sabe, mas de sua capacidade de definir, de forma realista, o que não sabe. "Um investidor precisa fazer muito poucas coisas certas contanto que consiga evitar grandes erros."[5] Os resultados acima da média, Buffett aprendeu, muitas vezes vêm de coisas comuns. O segredo é fazer essas coisas excepcionalmente bem.

The Coca-Cola Company

O negócio da Coca-Cola é relativamente simples. A empresa compra commodities que são insumos e os combina para produzir um concentrado que é vendido às envasadoras. As envasadoras então combinam o concentrado com outros ingredientes e vendem o produto final a pontos de varejo, incluindo minimercados, supermercados e máquinas de venda automática. A empresa também fornece xaropes de refrigerantes a varejistas que vendem os refrigerantes aos consumidores em copos e garrafas.

Os produtos de marca da empresa incluem Coca-Cola, Coca-Cola Diet, Sprite, PiBB Xtra, Mello Yello, refrigerantes Fanta, Tab, Dasani e Fresca. As bebidas da empresa também incluem sucos de frutas da marca Hi-C, suco de laranja Minute Maid, Powerade e Nestea. A empresa detém 45% da Coca-Cola Enterprises, a maior envasadora dos Estados Unidos, e 35% da Coca-Cola Amatil, uma envasadora australiana que, além da Austrália, abastece também os mercados da Nova Zelândia e do Leste Europeu.

A força da Coca-Cola não está apenas em sua marca, mas também em seu inigualável sistema de distribuição global. Atualmente, as vendas internacionais dos produtos da Coca-Cola representam 69% das vendas líquidas totais da empresa e 80% de seus lucros. Além da Coca-Cola Amatil, a empresa possui participação acionária em envasadoras localizadas no México, América do Sul, Sudeste Asiático, Taiwan, Hong Kong e China.

[continua na p. 97]

análise de caso | BENJAMIN MOORE, 2000

Em novembro de 2000, Warren Buffett e a Berkshire Hathaway pagaram cerca de US$ 1 bilhão pela Benjamin Moore & Co., a Mercedes das empresas de tintas. Fundada em 1883 pelos irmãos Moore no porão de sua casa no Brooklyn, a Benjamin Moore é hoje a quinta maior fabricante de tintas dos Estados Unidos e tem uma reputação imbatível de qualidade.

Dizem que Buffett pagou um prêmio de 25% sobre o preço das ações na época. Em uma análise superficial, isso parece contradizer uma das regras de Buffett: que ele só age quando o preço está baixo o suficiente para constituir uma margem de segurança. Entretanto, também sabemos que Buffett não tem medo de pagar pela qualidade. E, ainda mais revelador, o preço da ação subiu 50%, atingindo a cotação de US$ 37,62 por ação, depois do anúncio do negócio. Isso nos diz que, ou Buffett de fato encontrou outra empresa subvalorizada ou o mundo dos investimentos apostou no talento de Buffett e isso elevou o preço ainda mais — ou ambas as possibilidades.

A Benjamin Moore é exatamente o tipo de empresa de que Buffett gosta. O negócio de tintas é absolutamente simples e fácil de entender. Um dos maiores fabricantes de tintas dos Estados Unidos e o décimo maior produtor de tintas especiais, a Benjamin Moore produz uma das melhores, se não *a* melhor tinta dos Estados Unidos. A empresa, entretanto, não é famosa apenas pela qualidade de suas tintas; arquitetos, designers e construtores consideram as cores da Benjamin Moore como o mais alto padrão para o setor. Com efeito, a empresa desenvolveu o primeiro sistema de combinação informatizada de cores, que ainda é reconhecido como o padrão do setor. Com aproximadamente 3.200 cores, a Benjamin Moore é capaz de produzir praticamente qualquer tom.

Buffett também tende a comprar empresas que possuam um histórico operacional consistente e, como resultado, ao comprar uma empresa ele espera não precisar mudá-la muito. Seu *modus operandi* é comprar empresas que já sejam bem-sucedidas e ainda tenham potencial de crescimento. O sucesso atual da Benjamin Moore e sua posição no mercado ao longo de décadas refletem a consistência da empresa em relação a qualidade do produto, produção, força da marca e serviços. Hoje, 121 anos após sua fundação, a empresa gera cerca de US$ 80 milhões em lucros sobre US$ 900 milhões em vendas.

Analisando a Benjamin Moore, Buffett também viu uma empresa bem administrada. Apesar de a estratégia de varejo da Moore ter sido questionada alguns anos atrás, a empresa promoveu um programa de rejuvenescimento da marca nos Estados Unidos e no Canadá. A Benjamin Moore expandiu sua presença de varejo com a abertura de lojas independentes por meio de seu programa Signature Store e comprou algumas lojas de varejo, como a Janovic de Manhattan. Pouco antes da aquisição pela Berkshire, em 2000, a empresa passou por um programa de otimização e corte de custos para aprimorar suas operações.

E tudo isso se soma a perspectivas de longo prazo favoráveis. A Benjamin Moore é um exemplo clássico de empresa que transformou uma commodity em uma *franchise*. Para Buffett, uma *franchise* é um o produto necessário ou desejado, que não possui um substituto próximo e não é regulamentado. A maioria das pessoas do setor de construção concordaria que a Moore domina as três categorias. Levando em consideração o arsenal da empresa de cerca de 100 químicos, engenheiros químicos, técnicos e pessoal de apoio que mantêm os rigorosos padrões de produto da empresa e desenvolvem novos produtos, as tintas da Benjamin Moore correm pouco risco de se tornar uma commodity perecível. Os testes contínuos e rigorosos aos quais todos os produtos da Moore devem passar são um sinal de que a Benjamin Moore continuará a definir os padrões do setor. Para completar, apesar de os produtos da Benjamin Moore não serem baratos, sua qualidade sustenta um poder de precificação que supera qualquer noção de inflação.

THE WASHINGTON POST COMPANY

O avô de Buffett já foi proprietário e editou o *Cuming County Democrat*, um jornal semanal de West Point, Nebraska. Sua avó o ajudava no jornal e também definiu a tipologia a ser utilizada na gráfica da família. Seu pai editou o *Daily Nebraskan* enquanto estudava na University of Nebraska. O próprio Buffett chegou a ser gerente de circulação do *Lincoln Journal*. Muitas pessoas dizem que, se Buffett não tivesse embarcado na carreira de negócios, com certeza teria seguido o jornalismo.

Em 1969, Buffett comprou seu primeiro grande jornal, o *Omaha Sun*, junto com um grupo de jornais semanais; com eles, aprendeu a dinâmica do negócio de um jornal. Ele teve quatro anos de experiência prática administrando um jornal antes de comprar a primeira ação do *Washington Post*.

WELLS FARGO

Buffett entende muito bem o negócio bancário. Em 1969, a Berkshire comprou 98% do Illinois National Bank and Trust Company e o manteve até 1979, quando dispositivos da lei Bank Holding Act[6] forçaram a Berkshire a reduzir seus ativos no banco. Durante esse período de dez anos, o banco foi uma das posições detidas pela Berkshire e Buffett informava suas vendas e lucros a cada ano nos relatórios anuais da Berkshire.

Da mesma forma como Jack Ringwalt ajudou Buffett a entender as complexidades do negócio de seguros (ver Capítulo 3), Gene Abegg, que era o presidente do conselho do Illinois National Bank, ensinou a Buffett os mecanismos do negócio bancário. Ele aprendeu que os bancos são negócios lucrativos contanto que os empréstimos sejam concedidos de forma responsável e os custos sejam reduzidos. Um banco bem administrado pode não só aumentar seus lucros como também gerar um belo retorno sobre o patrimônio líquido.

O segredo é ser “bem administrado”. O valor de longo prazo um banco, como Buffett aprendeu, é definido pelas ações de seus gestores, porque são eles que controlam as duas variáveis críticas: custos e empréstimos. Os maus gestores costumam acumular os custos das operações enquanto fazem empréstimos sem sentido; os bons gestores estão sempre em busca de formas de cortar custos e raramente fazem empréstimos arriscados. Carl Reichardt, então presidente do conselho da Wells Fargo, administrava o banco desde 1983 com resultados impressionantes. Sob sua liderança, o crescimento dos lucros e do retorno sobre o patrimônio líquido foi acima da média e a eficiência operacional estava entre as mais altas dos Estados Unidos. Reichardt também desenvolveu uma sólida carteira de empréstimos.

Consistência

Warren Buffett não se importa muito com ações que estejam "na moda" em determinado momento. Ele se interessa muito mais em comprar ações de empresas que acredita serão bem-sucedidas e lucrativas no longo prazo. Se por um lado o ato de prever o sucesso futuro não é à prova de acidentes, por outro um histórico estável representa um indicador relativamente seguro. Quando uma empresa demonstra resultados consistentes com o mesmo tipo de produto ano após ano, não é ilógico pressupor que esses resultados se manterão.

Contanto, obviamente, que nada de grande importância mude. Buffett evita comprar empresas que estejam mudando de direção em virtude de seus planos anteriores não terem tido sucesso. De acordo com sua experiência, grandes mudanças no negócio aumentam as chances de se cometer grandes erros.

"Mudanças radicais e retornos excepcionais normalmente não se misturam", observa Buffett.[7] A maioria das pessoas, infelizmente, investe como se o oposto fosse verdadeiro. Com muita freqüência, elas se apressam para comprar ações de empresas que estejam em meio a uma reorganização corporativa. Por alguma razão inexplicável, diz Buffett, esses investidores ficam tão encantados com a noção de o que o amanhã pode trazer que ignoram a realidade de hoje. Por outro lado, Buffett diz, sua abordagem é "mais voltada a lucrar com a ausência de mudança. É esse o tipo de negócio do qual eu gosto".[8]

Buffett também tende a evitar negócios que estejam no processo de solucionar problemas difíceis. A experiência o ensinou que mudanças radicais raramente funcionam. Pode ser mais lucrativo gastar energia comprando bons negócios a preços razoáveis do que negócios difíceis a preços mais baixos. "Charlie e eu não aprendemos como solucionar problemas difíceis nos negócios", Buffett admite. "O que aprendemos é como evitá-los. Se tivemos algum sucesso, foi porque nos concentramos na identificação de pequenos obstáculos que poderíamos ultrapassar e não por termos adquirido uma capacidade de suplantar grandes obstáculos".[9]

The Coca-Cola Company

Nenhuma outra empresa possui um histórico operacional comparável ao da Coca-Cola. Trata-se de um negócio fundado na década de 1880 para vender uma bebida. Hoje, 120 anos depois, a Coca-Cola continua vendendo a mesma bebida. Apesar de a empresa ter investido periodicamente em negócios não relacionados, seu negócio essencial de bebidas permaneceu em grande parte sem mudanças.

A única diferença significativa atualmente é o porte da empresa e seu alcance geográfico. Cem anos atrás, a empresa empregava dez caixeiros-viajantes para cobrir todos os Estados Unidos. Naquela época, a empresa vendia 440.000 litros de xarope ao ano, gerando vendas anuais de US$ 148 mil.[10] Cinqüenta anos depois, em 1938, a empresa vendia 207 milhões de caixas de refrigerantes anualmente (tendo convertido as vendas de litros para caixas). Naquele ano, um artigo da revista *Fortune* observou: "Seria difícil identificar uma empresa comparável à Coca-Cola ou que venda, como faz a Coca-Cola, um produto inalterado capaz de gerar os resultados obtidos por essa empresa nos últimos dez anos ".[11]

Hoje, quase 70 anos depois da publicação desse artigo, a Coca-Cola ainda vende o mesmo xarope. A única diferença é a maior quantidade. Em 2003, a empresa vendia mais de 19 bilhões de caixas de refrigerantes em mais de 200 países, gerando US$ 22 bilhões ao ano em vendas.

The Washington Post Company

Buffett diz aos acionistas da Berkshire que sua primeira relação financeira com o *Washington Post* aconteceu aos 13 anos de idade. Ele entregava o *Washington Post* e o *Times-Herald* quando era entregador de jornais, na época em que seu pai trabalhava no Congresso. Buffett gosta de lembrar as pessoas que, com essa dupla rota de entrega, ele fundiu os dois jornais muito antes de Phil Graham ter comprado o *Times-Herald*.

Obviamente, Buffett tinha consciência da rica história do jornal. E considerava a revista *Newsweek* um negócio previsível. Ele rapidamente aprendeu o valor das estações de televisão da empresa. O *Washington Post* havia relatado durante anos o espetacular desempenho de sua divisão de transmissão televisiva. A experiência pessoal de Buffett com a empresa e seu próprio histórico de sucesso o levou a acreditar que o *Washington Post* apresentaria um desempenho consistente e confiável.

Gillette

Poucas empresas dominaram seus setores por tanto tempo quanto a Gillette. Ela era a marca líder de lâminas e aparelhos de barbear em 1923 e a marca líder em 2003. Manter essa posição por tantos anos exigiu que a empresa gastasse centenas de milhões de dólares para desenvolver produtos novos e melhores. Apesar de a Wilkinson ter desenvolvido a primeira lâmina de aço inoxidável em 1962, a Gillette rapidamente contra-atacou e desde então se esforça muito para manter sua posição de líder mundial em inovação no mercado de produtos de barbear. Em 1972, a Gillette desenvolveu a popular lâmina dupla Trac II; em 1977, o aparelho de barbear Atra com cabeça móvel. Então, em 1989, a empresa desenvolveu o famoso Sensor, um aparelho com lâminas de movimentação independente. O sucesso consistente da Gillette é resultado da inovação e da proteção das patentes de seus novos produtos.

Clayton Homes

No ano fiscal de 2002, a Clayton relatou seu 28º ano consecutivo de lucros, US$ 126 milhões, 16% acima do ano anterior, com receita de US$ 1,2 bilhão.[12] Esse desempenho é ainda mais extraordinário quando levamos em conta os terríveis problemas enfrentados pelas outras empresas do setor. No final da década de 1990, mais de 80 fábricas e 4.000 varejistas fecharam as portas, vítimas de duas forças conflitantes: muitos fabricantes se expandiram com muita rapidez e ao mesmo tempo fizeram muitos empréstimos, o que inevitavelmente levou a reintegrações de posse, seguidas de uma demanda reduzida por novos imóveis.

A Clayton tinha uma forma diferente de fazer negócios (ver Capítulo 6). Sua sólida administração e condução habilidosa dos negócios em tempos difíceis permitiram à empresa manter a lucratividade mesmo quando os concorrentes abriam falência.

Perspectivas de longo prazo favoráveis

"Gostamos de ações que gerem altos retornos sobre o capital investido", Buffett contou aos participantes do encontro anual da Berkshire em 1995, "e que tenham grande probabilidade de manter esse desempenho".[13] "Eu observo a vantagem competitiva de longo prazo", acrescentou mais tarde, "e [avalio] se ela será duradoura".[14] Isso significa que Buffett procura o que ele chama de *franchises*.

De acordo com Buffett, o mundo econômico está dividido em um pequeno grupo de *franchises* e um grupo muito maior de negócios de commodities, a maioria dos quais não vale a pena comprar. Ele define uma *franchise* como uma empresa cujo produto ou serviço (1) é necessário ou desejado; (2) não possui um substituto próximo, (3) e não é regulamentado.

De forma individual e coletiva, esses critérios geram o que Buffett chama de "*fosso*" — algo que dá à empresa uma vantagem clara sobre os outros e a protege dos ataques da concorrência. Quanto maior o fosso, quanto mais sustentável for, mais ele gosta da empresa. "O segredo nos investimentos", ele diz, "é identificar a vantagem competitiva de qualquer empresa e, acima de tudo, a durabilidade dessa vantagem. Os produtos ou serviços que possuem fossos amplos e sustentáveis ao redor deles são os que recompensam os investidores".[15] (Para entender o conceito do fosso, leia a história da Larson-Juhl, no Capítulo 8).

Uma *franchise* que seja a única fonte de um produto que as pessoas querem pode aumentar os preços regularmente sem temer a perda da participação de mercado ou do volume unitário. Uma *franchise* geralmente consegue aumentar os preços mesmo quando a demanda se mostra estagnada e a capacidade de produção não está sendo totalmente utilizada. Essa flexibilidade na formação de preços é uma das características determinantes de uma *franchise*; ela permite que essas empresas ganhem retornos acima da média sobre o capital investido.

> "Busque a durabilidade de uma *franchise*. O fator mais importante para mim é descobrir o tamanho do fosso que cerca o negócio. O que eu adoro, é claro, é um grande castelo e um amplo fosso com piranhas e crocodilos.[16]"
>
> WARREN BUFFETT, 1994

Outra característica determinante é que as *franchises* possuem um maior *goodwill*[17] econômico, que lhes permite resistir melhor aos efeitos da inflação. A capacidade de sobreviver a contratempos econômicos é mais um fator importante. Nas palavras de Buffett, "Uma grande empresa é aquela que continuará excelente por mais 25 a 30 anos".[18]

Por outro lado, um negócio de commodities oferece um produto praticamente indistinguível dos produtos de seus concorrentes. Anos atrás, as commodities básicas incluíam petróleo, gasolina, substâncias químicas, trigo, cobre, madeira e suco de laranja. Hoje em dia, computadores, automóveis, serviços de companhias aéreas, bancos e seguradoras se tornaram produtos ao estilo das commodities. Mesmo com orçamentos publicitários gigantescos, não é possível determinar uma diferenciação significativa para os produtos.

Os negócios de commodities, em geral, são negócios com baixo retorno, além de "excelentes candidatos a terem problemas de lucratividade".[19] Como o produto basicamente não apresenta diferenças em relação ao produto de qualquer outra empresa, a única forma de concorrência é baseada no preço, o que reduz significativamente as margens de lucro. A forma mais segura de tornar um negócio de commodities lucrativo, então, é ser um fornecedor de baixo custo.

A outra situação na qual os negócios de commodities conseguem produzir lucros é em períodos de pouca oferta — um fator que pode ser extremamente difícil de prever. Com efeito, uma forma para definir a lucratividade de longo prazo de um negócio de commodities, de acordo com Buffett, é o índice encontrado pela "razão entre anos de pouca oferta e anos de ampla oferta". Esse índice, entretanto, costuma ser fracionário. O período de pouca oferta mais recente da divisão têxtil da Berkshire, Buffett ironiza, durou "quase uma manhã inteira".

[continua na p. 108]

análise de caso | JUSTIN INDUSTRIES, 2000

Em julho de 2000, a Berkshire Hathaway comprou 100% da texana Justin Industries, por US$ 600 milhões. A empresa possui duas divisões: a Justin Brands, que engloba quatro marcas de botas de caubói, e a Acme Building Brands, com empresas que produzem tijolos e outros materiais de construção.

Botas e tijolos. Trata-se de uma das aquisições mais interessantes e pitorescas da Berkshire. E revela muito sobre Warren Buffett.

De muitas maneiras, a Justin é o epítome de todos os pontos fortes que Buffett procura em um negócio. Ela é simples e compreensível; não há nada especialmente complexo em botas e tijolos. Ela apresenta um histórico operacional bastante consistente, como uma análise individual das empresas demonstrará; e todas estão no mesmo negócio por muitas décadas, a maioria há pelos menos um século. Para completar, e o mais importante, Buffett reconheceu perspectivas favoráveis no longo prazo em função de um aspecto muito admirado por ele: apesar de inseridos em setores de commodities, os produtos atingiram a condição de *franchise*.

JUSTIN BRANDS

A história da Justin teve início em 1879 quando H. J. (Joe) Justin, então com 20 anos de idade, começou a fabricar botas para vaqueiros e rancheiros em sua pequena oficina em Spanish Fort, Texas, perto da Chisholm Trail.[20] Quando Joe faleceu em 1918, seus filhos John e Earl assumiram os negócios e, em 1925, mudaram a empresa para Fort Worth. Em 1948, o neto de Joe, John Jr. comprou a parte de seus parentes (com exceção da tia Enid) e conduziu o negócio nos 50 anos seguintes.

John Justin Jr. foi uma figura lendária em Fort Worth. Justin Jr. construiu um império das botas de caubói com a aquisição de três rivais, comprou a Acme Bricks em 1968 e chegou a ser eleito prefeito de Fort Worth. Ele se aposentou em 1999, mas permaneceu como presidente emérito do conselho e foi por essa razão que, aos 83 anos de idade, recebeu Warren Buffett na cidade em abril de 2000.

A Justin Boots, conhecida pelas suas botas resistentes e duráveis, continua sendo a principal marca da empresa. Mas a Justin Brands também possui outras marcas.

- **Nocona**, fundada em 1925 por Enid Justin. Um dos sete filhos de Joe Justin, Enid começou a trabalhar na empresa do pai aos 12 anos de idade. Depois de seus primos transferirem a empresa familiar da pequena cidade de Nocona, Texas, para Fort Worth em 1925, Enid abriu uma empresa rival nas instalações originais. Apesar de todas as adversidades, ela construiu um negócio de sucesso. Concorrentes ferozes durante anos, as duas empresas se uniram sob a marca Justin em 1981. Enid, então com 85 anos, concordou com relutância com a fusão devido à deterioração de sua saúde.
- **Chippewa**, fundada em 1901 como uma fabricante de botas para lenhadores e que hoje produz resistentes botas de caminhada e botas de qualidade para o trabalho ao ar livre. A empresa foi comprada pela Justin em 1985.
- **Tony Lama**, fundada em 1911, quando Tony Lama, um ex-sapateiro do Exército dos Estados Unidos, abriu uma oficina de conserto de sapatos e fabricação de botas em El Paso. As botas rapidamente conquistaram os rancheiros e vaqueiros locais, que valorizavam o conforto e a durabilidade. Nos últimos anos, a marca Tony Lama se tornou, para muitas pessoas, sinônimo de botas de alta qualidade feitas à mão com couro de animais exóticos como cobra, crocodilo, tartaruga e avestruz, muitas com preços na faixa dos US$ 500. Em 1990, Tony Lama Jr., presidente do conselho e CEO, concordou com a fusão com a arqui-rival Justin.

Dois grupos de pessoas compram botas de caubói: as pessoas que as usam todos os dias por não conseguirem imaginar usar outra coisa; e as que as usam como moda. O primeiro grupo compõe o núcleo da base de clientes da Justin, mas o segundo grupo, apesar de menor, tem um impacto no volume das vendas à medida que as tendências de moda oscilam de um lado a outro.

Quando estilistas famosos como Ralph Lauren e Calvin Klein incluem estilos *country* em seus catálogos, as vendas das botas decolam. Mas a moda é famosa por sua inconstância, e a empresa passou por maus momentos no final da década de 1990. Depois de um pico em 1994, as vendas das botas de caubói começaram a cair. Em 1999, o preço das ações da Justin despencaram para menos de US$ 13.

John Justin Jr. se aposentou em abril de 1999, e John Roach, ex-líder da Tandy Corp., ocupou seu lugar e conduziu uma reestruturação na empresa. Em apenas um ano, a nova administração promoveu uma impressionante recuperação — acrescentou novos calçados, consolidou as linhas existentes para eliminar conflitos de design e instituiu padrões de eficiência na produção e na distribuição. Em abril de 2000, a empresa anunciou os resultados do primeiro trimestre: uma receita de US$ 41,1 milhões, com crescimento de 17% nas vendas de calçados e crescimento significativo tanto nos lucros líquidos quanto nas margens brutas.

Dois meses mais tarde, a Berkshire Hathaway anunciou o acordo para comprar a empresa, levando Gary Schneider, analista da Bear Stearns, a comentar: "Isso significa boas notícias aos empregados. A administração fez todas as mudanças no ano passado. Eles já tomaram as providências necessárias para reduzir os custos".[21]

Hoje, a divisão de botas da Justin conta com 4.000 pontos de venda e cerca de 35% do mercado de botas de caubói; em lojas especializadas em vestuário no estilo *country*, cerca de 70% das botas nas prateleiras são de marcas da Justin. A maioria dos calçados custa pelo menos US$ 100. No mercado da faixa mais alta de preços (várias centenas de dólares ou mais), a Justin mantém uma participação de mercado de aproximadamente 65 %.

ACME BUILDING BRANDS

A outra divisão da Justin Industries também é uma empresa pioneira do Texas com mais de um século de história. Fundada em 1891 em Milsap, a Acme se tornou parte da Justin em 1968, quando comprada por John Justin Jr. Hoje, a Acme é a maior e mais lucrativa fabricante de tijolos dos Estados Unidos.

Como os custos de transporte para grandes distâncias são impeditivos, os tijolos tendem a ser um produto local. A Acme domina sua região (o Texas e cinco estados vizinhos) com mais de 50% de participação de mercado. Em seu território de seis estados, a Acme possui 31 instalações de produção, incluindo 22 fábricas de tijolos, escritórios de vendas e frotas de caminhões. Construtoras, empreiteiras e proprietários de imóveis podem encomendar tijolos diretamente da empresa, com entregas feitas por caminhões próprios. A Acme vende mais de um bilhão de tijolos ao ano, todos com o logo Acme gravado em relevo e garantia de 100 anos.

A demanda por tijolos está ligada ao mercado imobiliário e, portanto, é vulnerável a mudanças nas taxas de juros e na economia em geral. Até mesmo um período de mau tempo pode afetar as vendas. Mesmo assim, a Acme teve um desempenho melhor durante a década de 1990, marcada pela febre da tecnologia, do que as empresas de botas e atualmente é a maior fonte de capital da Justin. Além da divisão de tijolos, a Acme Building Brands conta ainda com a Feather-lite Building Products Corporation, empresa de construções de concreto, e a American Tile Supply Company, fabricante de azulejos e ladrilhos de cerâmica e mármore.

O negócio com a Berkshire

Durante anos, a Justin foi amplamente ignorada por Wall Street. Com apenas duas divisões, ela não era grande o suficiente para constituir um conglomerado. Além disso, suas operações em duas categorias diferentes causavam certa perplexidade. Conforme observado por John Justin em 1999, pouco antes de se aposentar, "Os analistas que entendem do negócio de calçados não entendem do negócio de materiais de construção, e vice-versa".[22]

Warren Buffett entende de ambos. Para começar, a Berkshire já era proprietária de várias empresas de calçados, de forma que ele teve anos para desenvolver seu entendimento do setor. E, mais especificamente, ele compreende negócios estáveis e sólidos que fazem produtos que as pessoas nunca deixam de precisar.

E o momento era oportuno. A empresa, com uma reputação de mais de 100 anos de qualidade, estava passando por um período turbulento; o preço de suas ações tinha caído 37% nos cinco anos anteriores e sofria pressão para se desdobrar em duas. A reconhecida preferência de Buffett por negócios simples e de baixa tecnologia indicava um casamento perfeito.

Na primeira vez que Buffett se encontrou com John Justin em Fort Worth, ele comentou que a cidade lhe lembrava Omaha; e disse isso como um grande elogio. Quando observou os dois componentes da empresa, viu mais um fator que admira: qualidade de *franchise*. Ambas as divisões da Justin conseguiram se transformar em *franchises*, por meio de uma combinação de alta qualidade, bom marketing e posicionamento inteligente.

A Acme vende um produto que a maioria das pessoas considera uma commodity. Afinal, quem saberia dizer o nome de sua marca preferida de tijolos? Os clientes da Acme conseguem. Com uma habilidosa campanha de marketing centrada na lenda do futebol americano Troy Aikman, a Acme ficou tão conhecida que, quando uma pesquisa pediu aos texanos que nomeassem sua marca preferida de tijolos, 75% dos entrevistados responderam Acme. Essa consciência de marca é reforçada a cada vez que um consumidor pega um tijolo e vê o logo da Acme gravado.

As botas também se estabeleceram como *franchises*. Bastam alguns minutos em qualquer ponto loja que venda vestuário no estilo *country* para ouvir algo como "meu filho quer Justins novas" ou "o que você tem da Tony Lamas?" com muito mais freqüência do que ouvirá "estou procurando botas de caubói". E, quando as pessoas mencionam as marcas das botas e estão dispostas a pagar um preço alto por alta qualidade, isso é uma *franchise*.

Depois das melhorias promovidas pela nova equipe gerencial em 1999 e 2000, a Justin começou a chamar atenção. De acordo com Gary Schneider, analista da Bear Stearns, houve um grande interesse da parte de muitos compradores, inclusive de alguns europeus, mas a proposta de Buffett foi a primeira a ser levada a sério pela empresa.[23]

A oferta da Berkshire era de US$ 22 por ação à vista. Isso representava um prêmio de 23% sobre o preço de fechamento da ação, mas Buffett não se intimidou. "Era uma oportunidade de comprar não apenas um bom negócio, mas dois bons negócios de uma só vez", ele observou. "Eram dois coelhos com uma cajadada só. Negócios de primeira linha com gestores de primeira linha; é exatamente o que buscamos." E ele acrescentou que não tinha planos de mudar nada. "Para começar, compramos negócios que estão indo bem. Se eles precisassem de mim em Fort Worth, eu não compraria a empresa".[24] Um dia depois do anúncio do acordo, o preço das ações da Justin aumentou 22% e Warren Buffett voltou para Omaha com um par novo em folha de Tony Lamas de couro de avestruz.

The Coca-Cola Company

Pouco depois de a Berkshire anunciar publicamente em 1989 que mantinha 6,3% da Coca-Cola Company, Buffett foi entrevistado por Mellisa Turner, jornalista de negócios do jornal *Constitution*, de Atlanta. Ela fez a Buffett uma pergunta que ele já ouviu muitas vezes: Por que ele não comprou ações da empresa antes? Buffett contou o que estava pensando quando finalmente tomou a decisão.

"Digamos que você fosse se ausentar por dez anos", ele explicou, "queira fazer um investimento e saiba tudo o que sabe hoje, mas não possa mudar nada enquanto estiver fora. O que você pensaria em comprar?" O negócio, é claro, deveria ser simples e compreensível. A empresa, é claro, precisaria ter demonstrado um alto grau de consistência ao longo dos anos. E as perspectivas no longo prazo, é claro, precisariam ser favoráveis. "Se eu pensar em uma empresa que apresente esses fatores com segurança, sabendo que o mercado vai continuar a crescer, sabendo que o líder de mercado permanecerá líder — no mundo inteiro — e sabendo que haverá um grande crescimento unitário, eu não conheço outra empresa que se compare à Coca-Cola. Nessas circunstâncias, eu ficaria relativamente seguro de que, quando voltasse, a empresa estaria fazendo muito mais negócios do que hoje".[25]

Mas por que comprar naquele momento específico? Os atributos da Coca-Cola, conforme descritos por Buffett, já estavam lá por várias décadas. O que chamou sua atenção, ele confessa, foram as mudanças que ocorreram na Coca-Cola durante a década de 1980, sob a liderança de Roberto Goizueta.

O cubano Goizueta foi o primeiro CEO estrangeiro da Coca-Cola. Em 1980, Robert Woodruff, o patriarca de 91 anos de idade da empresa, chamou Goizueta para corrigir os problemas que atormentaram a empresa durante a década de 1970. Foi um período lúgubre para a Coca-Cola — disputas com envasadoras, acusações de maus-tratos a trabalhadores imigrantes nas fábricas da Minute Maid, uma marca da empresa, a alegação de ambientalistas de que as garrafas descartáveis de Coca-Cola contribuíam com a poluição crescente do país e a acusação da Federal Trade Commission de que o sistema de franquia exclusiva da empresa violava a lei antitruste (Sherman Anti-

Trust Act). Os negócios internacionais da Coca-Cola também vinham tropeçando.

Uma das primeiras providências tomadas por Goizueta foi juntar os 50 principais gestores da Coca-Cola em uma reunião em Palm Springs, Califórnia. "Digam-me o que está errado", ele disse. "Eu quero saber tudo e, uma vez definido, quero 100% de lealdade. Se alguém não estiver contente, faremos um bom acordo e nos despediremos sem problemas".[26]

Goizueta incentivou seus gestores a assumir riscos inteligentes. Ele queria que a Coca-Cola fosse mais proativa que reativa. Ele começou a cortar custos. E exigiu que qualquer negócio de propriedade da Coca-Cola otimizasse seu retorno sobre o ativo. Essas ações imediatamente foram traduzidas em maiores margens de lucro. E chamaram a atenção de Warren Buffett.

THE WASHINGTON POST COMPANY

"Os fatores econômicos de um jornal dominante," Buffett escreveu, "são excelentes, estão entre os melhores do mundo".[27] A grande maioria dos jornais dos Estados Unidos opera sem nenhuma concorrência direta. Os proprietários desses jornais gostam de acreditar que os lucros excepcionais que ganham todos os anos são resultado de sua alta qualidade jornalística. A verdade, disse Buffett, é que mesmo um jornal de terceira categoria consegue gerar lucros adequados se for o único da cidade. Isso faz de um jornal uma *franchise* clássica, com todos os seus benefícios.

É verdade que um jornal de alta qualidade atingirá uma maior taxa de penetração, mas mesmo um jornal medíocre, ele explica, é essencial para uma comunidade por seu apelo de "quadro de avisos". Cada negócio na cidade, cada imobiliária, cada pessoa que queira enviar uma mensagem para a comunidade precisa da circulação de um jornal. O proprietário do jornal recebe, com efeito, *royalties* de cada negócio da cidade disposto a publicar anúncios.

Além da qualidade de *franchise*, os jornais possuem um valioso *goodwill* econômico. Conforme Buffett salienta, os jornais possuem baixas necessidades de capital, de forma que conseguem facilmente traduzir vendas em lucros. Mesmo as dispendiosas gráficas informatizadas e os avançados sistemas de informação são rapidamente pagos em função dos custos salariais fixos mais baixos. Os jornais também são capazes de aumentar os preços de forma relativamente fácil, gerando, assim, retornos acima da média sobre o capital investido e reduzindo os efeitos negativos da inflação. Buffett acredita que um jornal típico poderia duplicar seu preço e ainda assim reter 90% de seus leitores.

The McLane Company

A McLane se encontra às portas de um grande potencial de crescimento. Agora que não faz mais parte do grupo Wal-Mart, a empresa está livre para buscar negócios com concorrentes da antiga controladora, como a Target e outros grandes varejistas dos Estados Unidos. Esse contexto, somado ao foco da empresa em eficiência e investimentos em sistemas de software no âmbito de toda a empresa, gerenciamento de fretes e sistemas de pontos-de-venda entre outros processos automatizados, permitirá à McLane manter a eficiência do preço e a qualidade do serviço.

Quando Buffett comprou a McLane, outras empresas do setor, como a Fleming e a U.S. Food Service, uma divisão da Royal Ahold, enfrentavam um período turbulento por várias razões. Apesar de ser discutível que isso tenha influenciado a decisão de Buffett, especulou-se na época que, se a Fleming de fato tivesse que interromper suas operações em virtude dos problemas, um negócio de US$ 7 bilhões estaria disponível para quem quisesse comprá-lo.

The Pampered Chef

A Pampered Chef demonstrou uma consistência que faria a inveja de muitos negócios mais antigos, com uma taxa de crescimento de 22% ao ano, de 1995 a 2001. E o panorama de longo prazo é animador. De acordo com a associação de vendas diretas Direct Selling Association, os negócios de vendas em reuniões domésticas abocanharam mais de US$ 7 bilhões nos Estados Unidos em 2000, um crescimento de US$ 2,7 bilhões desde 1996.

A própria Christopher não está desacelerando. Ela acredita que as cozinhas norte-americanas têm muito espaço para novos produtos e salienta que a Mary Kay, uma empresa de vendas diretas de cosméticos, possui uma força de vendas de 600.000 consultoras — dando-lhe muito mais espaço para crescer. Christopher está desenvolvendo novos produtos, como uma linha de louças, e expandindo os negócios para o Canadá, o Reino Unido e a Alemanha. Para completar, a empresa está estruturada de forma a não precisar de muito capital para a expansão e não tem uma grande concorrente em sua categoria.

| CAPÍTULO 6 |

ORIENTAÇÕES DE INVESTIMENTO

PRINCÍPIOS DE GESTÃO

Ao analisar um novo investimento ou aquisição, Buffett examina em profundidade a qualidade da gestão. Ele nos diz que as empresas ou as ações que a Berkshire compra devem ser operadas por gestores honestos e competentes que ele possa admirar e confiar. "Não desejamos nos unir a gestores que não possuam qualidades admiráveis", ele diz, "independentemente do quão atrativas sejam as perspectivas de seus negócios. Nunca conseguiríamos fazer um bom negócio com uma pessoa ruim".[1]

Quando encontra gestores que admira, Buffett não poupa elogios. Ano após ano, os leitores da Carta do Presidente do Conselho nos relatórios anuais da Berkshire encontram palavras afetuosas de Buffett direcionadas a gestores de várias empresas da Berkshire.

Ele analisa com a mesma cautela a gestão de empresas cujas ações está pensando em comprar. Mais especificamente, ele procura três características:

- A administração é racional?
- A administração é honesta com seus acionistas?
- A administração resiste ao imperativo institucional?

O maior elogio que Buffett pode fazer a um gestor é dizer que ele ou ela sempre se comporta e pensa como se fosse proprietário da empresa. Os gestores que se comportam como proprietários tendem a não perder de vista o principal objetivo da empresa — aumentar o valor ao acionista — e tendem a tomar decisões racionais para promover essa meta. Buffett também admira muito os gestores que levam a sério sua responsabilidade de informar os acionistas de forma completa e sincera e que têm a coragem de resistir ao que ele chama de *imperativo institucional* — seguir cegamente os concorrentes.

> "Quando você possui gestores capazes e de bom caráter administrando negócios com os quais estão empolgados, é possível ter uma dezena ou mais deles se reportando a você e ainda ter tempo para tirar uma soneca à tarde.[2]"
>
> WARREN BUFFETT, 1986

Todos esses fatores ganharam um novo nível de importância à medida que descobertas chocantes de fraudes corporativas foram reveladas. Buffett sempre insistiu em fazer negócios somente com pessoas da mais alta integridade. Algumas vezes essa posição o colocava em uma situação desconfortável com outros nomes conhecidos do mundo corporativo. Nem sempre esteve na moda, nos círculos dos negócios, falar de integridade, honestidade e confiança como qualidades a serem admiradas. Com efeito, em algumas circunstâncias, conversas como essas poderiam ter sido menosprezadas como ingênuas e alienadas da realidade dos negócios. O fato de a posição de Buffett em relação à integridade corporativa hoje parecer uma estratégia brilhante representa um belo exemplo de justiça poética. Mas sua motivação não é estratégica: ela é proveniente de seu próprio inabalável sistema de valores. E nunca ninguém acusou seriamente Warren Buffett de ser ingênuo.

Mais adiante, neste capítulo, veremos com mais profundidade as atitudes de Buffett em relação a esses desvios éticos no comportamento corporativo, principalmente no que diz respeito a remuneração executiva excessiva, opções sobre ações, independência e responsabilidade da diretorias e fraudes contábeis. Ele nos conta o que acha que deve mudar para proteger os interesses dos acionistas e nos dá idéias de como os investidores podem avaliar os gestores para decidir se são dignos de confiança.

Racionalidade

A ação gerencial mais importante, Buffett acredita, é a alocação do capital da empresa. É a ação mais importante porque a alocação do capital, com o tempo, define o valor ao acionista. Decidir o que fazer com os lucros da empresa — reinvestir no negócio ou devolver o dinheiro aos acionistas — é, na mente de Buffett, um exercício de lógica e racionalidade. "Buffett acredita que a qualidade que distingue o estilo no qual ele dirige a Berkshire é a racionalidade — e a qualidade da qual ele costuma sentir falta nas outras empresas", escreve Carol Loomis, da revista *Fortune*.[3]

A questão ganha importância quando a empresa atinge um determinado nível de maturidade, no qual a taxa de crescimento desacelera e ela começa a gerar mais disponível do que precisa para o desenvolvimento e os custos operacionais. Neste momento, surge a pergunta: Como esses lucros devem ser alocados?

Se o disponível excedente, reinvestido internamente, puder produzir um retorno sobre o patrimônio líquido acima da média — um retorno superior ao custo de capital —, a empresa deve reter seus lucros e reinvesti-los. Este é o único caminho lógico. Reter os lucros para reinvestir na empresa *a menos* que o custo médio do capital é completamente irracional. Mas é também muito comum.

Uma empresa que fornece retornos sobre o investimento medianos ou abaixo da média mas gera disponível além de suas necessidades tem três opções: (1) pode ignorar o problema e continuar a reinvestir a taxas abaixo da média; (2) pode comprar o crescimento; ou (3) pode devolver o dinheiro aos acionistas. É nessa encruzilhada que Buffett se concentra de forma incisiva. É neste ponto que os gestores se comportarão de forma racional ou irracional.

Geralmente, os gestores que continuam a reinvestir apesar dos retornos abaixo da média fazem isso na crença de a situação ser temporária. Eles estão convencidos de que, com talento gerencial, conseguirão aumentar a lucratividade da empresa. Os acionistas ficam fascinados com as previsões de melhorias da gestão.

Se a empresa continuamente ignorar esse problema, o disponível se tornará um recurso cada vez mais ocioso e o preço das ações cairá.

[continua na p. 118]

análise de caso | SHAW INDUSTRIES, 2000–2002

No final de 2000, o grupo Berkshire Hathaway de Warren Buffett concordou em adquirir 87% da Shaw Industries, o maior fabricante de carpetes do mundo, a US$ 19 por ação, ou aproximadamente US$ 2 bilhões. Apesar de o preço estar 56% acima do preço de negociação de US$ 12,19, o preço das ações da Shaw estava bem mais alto um ano atrás. Buffett pagou o prêmio porque a empresa apresentava muitas das qualidades que ele aprecia: o negócio era simples e compreensível, tinha um histórico operacional consistente e apresentava perspectivas de longo prazo favoráveis.

A produção de carpetes não é simplista, dadas as máquinas colossais e complexas que giram, tingem, tecem e costuram, mas a premissa básica é simples e compreensível: fazer os melhores carpetes possíveis e vendê-los com lucro. A Shaw hoje produz cerca de 27.000 estilos e cores de carpetes para residências e escritórios. Ela também vende pisos e serviços de gerenciamento de projetos. Possui mais de 100 fábricas de manufatura e centros de distribuição, produz mais de 500 milhões de m^2 de carpete ao ano e emprega cerca de 30.000 trabalhadores.

Buffett acreditava que as pessoas precisariam de carpetes e pisos ainda por muito tempo e que a Shaw estaria lá para supri-las. Isso se traduz em excelentes perspectivas de longo prazo, um dos requisitos de Buffett.

O que realmente atraiu Buffett, entretanto, foi a alta administração da empresa. Em seu relatório anual de 2000 aos acionistas, ele comentou sobre a transação da Shaw. "Um elemento-chave do acordo foi que Julian Saul, o presidente, e Bob Shaw, o CEO, deveriam continuar a manter pelo menos 5% da Shaw. Isso nos associa com os melhores do negócio, como demonstrado pelos históricos de Bob e de Julian: cada um deles construiu um negócio de carpetes bem-sucedido antes de unirem forças em 1998".[4]

De 1960 a 1980, a empresa gerou um retorno sobre o investimento anual médio de 27%. Em 1980, Bob Shaw previu que sua empresa quadruplicaria seus US$ 214 milhões em vendas em dez anos; ele o fez em oito anos.

Claramente, Bob Shaw administrava bem sua empresa, de forma que se encaixa perfeitamente com a abordagem de Buffett. "É necessário crescer a partir dos lucros", Shaw disse. "Se você utilizar isso como sua filosofia — que você crescerá com os lucros em não com empréstimos — e administrar seu balanço patrimonial, então você nunca se verá em sérias dificuldades".[5]

Esse tipo de pensamento tem toda relação com o de Buffett. Ele acredita que a decisão mais importante da gestão é a alocação do capital e que isso, com o tempo, determina o valor ao acionista. Na mente de Buffett, a questão é simples: se o excedente disponível puder se reinvestido internamente e produzir um retorno superior ao custo de capital, a empresa deve reter seus lucros e reinvesti-los, que é exatamente o que Shaw fez.

Bob Shaw não somente tomou boas decisões financeiras como também tomou sólidas decisões relativas a produtos e negócios, adaptando-se às condições dinâmicas do mercado. Por exemplo, Shaw atualizou todo o seu maquinário em 1986 quando a DuPont lançou novas fibras resistentes a manchas. "Para vender basta conhecer as pessoas, entender o que elas precisam e suprir suas necessidades", disse Shaw. "Mas essas necessidades estão em constante mudança. Assim, se você continuar a fazer negócios da mesma forma que fazia há cinco anos, ou mesmo há dois anos — você está fazendo errado."[6]

A forte gestão de Shaw se reflete no histórico operacional consistente da empresa. Ela cresceu aponto de se tornar a vendedora número 1 de carpetes do mundo, transpondo as condições dinâmicas do mercado, mudanças tecnológicas e mesmo a perda de grandes pontos-de-venda. Em 2002, a Sears, um dos maiores distribuidores da Shaw na época, fechou seu negócio de carpetes. Mas a gestão parecia encarar essas dificuldades mais como desafios a serem superados do que como barreiras ao sucesso.

Em 2002, a Berkshire comprou o restante da Shaw. Em 2003, a empresa teve uma receita de vendas de US$ 4,6 bilhões. Com exceção do segmento de seguros, a Shaw é a segunda maior empresa da Berkshire.

Uma empresa com parcos retornos econômicos, excesso de disponível e ações a preços baixos atrairá predadores corporativos, o que costuma marcar o fim da gestão atual. Para se proteger, os executivos costumam escolher a segunda opção: comprar o crescimento pela aquisição de outra empresa.

O anúncio de planos de aquisição empolga os acionistas e desencoraja os predadores corporativos. Entretanto, Buffett é cético em relação a empresas que precisam comprar o crescimento. Para começar, ele costuma ser comprado a um preço supervalorizado. Depois, uma empresa que precisa integrar e gerenciar um novo negócio tende a cometer erros que podem ser custosos para os acionistas.

Na cabeça de Buffett, o único caminho razoável e responsável para as empresas que possuem uma pilha crescente de disponível que não pode ser reinvestido em taxas acima da média é devolver o dinheiro aos acionistas. Para isso, dois métodos estão disponíveis: aumentar os dividendos ou comprar as ações de volta.

Com o disponível de seus dividendos, os acionistas têm a oportunidade de buscar altos retornos em outro lugar. Por alto, isso parece ser um bom negócio e, assim, muitas pessoas encaram maiores dividendos como um sinal de que as empresas estão indo bem. Buffett acredita que esse é o caso somente se os investidores obtêm mais de seu disponível do que a empresa poderia gerar se retivesse os lucros e reinvestisse na empresa.

Ao longo dos anos, a Berkshire Hathaway ganhou retornos muito altos de seu capital e reteve todos os seus lucros. Com retornos tão altos, os acionistas não seriam bem servidos se recebessem um dividendo. Não é de surpreender, portanto, que a Berkshire não pague dividendos. E os acionistas não se importam com isso. A última prova de fé dos proprietários é permitir que a gestão reinvista 100% dos lucros; e a fé dos proprietários da Berkshire em Buffett é alta.

Se o valor real do dividendo é por vezes mal-entendido, o segundo mecanismo de devolução dos lucros aos acionistas — a recompra de ações — é ainda mais polêmico. O benefício aos proprietários é em muitos aspectos menos direto, menos tangível e menos imediato.

[continua na p. 123]

análise de caso | FRUIT OF THE LOOM, 2002

Em 2002, Warren Buffett comprou o negócio principal (vestuário) da falida Fruit of the Loom por US$ 835 milhões à vista. Com a compra, a Berkshire adquiriu dois fortes ativos: um gestor espetacular e um dos nomes de marca mais conhecidos e adorados dos Estados Unidos. Ela também adquiriu cerca de US$ 1,6 bilhão em dívidas e uma história amarga de problemas entre acionistas, fornecedores, varejistas e consumidores.

A empresa que vende um terço de todas as roupas íntimas de homens e meninos nos Estados Unidos começou como uma pequena tecelagem em Rhode Island, em 1851. Ao longo do século seguinte, ela cresceu para ser o maior fabricante de roupas íntimas e camisetas do país. Ela não tinha como, entretanto, escapar das batalhas econômicas que cada vez mais ameaçavam o setor de vestuário e, em 1985, foi abocanhada pelo financista William Farley, conhecido por adquirir empresas com problemas financeiros.

Farley, freqüentemente descrito como "vaidoso" e "exibicionista", liderou a empresa por alguns anos de crescimento e depois para um desastroso declínio. Tudo parecia estar dando errado. Um agressivo programa de aquisições de US$ 900 milhões deixou a empresa alavancada demais — as dívidas de longo prazo representavam 128% do patrimônio líquido dos acionistas ordinários em 1996 — sem proporcionar o aumento esperado de receita. Os fornecedores não foram pagos e interromperam o fornecimento de matérias-primas. Farley transferiu 95% das operações de manufatura para fora do país, fechando mais de uma dezena de fábricas norte-americanas e demitindo mais de 16.000 trabalhadores, apenas para descobrir que o resultado líquido era sérios problemas de controle da qualidade e pontualidade na entrega. Para combater o caos nas entregas, Farley distribuiu a manufatura a empresas terceirizadas, acrescentando enormes camadas de custos com horas extras. Ele criou uma *holding* para a Fruit of the Loom e mudou a matriz para as Ilhas Cayman, evitando os impostos norte-americanos sobre comércio exterior mas provocando um enorme transtorno de relações públicas.

Os transtornos se agravaram quando Farley, em uma manobra hoje considerada ilegal, convenceu seu conselho de administração escolhido a dedo a lhe garantir um empréstimo bancário pessoal de US$ 65 milhões para o caso de ele entrar em insolvência — que foi exatamente o que aconteceu. Então, o conselho de administração, que antes havia estabelecido a remuneração de

Farley em cerca de US$ 20 milhões e manipulado o preço das opções sobre ações para favorecer significativamente os altos executivos da empresa, perdoou US$ 10 milhões do empréstimo.

Apesar das tentativas de corte de custos, a empresa estava afundando cada vez mais no vermelho. Em 1999, a Fruit of the Loom relatou perdas de US$ 576 milhões, sete vezes mais do que as expectativas dos analistas; e as margens brutas despencaram para modestos 2%, insuficientes para cobrir a despesa de juros de US$ 100 milhões necessária para o serviço de sua dívida de US$ 1,4 bilhões de dólares. No mesmo ano, o Council of Institutional Investors (Conselho de Investidores Institucionais) listou a Fruit of the Loom com uma das 20 empresas de mais baixo desempenho dos Estados Unidos. Os acionistas rangiam os dentes à medida que o preço despencava: de US$ 44 por ação no início de 1997 para pouco mais de US$ 1 no final de 1999; em um ano, 1999, as ações perderam mais de 90% do valor.

Poucos se surpreenderam, portanto, quando a empresa solicitou proteção contra falência (Chapter 11)[7] em dezembro de 1999. As ações da empresa caíram ainda mais e, em outubro de 2001 estavam cotadas a US$ 0,23.

Então, por que Warren Buffett se interessaria? Por duas razões: uma marca muito forte que oferecia potencial de crescimento sob a gestão certa e a chegada de um homem montado em um cavalo branco.

John B. Holland tinha sido um executivo altamente respeitado da Fruit of the Loom por mais de 20 anos, incluindo vários anos como presidente e CEO, quando se aposentou em 1996. Em 2000, ele foi trazido de volta como o vice-presidente executivo, responsável pelas operações de recuperação.

Holland representa um exemplo perfeito das qualidades gerenciais que Buffett procura. Apesar de publicamente ter mantido silêncio em relação a Farley, limitando-se a uma breve referência à "fraca gestão", Buffett nunca fez segredo de seu desdém pelos executivos que abusam de conselhos de administração com acordos de alta remuneração e por conselhos que permitem isso. Por outro lado, ele é um admirador confesso de Holland.

Ele explicou seu raciocínio aos acionistas da Berkshire: "John Holland foi responsável pelas operações da Fruit em seus anos mais prósperos... [Depois da falência,] John foi recontratado e empreendeu uma grande reestruturação das operações. Antes do seu retorno, o fornecimento estava caótico, os custos dispararam e as relações com os clientes-chave se deterioraram... Ele está recuperando a Fruit of the Loom, em meio a um ambiente muito mais competitivo.

[Em nossa oferta de compra,] insistimos em uma condição incomum: John precisaria estar disponível para continuar atuando como CEO após comprarmos a empresa. Para nós, John e a marca são os principais ativos da Fruit".[8]

Desde que Holland assumiu o controle, a Fruit of the Loom passou por uma profunda reestruturação para reduzir custos. As ações incluíram cortes nos custos de frete, redução de horas extras e otimização dos níveis de estoque, eliminação de negócios paralelos e de linhas de produtos não lucrativas, aumento na eficiência do processo de produção e recuperação do nível de satisfação dos clientes, com a entrega de pedidos sem atrasos.

Quase imediatamente, as melhorias se tornaram evidentes. Os lucros aumentaram, as despesas operacionais diminuíram. Em 2000, o lucro bruto cresceu US$ 160,3 milhões — um aumento de 222% — em relação a 1999, e a margem bruta aumentou 11 pontos percentuais. A empresa informou em 2000 um prejuízo operacional de US$ 44,2 milhões de dólares, enquanto as perdas em 1999 foram de US$ 292,3 milhões. E uma evidência ainda mais clara da recuperação da empresa foram os resultados do quarto trimestre de 2000 — um prejuízo operacional de US$ 13,5 milhões (incluídos os custos de consolidação relacionados ao fechamento de quatro fábricas nos Estados Unidos). Um ano antes, o prejuízo operacional no período fora de US$ 218,6 milhões — mais de 16 vezes superior.

Em 2001, a tendência positiva continuou. O lucro bruto cresceu outros US$ 72,5 milhões, um incremento de 31% em relação a 2000, e a margem bruta aumentou 7,7 pontos percentuais, para 22,7% no ano. Isso significa que a empresa fechou 2001 com lucro operacional de US$ 70,1 milhões, enquanto em 2000 o resultado operacional foi uma perda de US$ 44,2 milhões.

Não há dúvidas de que problemas monumentais como os enfrentados pela empresa não podem ser solucionados da noite para o dia e que a Fruit of the Loom ainda opera em um ambiente competitivo feroz, mas até o momento Buffett está satisfeito com o desempenho da empresa.

Para que ninguém continue a achar que a compra de uma empresa falida e imersa em dívidas foi uma manobra surpreendente, também houve uma terceira razão para a decisão de Buffett, que não deveria ser nenhuma surpresa: ele conseguiu adquirir a empresa em termos financeiros muito favoráveis. Para mais detalhes, ver Capítulo 8.

Comprar uma fabricante de roupas íntimas cria muitas oportunidades para piadas, e Buffett, um piadista por natureza, criou a maioria delas. Na reunião dos acionistas de 2002, quando lhe fizeram a pergunta óbvia, ele brincou com o público com a seguinte resposta: "Quando uso roupas íntimas, o que raramente acontece..." Deixando ao público decidir se ele se referia a cuecas ou sambas-canção. Ele salientou que "no fundo" as roupas de baixo são muito favoráveis: "Trata-se de um mercado elástico". Para completar, ele afirmou, impassível, que Charlie Munger lhe deu uma razão adicional para comprar a empresa: "Charlie tem me falado por anos: 'Warren, precisamos entrar nas calcinhas das mulheres'. Charlie tem 78 anos. É agora ou nunca".[9]

Quando a administração recompra ações, Buffett sente que a recompensa é dupla. Se as ações estiverem sendo vendidas abaixo de seu valor intrínseco, a compra das ações faz muito sentido. Se o preço da ação de uma empresa for US$ 50 e seu valor intrínseco for US$ 100, a cada vez que a gestão compra suas ações, estão adquirindo US$ 2 de valor intrínseco para cada dólar gasto. Transações como essa podem ser altamente lucrativas para os outros acionistas.

Além disso, Buffett diz que, quando os executivos compram ativamente as ações da empresa no mercado, estão demonstrando trabalhar no interesse de seus proprietários e não de acordo com uma necessidade negligente de expandir a estrutura corporativa. Esse tipo de postura envia boas mensagens ao mercado, atraindo outros investidores em busca de uma empresa bem administrada que aumente a riqueza dos acionistas. Com freqüência, os acionistas são recompensados duas vezes; primeiro pela compra inicial do mercado aberto e depois, subseqüentemente, pelo efeito positivo do interesse do investidor sobre o preço.

Coca-Cola

O crescimento do fluxo de caixa líquido permitiu à Coca-Cola aumentar seu dividendo aos acionistas e também recomprar suas ações no mercado aberto. Em 1984, a empresa autorizou a primeira recompra de sua história, anunciando que recompraria 6 milhões de ações. Desde então, a Coca-Cola recomprou mais de 1 bilhão de ações. Isso representa 32% das ações emitidas em 1 de janeiro de 1984, a um preço médio por ação de US$ 12,46. Em outras palavras, a empresa gastou aproximadamente US$ 12,4 bilhões para comprar ações que há apenas dez anos tinham um valor de mercado de aproximadamente US$ 60 bilhões.

Em julho de 1992, a empresa anunciou que, ao longo do ano 2000, recompraria 100 milhões de ações, o que representa 7,6% das ações emitidas pela empresa. De forma notável, em função de sua grande capacidade de gerar disponível, a empresa foi capaz de concretizar esse plano enquanto continuava a investir agressivamente em mercados externos.

American Express

A associação de Buffett com a American Express já tem mais de 40 anos, desde a sua ousada compra de ações desvalorizadas em 1963, que rapidamente geraram lucros astronômicos para seus parceiros de investimentos (leia a história completa no Capítulo 1). A fé de Buffett na empresa se manteve e ele continuou a comprar suas ações. Uma grande compra em 1994 pode ser justificada pelas decisões gerenciais, tanto boas quanto más, relacionadas à utilização do excedente de caixa.

A divisão da empresa que emite os cartões e os cheques de viagem, a American Express Travel Related Services, contribui com a maior participação nos lucros. Ela sempre gerou lucros substanciais para os proprietários e financiou facilmente seu próprio crescimento. No início da década de 1990, a divisão gerava mais disponível do que o necessário para as operações — a encruzilhada na qual as escolhas gerenciais passam pelo teste de Buffett. Neste caso, a gestão da American Express não se saiu muito bem.

O então CEO James Robinson decidiu utilizar o disponível excedente para transformar a empresa em uma potência dos serviços financeiros comprando outros negócios relacionados. Sua primeira aquisição, a IDS Financial Services, se provou lucrativa. Mas então ele comprou a Shearson Lehman, que não gerou lucros. Com o tempo, a Shearson precisou de cada vez mais caixa para executar suas operações. Quando a Shearson já havia queimado US$ 4 bilhões, Robinson entrou em contato com Buffett, que concordou em comprar US$ 300 milhões em ações preferenciais. Até que a empresa voltasse aos eixos, ele não estava nem um pouco interessado em comprar ações ordinárias.

Em 1992, Robinson demitiu-se abruptamente e foi substituído por Harvey Golub, que assumiu a tarefa imediata de fortalecer a conscientização de marca. Falando a mesma língua que Buffett, ele começou a utilizar termos como *franchise* e *valor de marca* para descrever o American Express Card. Ao longo dos dois anos seguintes, Golub começou a liquidar os ativos de baixo desempenho da empresa e a restaurar a lucratividade e os altos retornos sobre o patrimônio líquido. Uma de suas primeiras ações foi se livrar da Shearson Lehman, com suas enormes necessidades de capital.

Logo a American Express passou a mostrar sinais de recuperação dos lucros. Os recursos da empresa apoiavam solidamente a meta de Golub de desenvolver a American Express Card para se tornar "a mais respeitada marca de serviço do mundo" e todas as comunicações da empresa enfatizavam o valor de *franchise* do nome "American Express".

Em seguida, Golub determinou as metas financeiras para a empresa: aumentar os lucros por ação entre 12 e 15 % ao ano e aumentar em 18 a 20% o retorno sobre o patrimônio líquido. Não demorou muito para a empresa voltar gerar caixa em excesso e ter mais capital e ações do que precisava. Então, em setembro de 1994, a empresa anunciou que, sujeita às condições do mercado, planejava recomprar 20 milhões de suas ações ordinárias. O anúncio soou como música para os ouvidos de Buffett.

Naquele verão, Buffett converteu a participação da Berkshire de ações preferenciais em ordinárias e, logo depois, começou a comprar. Ao final do ano, a Berkshire tinha 27 milhões de ações. Em março de 1995, Buffett comprou mais 20 milhões de ações; em 1997, mais 49,5 milhões; e 50,5 milhões em 1998. Ao final de 2003, a Berkshire tinha mais de 151 milhões de ações da American Express, quase 12% da empresa, com um valor de mercado de mais de US$ 7 bilhões — sete vezes o preço pago por Buffett.

THE WASHINGTON POST COMPANY

O jornal *Washington Post* gera um fluxo de caixa substancial para seus proprietários, mais do que pode ser reinvestido em seus negócios primários. Assim, sua gestão se depara com duas escolhas racionais: devolver o dinheiro aos acionistas e/ou investir o disponível de forma lucrativa em novas oportunidades. Como sabemos, Buffett prefere que as empresas devolvam os excedentes lucros aos acionistas. A Washington Post Company, na gestão de Katherine Graham como presidente, foi o primeiro jornal do setor a recomprar ações em grandes quantidades. Entre 1975 e 1991, a empresa comprou inacreditáveis 43% de suas ações a um preço médio de US$ 60 cada.

Uma empresa também pode escolher devolver o dinheiro aos acionistas aumentando os dividendos. Em 1990, diante de substanciais reservas de caixa, o *Washington Post* votou para aumentar o dividendo anual a seus acionistas de US$ 1,84 para US$ 4, um aumento de 117% (ver Figura 6.1).

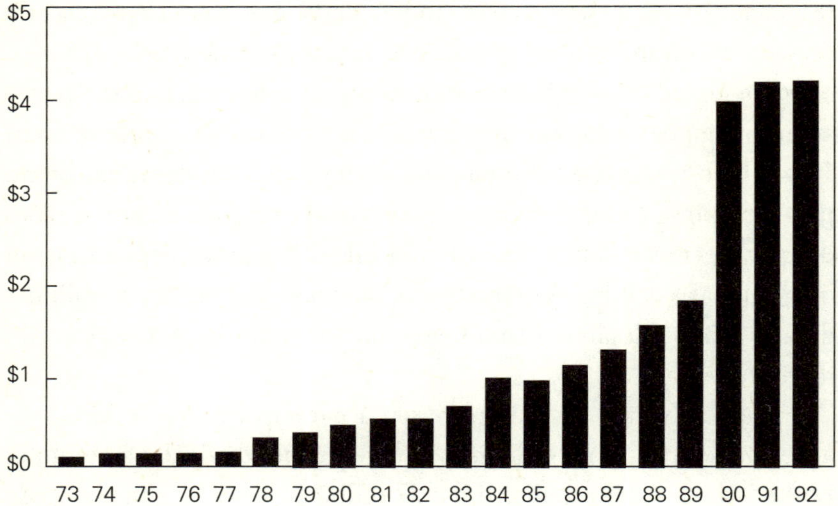

Figura 6.1 Dividendo por ação da The Washington Post Company

Além de devolver o excedente de caixa a seus proprietários, o *Washington Post* fez várias compras lucrativas: empresas de serviços a cabo da Capital Cities, empresas de telefonia celular e estações de televisão. Don Graham, que hoje lidera a empresa, sempre recebe ofertas. Para aumentar sua meta de desenvolver fluxos de caixa substanciais a custos favoráveis de investimentos, Graham desenvolveu diretrizes específicas para avaliar essas ofertas. Ele procura por negócios que "tenham barreiras competitivas, não requeiram grandes dispêndios de capital e tenham um poder de precificação razoável". Além disso, ele observa, "temos uma grande preferência por negócios que conhecemos" e, se tivermos escolha, "tendemos mais a investir em algumas poucas grandes apostas do que espalhar nosso dinheiro em pequenos investimentos".[10] A abordagem de aquisição de Graham emula a estratégia de Buffett na Berkshire Hathaway.

A dinâmica do negócio dos jornais mudou nos últimos anos. No passado, quando a economia desacelerava e os anunciantes cortavam os gastos, os jornais conseguiam manter a lucratividade por meio do aumento dos preços por linha dos anúncios. Mas os anunciantes de hoje encontraram formas mais baratas de atingir os clientes: televisão a cabo, mala direta e inserções em jornais. Os jornais deixaram de ser monopólios e, assim, perderam sua flexibilidade de precificação.

Mesmo assim, Buffett está convencido de que a Post está em uma situação mais confortável do que outras empresas de mídia. Há duas razões para esse otimismo. Primeiro, a dívida de longo prazo da Post era mais que compensada por seu caixa. O *Washington Post* é o único jornal de capital aberto essencialmente livre de dívidas. "Como resultado", explica Buffett, "a redução do valor de seus ativos não foi acentuada pelos efeitos da alavancagem".[11] Em segundo lugar, ele observa, a Washington Post Company tem sido excepcionalmente bem gerenciada.

THE PAMPERED CHEF

Doris Christopher, a fundadora, presidente do conselho e CEO da Pampered Chef, alocou bem seu capital — financiando a expansão e crescimento da empresa por meio de lucros internos. Ela reinvestiu praticamente todos os seus lucros na empresa e a expansão resultante proporcionou um enorme crescimento em vendas. Entre 1995 e 2001, o negócio da Pampered Chef cresceu incríveis 232%, com margens de lucro antes dos impostos acima dos 25%. E a única dívida que a empresa jamais teve foram os US$ 3 mil de capital inicial que Christopher tomou emprestados de sua apólice de seguro de vida.

Tudo leva a crer que Doris Christopher é uma gestora cautelosa e lucrativa e lidera uma organização estritamente controlada e disciplinada. Ela apresenta uma aguçada intuição gerencial, tratando bem seus representantes, mas de forma competitiva. Os representantes de vendas diretas da Pampered Chef espalhados pelos Estados Unidos são o ganha-pão do negócio e o único contato direto da empresa com seus mais de 12 milhões de clientes. A força de vendas ganha comissões de 18 a 20% sobre as mercadorias vendidas, e de 1 a 4% das vendas dos consultores que recrutam para a empresa.

Franqueza

Buffett tem em alta consideração os gestores que informam o desempenho financeiro de suas empresas de forma completa e sincera, que admitem os erros e compartilham os sucessos e que são francos com seus acionistas. Mais especificamente, ele respeita os gestores que são capazes de informar o desempenho da empresa sem se esconder por trás de princípios de contabilidade geralmente aceitos (*generally accepted accounting principles* — GAAP).

Os padrões de contabilidade financeira dos EUA só exigem a publicação de informações classificadas por segmento de setor. Alguns gestores exploram esse requisito mínimo e agregam todos os negócios da empresa em só um segmento de setor, dificultando o entendimento, pelos proprietários, da dinâmica dos negócios separadamente.

"O que precisa ser relatado", Buffett insiste, "são os dados — independente de se encaixarem ou não nos princípios de contabilidade geralmente aceitos — isso ajuda os leitores financeiramente instruídos a responder três questões: (1) Quanto essa empresa vale, aproximadamente? (2) Quais são as chances de ela conseguir cumprir com suas obrigações futuras? e (3) Esses gestores estão fazendo um bom trabalho, dadas as circunstâncias?"[12]

Os relatórios anuais da Berkshire Hathaway são um bom exemplo disso. Eles estão em conformidade com os princípios de contabilidade geralmente aceitos, mas vão muito além disso. Buffett inclui os lucros de cada um dos negócios da Berkshire e quaisquer outras informações adicionais que considere úteis aos proprietários para que avaliem o desempenho econômico da empresa. Buffett admira os CEOs capazes de reportar a seus acionistas com a mesma franqueza.

Ele também admira os que têm a coragem de discutir abertamente os fracassos. Acredita que os gestores que confessam seus erros em público são mais propensos a corrigi-los. De acordo com Buffett, a maioria dos relatórios anuais são uma farsa. Com o tempo, qualquer empresa comete erros, tanto grandes quanto insignificantes. Muitos gestores, ele acredita, informam seus resultados com excesso de otimismo em vez de fornecer explicações sinceras, servindo talvez a seus próprios interesses de curto prazo e não aos interesses de longo prazo dos outros.

Buffett agradece a Charlie Munger por ajudá-lo a entender o valor de estudar os erros em vez de se concentrar apenas nos sucessos. Em seus relatórios anuais para os acionistas da Berkshire Hathaway, Buffett é aberto em relação ao desempenho econômico e gerencial da

Berkshire, para o bem ou para o mal. Ao longo dos anos, ele admitiu as dificuldades encontradas pela Berkshire tanto no negócio têxtil quanto no de seguros e seus próprios fracassos de gestão nesses negócios.

Sua autocrítica é dura e irrestrita. A incorporação da empresa de resseguros General Re em 1998 gerou problemas significativos, uma boa dose dos quais permaneceu não diagnosticada por vários anos e veio à tona somente no atentado ao World Trade Center em 2001. Na época da incorporação, Buffett disse mais tarde, ele achou que a resseguradora estivesse operando com a mesma disciplina que ele exigia das outras empresas de seguros da Berkshire. "Eu estava completamente errado", ele admitiu em 2002. "Ainda havia muito a ser feito naquela empresa para torná-la de alto nível".[13]

O problema da General Re não se limitava a suas operações de seguros. A empresa também tinha uma divisão que lidava com *trading* e derivativos, um negócio que Buffett não considerava atraente na época da incorporação (apesar de inevitável, como parte do pacote) e que se mostrou financeiramente desastroso vários anos mais tarde. Em 2003, ele escreveu estas desculpas diretas aos acionistas: "Tenho certeza de que poderia ter poupado cerca de US$ 100 milhões para vocês, se tivesse agido mais rapidamente para fechar a Gen Re Securities. Charlie [a] fecharia com muito mais agilidade — não há dúvidas a este respeito. Eu, contudo, hesitei. Como conseqüência, nossos acionistas estão pagando um preço muito mais alto do que seria necessário para sair deste negócio".[14]

Alguns críticos argumentam que a prática de Buffett de admitir seus erros em público é facilitada porque, como detém uma participação maciça das ações ordinárias da Berkshire, ele nunca precisa se preocupar em ser demitido. Isso é verdade. Mas não reduz o valor fundamental da crença de Buffett de que a franqueza beneficia o gestor ao menos tanto quanto beneficia o acionista. "O CEO que ilude os outros em público", ele diz, "pode se iludir na vida privada".[15]

Coca-Cola

A estratégia de Roberto Goizueta para fortalecer a Coca-Cola quando assumiu o comando da empresa como CEO incluiu explicitamente os acionistas. "Durante a próxima década, nos manteremos totalmente comprometidos com nossos acionistas e com a proteção e a valorização de seus investimentos", ele escreveu. "Para dar aos nossos acionistas um retorno total acima da média sobre seu investimento, devemos escolher negócios que gerem retorno acima da inflação".[16]

Goizueta se comprometeu não somente com o desenvolvimento do negócio, o que exigia investimento de capital, como também com o aumento do valor para os acionistas. Ao aumentar as margens de lucro e o retorno sobre o patrimônio líquido, a Coca-Cola foi capaz de aumentar os dividendos enquanto ao mesmo tempo reduzia a taxa de distribuição de dividendos. Na década de 1980, os dividendos distribuídos aumentavam 10% ao ano, enquanto o índice de *payout* caía de 65% a 40%. Isso permitiu à Coca-Cola reinvestir uma porcentagem maior dos lucros da empresa para ajudar a sustentar sua taxa de crescimento sem enganar os acionistas.

A Coca-Cola é sem dúvida uma empresa superior com um histórico de desempenho econômico espetacular. Nos últimos anos, entretanto, o nível de crescimento tem se reduzido. Enquanto alguns acionistas poderiam entrar em pânico, Buffett manteve a calma. Na verdade, ele não fez nada; não vendeu nenhuma ação. Trata-se de uma prova clara de sua crença na empresa e um exemplo claro de fidelidade a seus princípios.

O imperativo institucional

Se a gestão deveria acumular sabedoria e credibilidade ao encarar seu erros, por que tantos relatórios anuais alardeiam só os sucessos? Se a alocação de capital é tão simples e lógica, por que o capital é alocado de forma tão ineficiente? A resposta, Buffett aprendeu, é uma força invisível que ele chama de "imperativo institucional" — a tendência "lemingue"[17] da gestão corporativa de imitar o comportamento dos outros gestores, por mais irracional ou tolo que esse comportamento possa ser.

Buffett diz que essa foi a descoberta mais surpreendente de toda a sua carreira. Na faculdade, ele aprendeu que gestores experientes eram honestos, inteligentes e automaticamente tomavam decisões racionais de negócios. Mas, uma vez no mundo dos negócios, o que ele aprendeu foi que a "racionalidade costuma definhar quando o imperativo institucional entra em jogo".[18]

Buffett acredita que o imperativo institucional é responsável por várias condições sérias, mas comuns demais: "(1) [A organização] resiste a qualquer mudança em sua direção atual; (2) da mesma forma como o trabalho se expande para preencher o tempo disponível, os projetos corporativos ou as aquisições se materializarão para absorver os fundos disponíveis; (3) qualquer desejo do líder, por mais tolo que seja, será rapidamente apoiado por estudos detalhados de taxa de retorno e estratégia providenciados por suas tropas; e (4) o comportamento das empresas similares, independente de estarem se expandindo, adquirindo, definindo a remuneração executiva ou qualquer outra ação, será cegamente imitado".[19]

Buffett aprendeu cedo essa lição. Jack Ringwalt, líder do National Indemnity, que a Berkshire adquiriu em 1967, o ajudou a descobrir o poder destrutivo do imperativo. Enquanto a maioria das empresas de seguros estava elaborando apólices em termos que com certeza produziriam retornos inadequados, ou pior, perda, Ringwalt se distanciou do mercado e se recusou a lançar novas apólices. (Leia a história completa no Capítulo 3.) Buffett reconheceu a sabedoria da decisão de Ringwalt e seguiu seu exemplo. Atualmente as empresas de seguros da Berkshire ainda operam com base nesse princípio.

O que está por trás do imperativo institucional que motiva tantos negócios? A natureza humana. A maioria dos gestores não está disposta a parecer tola e expor sua empresa a uma vergonhosa perda trimestral quando as outras empresas "lemingues" ainda são capazes de produzir ganhos trimestrais, apesar de com certeza estarem se dirigindo para o mar. Nunca é fácil mudar de direção. Costuma ser mais fácil seguir outras empresas no mesmo caminho para o fracasso do que alterar a direção da empresa.

Há quem diga que Buffett e Munger conseguem manter essa posição pela mesma razão que se sentem livres para falar abertamente sobre as más notícias: eles não precisam se preocupar em ser demitidos e isso os deixa livre para tomar decisões não convencionais. Mesmo assim, um gestor com grande habilidade comunicativa deveria ser capaz de convencer os proprietários a aceitar a perda nos lucros de curto prazo e uma mudança na direção de sua empresa se isso significar resultados superiores no decorrer do tempo. A incapacidade de resistir ao imperativo institucional, Buffett aprendeu, muitas vezes tem menos relação com os proprietários da empresa e mais com a disposição de seus gestores de aceitar mudanças fundamentais.

Mesmo quando os gestores aceitam a noção de que suas empresas devem mudar radicalmente ou encarar a possibilidade de fechar, é muito difícil para a maioria dos gestores executar esse plano. Muitos sucumbem à tentação de comprar uma nova empresa em vez de encarar os fatos financeiros do problema atual.

Por que eles fariam isso? Buffett isola três fatores que acredita exercerem a maior influência sobre o comportamento da administração. Primeiro, a maioria dos gestores não consegue controlar seu desejo por atividade. Essa hiperatividade muitas vezes encontra vazão na aquisição de outra empresa. Segundo, a maioria dos gestores constantemente compara as vendas, os lucros e a remuneração executiva de seus negócios com outras empresas em seus setores e fora deles. Essas comparações invariavelmente induzem à hiperatividade corporativa. Para completar, Buffett acredita que a maioria dos gestores possui uma percepção exagerada de suas próprias competências gerenciais.

Um outro problema comum é uma baixa habilidade de alocação. Conforme Buffett aponta, os CEOs muitas vezes chegam a suas posições devido a um desempenho excelente em outras áreas da empresa, incluindo administração, engenharia, marketing ou produção. Como possuem pouca experiência em alocação de capital, a maioria dos CEOs se voltam a seus subordinados, consultores ou bancos de investimentos. E é neste ponto que o imperativo institucional começa a entrar no processo decisório. Buffett aponta que, se o CEO desejar uma aquisição potencial que requeira um retorno sobre o investimento de 15% para justificar a compra, é incrível ver a rapidez com a qual suas tropas lhe informam que o negócio pode de fato atingir 15,1%.

A justificativa final para o imperativo institucional é a imitação cega. Se as empresas A, B e C estiverem fazendo as mesmas coisas, o CEO da empresa D automaticamente raciocinará que não há problemas em se comportar da mesma maneira.

Não é a corrupção ou a tolice, Buffett acredita, que predispõe essas empresas ao fracasso. Em vez disso, é a dinâmica institucional do imperativo que dificulta a resistência ao comportamento condenado. Em uma palestra para um grupo de alunos da Notre Dame, Buffett mostrou uma lista de 37 bancos de investimento fracassados. Todos eles, ele explicou, fracassaram apesar de o volume da Bolsa de Valores de Nova York ter crescido 15 vezes. Essas empresas eram lideradas por pessoas esforçadas e com QIs elevados, e todas tinham um desejo intenso de ter sucesso. Buffett fez uma pausa; seus olhos percorreram a sala. "Pensem a respeito", ele disse com severidade. "Como eles conseguiram resultados como esses? Eu lhes direi como", ele disse, "pela imitação cega dos colegas".[20]

Coca-Cola

Quando Goizueta assumiu o comando da Coca-Cola, uma de suas primeiras ações foi se livrar de negócios não relacionados que o CEO anterior tinha desenvolvido e redirecionar a empresa a seu negócio fundamental: vender xaropes. Aquele foi um exemplo claro da capacidade da Coca-Cola de resistir ao imperativo institucional.

Reduzir a empresa a um negócio de apenas um produto era uma manobra sem dúvida corajosa. O que fez a estratégia de Goizueta ainda mais notável foi sua disposição de tomar essa providência em um momento no qual outros participantes do setor faziam exatamente o contrário. Várias empresas líderes do setor de bebidas estavam investindo seus lucros em outros negócios não relacionados. A Anheuser-Busch investiu os lucros de seu negócio de cervejas em parques temáticos. A Brown-Forman, uma produtora e distribuidora de vinhos e outras bebidas alcoólicas, investiu seus lucros em negócios de porcelana, cristal, prata e malas, todos com retornos muito mais baixos. A Seagram Company, Ltd., uma multinacional do setor de bebidas destiladas e vinhos, comprou a Universal Studios. A Pepsi, a maior rival da Coca-Cola no setor de bebidas, comprou um negócio de salgadinhos (a Frito-Lay) e restaurantes, incluindo Taco Bell, Kentucky Fried Chicken e Pizza Hut.

A ação de Goizueta não somente concentrou a atenção da empresa em seu principal e mais importante produto, como se direcionou a realocar os recursos da empresa em seu negócio mais lucrativo. Como os retornos econômicos da venda de xaropes excediam em muito os retornos dos outros negócios, a empresa se concentrou em reinvestir seus lucros em seu negócio de maior retorno.

Clayton Homes

Em um setor sufocado por problemas específicos, a Clayton se sobressai por sua forte gestão e seu inteligente modelo de negócios.

Casas pré-fabricadas hoje constituem 15% das unidades residenciais nos Estados Unidos. Em muitos aspectos, sua imagem historicamente negativa está desaparecendo. As casas estão se tornando mais parecidas com casas tradicionais no que diz respeito a tamanho e utilidade; a qualidade da construção está aumentando de forma consistente; elas são competitivas em termos de aluguel; possuem vantagens fiscais já que os proprietários não precisam ser donos dos terrenos; e as hipotecas são atualmente apoiadas por grandes firmas hipotecárias e agências governamentais, como a Fannie Mae.

Por serem consideravelmente mais baratas do que as casas tradicionais (o preço médio em 2002 era de US$ 48,8 mil, contra US$ 164,217 mil das casas tradicionais), o mercado primário continua composto de consumidores da base da pirâmide econômica. Em 2002, mais de 22 milhões de norte-americanos, com renda familiar média de US$ 26,9 mil, viviam em casas pré-fabricadas.[21]

Muitos fabricantes se viram em um impasse autoimposto na década de 1990 e muitos deles fracassaram. Um dos aspectos desse impasse foi a aceitação e a popularidade crescentes dessas casas, que empurrou muitos do setor para a expansão excessiva. O outro fator foi a simples ganância.

As casas são vendidas por varejistas que podem ser revendedores independentes representando vários fabricantes ou pontos-de-venda de propriedade da empresa. No mesmo local, os compradores geralmente encontram uma operação de financiamento, muitas vezes uma subsidiária do fabricante/varejista. A princípio, não há nada de errado nisso; a operação se parece com — e de fato funciona como — um revendedor de automóveis. O problema é que se tornou endêmico no setor empurrar vendas a qualquer pessoa que saiba assinar o nome em um contrato, independentemente do histórico de crédito, e o reflexo disso é um alto índice de inadimplência.

As vendas excessivas de unidades criam lucros imediatos para os varejistas e gordas comissões para os vendedores. Também criam enormes problemas econômicos no longo prazo. É uma triste realidade que muitas casas são vendidas a pessoas com circunstâncias econômicas frágeis e as taxas de reintegração de posse são altas, o que reduz a demanda por novas casas. À medida que as taxas de desemprego aumentaram nos últimos anos, o mesmo aconteceu com a inadimplência nos empréstimos. Acrescente a isso o excesso de estoques da década de 1990 e o período econômico difícil, que reduziu os gastos em todos os mercados, e o setor como um todo se viu em uma situação precária.

A maior parte do problema pode ser atribuída aos empréstimos pouco criteriosos comuns no negócio de casas pré-fabricadas. Por que todos fazem isso? Porque todos fazem isso e as empresas temem perder participação de mercado se não o fizerem. Esta, em resumo, é a maldição do imperativo institucional. A Clayton não esteve completamente imune, mas evitou os erros mais flagrantes.

E, o mais importante, a Clayton remunera seus vendedores de maneira diferente. As comissões de vendedores e gerentes são baseadas não apenas no número de casas vendidas como também na qualidade e no desempenho dos empréstimos. O pessoal de vendas compartilha o fardo financeiro quando as prestações dos empréstimos não são pagas e compartilha as receitas quando os empréstimos apresentam um bom desempenho. Tomemos, por exemplo, o caso de um gerente de vendas que faz a venda e o financiamento de uma casa pré-fabricada de US$ 24 mil. Se o cliente não honrar os pagamentos, a Clayton normalmente perderia US$ 2,5 mil e o gerente arcaria com metade da perda.[21] Mas se o empréstimo é pago, o gerente pode receber até metade da receita. Isso motiva os vendedores a evitar empréstimos pouco criteriosos.

A metodologia se pagou: em 2002, "apenas 2,3% dos proprietários de casas da Clayton com hipotecas apresentavam 30 dias de inadimplência"[23] – ou seja, cerca da metade da taxa de inadimplência do setor. No fim dos anos 1990, quando mais de 80 fábricas e 4.000 varejistas saíram do negócio, a Clayton fechou apenas 31 lojas e nenhuma fábrica. Em 2003, quando Buffett entrou no negócio, a Clayton acabava de enfrentar uma crise econômica que afetara duramente o setor de casas pré-fabricadas mais bem posicionada e forte do que qualquer concorrente.

Warren Buffett comprou a Clayton Homes porque viu em Jim Clayton um homem esforçado e que começou do nada, com competências gerenciais fortes e muita inteligência. Clayton demonstrou várias vezes que conseguia superar uma crise no setor ao estruturar seu modelo de negócios de forma a evitar um imperativo institucional particularmente prejudicial.

The Washington Post Company

Buffett também nos ensina que mesmo jornais de terceira categoria podem ganhar lucros substanciais. Como o mercado não exige altos padrões de um jornal, cabe à gestão impor seus próprios padrões. E são os altos padrões e a competência da gestão que podem diferenciar os retornos do negócio em comparação com os concorrentes. Em 1973, se Buffett tivesse investido na Gannett, na Knight-Ridder, no *New York Times* ou no *Times Mirror* os mesmos US$ 10 milhões que investiu na Post, seus retornos sobre o investimento seriam acima da média, refletindo os excepcionais fatores econômicos do negócio de jornais durante aquele período. Mas os 200 a 300 milhões de dólares adicionais em valor de mercado que o *Washington Post* conquistou em relação aos outros participantes do setor, segundo Buffett, "vieram, em grande parte, das decisões gerenciais tomadas por Kay [Katherine Graham], mais competentes do que as decisões tomadas pelos gestores da maioria das outras empresas de mídia".[24]

Katherine Graham teve a sagacidade de comprar grandes quantidades das ações da Post a preços baixos. Ela também teve a coragem, defende Buffett, de confrontar sindicatos, reduzir despesas e aumentar o valor do negócio do jornal. Os acionistas do *Washington Post* devem a Katherine Graham o posicionamento extremamente favorável de que desfruta a empresa.

> "Ao avaliar as pessoas, procure três qualidades: integridade, inteligência e energia. Se você não encontrar a primeira, as outras duas o matarão.[24]"
>
> **WARREN BUFFETT, 1993**

O que Warren Buffett tem a dizer sobre gestão, ética e racionalidade

Em todas as suas comunicações com os acionistas da Berkshire e com o mundo em geral, Buffett repetidamente enfatiza sua busca por gestores honestos e objetivos. Ele acredita que esses são não apenas valores corporativos obrigatórios no mundo de hoje, como também questões fundamentais para definir o sucesso e a lucratividade de uma empresa no longo prazo. Remuneração executiva, opções sobre ações, independência dos diretores, fraude contábil — essas questões têm relevância pessoal para Buffett e ele não hesita em expressar seus sentimentos a respeito.

A GANÂNCIA DO CEO E O IMPERATIVO INSTITUCIONAL

Em sua carta aos acionistas de 2001, Buffett escreveu: "Charlie e eu estamos enojados com a situação, tão comum nos últimos anos, de acionistas sofrerem bilhões de dólares em perdas enquanto os CEOs, promotores e outros chefões que provocam os problemas saem da situação com uma fortuna extraordinária. Muitas dessas pessoas incentivam os investidores a comprar ações enquanto ao mesmo tempo vendem suas próprias ações, algumas vezes utilizando métodos para ocultar seus atos. Para sua vergonha, esses líderes consideram os acionistas perdedores, e não parceiros... O mundo corporativo dos Estados Unidos está repleto de condutas que ilustram essa situação".[26]

Os escândalos contábeis acionaram alarmes em todos os Estados Unidos, mais notavelmente audíveis para aqueles que investiram em planos de previdência privada 401(k) de suas empresas. Os acionistas começaram a fazer perguntas e a se questionar se suas empresas estavam gerenciando seus negócios de forma honesta e transparente. Todos nos tornamos muito mais conscientes dos grandes problemas existentes no sistema: os CEOs recebiam salários astronômicos enquanto empregavam o dinheiro da empresa em jatos privados e festas pomposas, e os diretores muitas vezes assinavam sem ler quaisquer decisões tomadas pela administração. Parecia que nenhum CEO era capaz de resistir à tentação de colocar as mãos nos gordos salários e estilos de vida extravagantes que os outros usufruíam. Esse é o lado mais destrutivo do imperativo institucional.

As coisas não melhoraram muito, de acordo com Buffett. Em sua carta aos acionistas de 2003, ele desaprovou com severidade a aparentemente crescente "epidemia de ganância". Ele escreveu: "O excesso de ambição dos CEOs acelerou na década de 1990, à medida que generosos pacotes de benefícios recebidos pelos mais gananciosos foram rapidamente replicados por todo lado — o que acirrou tremendamente a concorrência pelo título. A remuneração dos CEOs é o teste decisivo para avaliar se o mundo corporativo dos Estados Unidos leva a sério sua própria reforma. Até agora, os resultados não são encorajadores".[27] Isto vindo de um homem que não possui opções sobre ações e recebe parcos US$ 100 mil ao ano.

Opções sobre ações

Além dos salários astronômicos, os executivos de empresas de capital aberto costumam ser recompensados com opções sobre ações de preço fixo, muitas vezes vinculadas aos lucros corporativos mas muito raramente vinculadas ao desempenho de seu trabalho.

Para Buffett, isso é um contra-senso. Ele sustenta que quando as opções sobre ações são emitidas indiscriminadamente, os gestores com desempenho abaixo da média são recompensados com a mesma generosidade dispensada a gestores que tiveram um desempenho excelente. Na mente de Buffett, mesmo se a sua equipe em geral apresentar um desempenho muito bom, não é justo recompensar um medíocre e um vencedor da mesma forma.

Na Berkshire, Buffett utiliza um sistema de remuneração que recompensa os gestores de acordo com seu desempenho. A recompensa não está vinculada ao tamanho do empreendimento, à idade da pessoa ou aos lucros gerais da empresa. Buffett acredita que o desempenho de uma boa unidade deve ser recompensado independentemente de o preço das ações da Berkshire subir ou cair. Em vez disso, os executivos são recompensados com base em seu sucesso ao atingir metas de desempenho ligadas à sua área de responsabilidade. Alguns gestores são recompensados por maiores vendas, outros pela redução de despesas ou corte de dispêndios de capital. No fim do ano, Buffett não distribui opções sobre ações — ele faz cheques. Alguns são bastante gordos. Os gestores podem utilizar o dinheiro como bem entenderem. Podem utilizá-lo, se quiserem, para comprar ações da Berkshire.

Mesmo quando as opções sobre ações são tratadas como um aspecto legítimo da remuneração executiva, Buffett nos alerta a observar como elas são informadas no balanço patrimonial de uma empresa. Ele acredita que elas deveriam ser consideradas despesas, para que seu efeito nos lucros relatados fique claro. Isso parece tão óbvio que é quase difícil de contra-argumentar; infelizmente, nem todas as empresas encaram a questão dessa forma.

Na lógica de Buffett, essa é outra faceta da pronta aceitação da remuneração excessiva. Na sua carta aos acionistas de 2003, ele escreveu: "Quando os CEOs ou seus representantes se reúnem em comitês de remuneração, muitas vezes um dos lados — o CEO — se preocupa muito mais com o fechamento do acordo. Um CEO, por exemplo, sempre considerará monumental a diferença entre receber opções por 100 mil ações ou por 500 mil ações. Para um comitê de remuneração, entretanto, a diferença pode parecer irrisória — especialmente se, como foi o caso na maioria das empresas, nenhuma das opções tiver qualquer efeito nos lucros relatados. Nessas condições, a negociação muitas vezes assume uma qualidade de 'dinheiro de brinquedo'."[28]

Os sentimentos de Buffett em relação a esse assunto ficam evidentes na sua reação ao anúncio da Amazon, em abril de 2003, de que começaram a contabilizar as opções sobre ações como despesas. Buffett escreveu ao CEO Jeff Bezos que essa medida foi uma demonstração de "grande coragem" e que essa decisão seria "reconhecida e lembrada".[29] Uma semana depois, Buffett comprou US$ 98,3 milhões em títulos de alto rendimento da Amazon.

CONTABILIDADE ENGANOSA E QUESTÕES FINANCEIRAS OBSCURAS

Qualquer pessoa que tenha acompanhado os jornais no segundo semestre de 2001 não pôde deixar de perceber a crescente onda de transgressões corporativas. Durante meses, todos observamos com horror um escândalo após o outro, envolvendo alguns dos nomes mais conhecidos do mercado norte-americano. Todos esses eventos foram agregados sob o termo "escândalo contábil", já que as transgressões se concentravam em fraudes contábeis e porque os auditores externos que deveriam verificar os informes contábeis também eram apontados como cúmplices das ações.

> “No longo prazo, é claro, os problemas ficam à espera das administrações que enterram suas fragilidades operacionais sob uma montanha de papéis com manobras contábeis.[30]”
>
> WARREN BUFFETT, 1991 [NOTE A DATA DESTA OBSERVAÇÃO]

O problema, entretanto, transcende a contabilidade; trata-se de ganância, mentiras e atos criminosos. Mas os relatórios contábeis são um bom local para procurar sinais de problema. Em sua carta aos acionistas de 2002, Buffett alertou os investidores para serem cautelosos na leitura dos relatórios anuais. “Se vocês têm acompanhado os relatórios financeiros nos últimos anos”, ele escreveu, “com certeza viram um dilúvio de demonstrações de lucros ‘*pro forma*’ — tabulações nas quais os gestores invariavelmente declaram ‘lucros muito maiores do que os permitidos por seus auditores. Nessas apresentações, o CEO diz a seus proprietários ‘não leve isto em conta, não leve aquilo em conta — só leve em conta o que engorda os lucros’. Com muita freqüência, a mensagem ‘feche os olhos para tudo o que for negativo’ é transmitida ano após ano e a administração não mostra sinais evidentes de vergonha”.[31]

Buffett se mostra abertamente enojado com esses escândalos. “Essas evidentes transgressões traíram a confiança de milhões de acionistas.” Ele culpa os dias imprudentes da década de 1990, o período de enriquecimento rápido que ele chama de a Grande Bolha, pela deterioração da ética corporativa. “À medida que os preços das ações subiram”, ele diz, “as normas comportamentais dos gestores despencaram. Ao final da década de 1990, os CEOs que percorreram o caminho mais nobre não encontraram engarrafamentos. Mas muitos deles se comportaram mal, dourando os resultados e embolsando remunerações obscenas por realizações medíocres”.[32] E os diretores de muitas empresas, que deveriam defender os interesses dos acionistas, falharam de maneira acintosa em fazê-lo.

NEGLIGÊNCIA DOS DIRIGENTES E GOVERNANÇA CORPORATIVA

Parte do problema, Buffett sugere, é a tendência vergonhosa dos conselhos diretores de assinar de forma imprudente tudo o que a alta administração solicita. Trata-se de uma questão de independência e coragem — o nível no qual os diretores estão dispostos a honrar sua responsabilidade fiduciária correndo o risco de desagradar os altos executivos. Essa disposição, ou a falta dela, é encontrada em conselhos de administração em todo o país.

"A verdadeira independência — ou seja, a disposição de desafiar um poderoso CEO quando algo está errado ou a imprudência for evidente — é uma característica extremamente valiosa em um diretor", Buffett escreve. "E rara. O melhor lugar para procurar essa característica é entre pessoas responsáveis cujos interesses estejam alinhados com os de todos os acionistas." Buffett esclarece sua posição descrevendo o que procura nos membros do conselho da Berkshire Hathaway — "alto nível de integridade, conhecimento do negócio, orientação para o acionista e um interesse sincero pela empresa".[33]

É realmente possível estimar o valor da gestão?

Buffett seria o primeiro a admitir que avaliar os gestores nessas três dimensões — racionalidade, franqueza e pensamento independente — é mais difícil do que mensurar o desempenho financeiro, pela simples razão que seres humanos são mais complexos do que números.

Com efeito, muitos analistas acreditam que, pelo fato de a avaliação da atividade humana ser vaga e imprecisa, é simplesmente impossível estimar o valor da gestão com qualquer grau de confiança e, portanto, é inútil tentar. Se for impossível atingir a precisão do ponto decimal, eles parecem sugerir, não há nada a ser mensurado. Outros sustentam a posição de que o valor da gestão se reflete totalmente nas estatísticas de desempenho da empresa, incluindo vendas, margens de lucro e retorno sobre o patrimônio líquido e nenhuma outra medida é necessária.

Ambas as opiniões têm a sua validade, mas nenhuma delas é forte o suficiente para suplantar a premissa original. A razão para tentar avaliar a gestão é que isso proporciona sinais de alerta para possíveis problemas no desempenho financeiro. Se as palavras e as atitudes de uma equipe gerencial forem observadas com atenção, pode-se encontrar pistas que podem ajudar a estimar o valor de seu trabalho muito antes de isso transparecer nos relatórios financeiros da empresa ou no caderno de finanças dos jornais. Fazer isso demanda algum trabalho investigativo de sua parte e isso pode ser o suficiente para desanimar os preguiçosos e os menos dedicados. Eles perdem, você ganha.

Como coletar as informações necessárias? Buffett oferece algumas dicas. Ele sugere rever os relatórios anuais a partir de alguns anos atrás, prestando atenção especial ao que a administração disse na época e quais foram suas estratégias para o futuro. Feito isso, compare esses planos aos resultados de hoje: Esses planos foram completamente levados a cabo? Também compare as estratégias de alguns anos atrás às estratégias e idéias deste ano: Quais foram as mudanças? Buffett também sugere que pode ser muito valioso comparar relatórios anuais da empresa na qual você está interessado com relatórios de empresas similares do mesmo setor. Não é sempre fácil encontrar duplicatas exatas, mas mesmo comparações relativas de desempenho podem gerar algumas idéias.

> “Eu leio os relatórios anuais da empresa que estou avaliando e leio os relatórios anuais de seus concorrentes. Esta é a principal fonte de material.”
>
> **WARREN BUFFETT, 1993**

> “Gostamos de manter as coisas simples, para que o presidente do conselho possa se sentar e ler relatórios anuais.[34]”
>
> **CHARLIE MUNGER, 1993**

Expanda seus horizontes de leitura. Acompanhe artigos de jornais e revistas financeiras sobre a empresa na qual você está interessado e sobre o setor em geral. Leia o que os executivos da empresa têm a dizer e o que os outros dizem sobre eles. Se você souber que o presidente do conselho recentemente deu uma palestra ou fez uma apresentação, obtenha uma cópia do departamento de relacionamento com os investidores e estude o material meticulosamente. Utilize o site da empresa na internet para obter informações atualizadas. Fique de antenas ligadas. Quando mais desenvolver o hábito manter-se atento a novas informações, mais fácil se tornará o processo.

Deve ser dito, infelizmente, que os documentos que utilizar para a sua análise podem estar repletos de números inflacionados, meias verdades e obscurantismo deliberado. Todos conhecemos os nomes das empresas acusadas de fazer isso; elas formam a galeria de desonestidade nos negócios norte-americanos e alguns de seus líderes estão passando algum tempo atrás das grades para refletir sobre seus atos. Algumas vezes as manipulações são tão habilidosas que enganam até mesmo os auditores federais; como, então, você, um investidor sem nenhum conhecimento especial, pode compreender completamente o que está lendo?

A lamentável resposta é que você não pode. Você pode — e deveria — aprender a interpretar relatórios anuais e balanços patrimoniais mas, se eles forem baseados em dissimulações e mentiras, você pode não ser capaz de detectar isso.

Eu não quero dizer com isso que você deveria simplesmente desistir. Continue fazendo as suas pesquisas e se empenhe em ficar atento para detectar sinais de problemas. Warren Buffett nos dá algumas dicas preciosas a esse respeito:[35]

- "Tome cuidado com empresas que demonstrem uma contabilidade fraca." Em especial, ele nos alerta para tomar cuidado com empresas que não demonstram lucros e perdas com opções sobre ações. Isso é um sinal de alerta evidente de que outras manobras menos óbvias também estão presentes.
- Outro sinal de alerta: "notas de rodapé ininteligíveis". Se você não conseguir entendê-las, ele diz, não suponha que seja um problema seu; trata-se de uma ferramenta popular para ocultar algo que a gestão não quer que se saiba.
- "Suspeite de empresas que alardeiam projeções de lucros e expectativas de crescimento." Ninguém pode prever o futuro e qualquer CEO que alegue conseguir fazer isso não merece a sua confiança.

Em suma, Buffett deseja trabalhar com gestores diretos, objetivos e honestos com seus acionistas e seus empregados. Sua defesa inabalável do comportamento ético como uma condição para os negócios assumiu uma importância maior desde a explosão dos escândalos corporativos. Entretanto, ele seria o primeiro a reconhecer que manter essa postura não garante, por si só, que os investidores estarão imunes a perdas geradas por fraudes.

Devo acrescentar um alerta pessoal: eu não tenho como garantir que seguir os princípios descritos no livro lhe dará 100% de proteção. Se os responsáveis pela empresa estiverem mentindo descaradamente aos investidores por meio de contabilidade fraudulenta ou outras manobras ilegais e se fizerem isso bem, pode ser difícil e muitas vezes impossível detectar o problema a tempo. Mais cedo ou mais tarde esses transgressores acabarão na cadeia, mas até lá os danos causados aos acionistas já estarão feitos; e o dinheiro já terá ido embora. O que posso dizer é o seguinte: se você adotar a forma meticulosa e cautelosa de analisar investimentos que Buffett nos ensina e dedicar um bom tempo a isso, você estará mais vezes certo do que errado e certamente mais vezes certo do que aqueles que se permitem ser empurrados e puxados de um lado para o outro por manchetes e boatos.

| CAPÍTULO 7 |

ORIENTAÇÕES DE INVESTIMENTO

PRINCÍPIOS FINANCEIROS

Os princípios financeiros por meio dos quais Warren Buffett analisa tanto a excelência gerencial quanto o desempenho econômico estão fundamentados em alguns preceitos característicos de Buffett. Para começar, ele não leva os resultados anuais muito a sério. Em vez disso, se concentra em médias de quatro ou cinco anos. Muitas vezes, ele observa, os retornos de negócios lucrativos podem não coincidir com o tempo que o planeta leva para circundar o Sol.

Ele também não tem muita paciência com os truques de mágica contábil que produzem resultados impressionantes de final de ano, mas pouco valor real. Em vez disso, conta com alguns princípios financeiros atemporais:

- Concentrar-se no retorno sobre o patrimônio líquido, não no lucro por ação.
- Calcular os "lucros do proprietário" para obter uma medida real do valor.
- Procurar empresas com altas margens de lucro.
- Para cada dólar retido, a empresa criou pelo menos um dólar de valor de mercado?

Retorno sobre o patrimônio líquido

Normalmente, os analistas estimam o desempenho anual de uma empresa examinando o lucro por ação. Eles aumentaram ao longo do ano anterior? Eles são altos o suficiente para se vangloriar a respeito?

Buffett, por sua vez, considera os lucros por ação uma cortina de fumaça. Como a maioria das empresas retém uma parte dos lucros do ano anterior para aumentar sua base patrimonial, ele não vê motivo para se empolgar com recordes de lucro por ação. Não há nada de espetacular em uma empresa que aumenta o lucro por ação em 10% se ao mesmo tempo ela estiver ampliando sua base patrimonial em 10%. Isso não é diferente, ele explica, de colocar dinheiro em uma conta de poupança e aguardar os juros acumulados e compostos.

O verdadeiro teste do desempenho econômico, Buffett acredita, é saber se a empresa atinge um alto índice de lucro sobre o patrimônio ("sem alavancagem indevida, truques contábeis etc."), e não se tem ganhos consistentes em lucros por ação.[1] Para estimar o desempenho anual de uma empresa, ele prefere o retorno sobre o patrimônio líquido — o coeficiente entre os lucros operacionais e o patrimônio líquido.

Para utilizar esse coeficiente, entretanto, precisamos fazer vários ajustes. Para começar, todos os títulos negociáveis devem ser estimados pelo custo e não pelo valor de mercado, porque os valores no mercado de ações como um todo podem influenciar em muito os retornos sobre o patrimônio dos acionistas em uma determinada empresa. Por exemplo, se o mercado de ações subiu radicalmente em um ano, elevando, assim, o valor líquido de uma empresa, um desempenho operacional verdadeiramente fora de série seria reduzido em comparação com um denominador maior. De maneira inversa, o fato de os preços em queda reduzem o patrimônio dos acionistas significa que resultados operacionais medíocres podem parecer muito melhores do que realmente são.

Depois, também precisamos controlar os efeitos de fatores incomuns no numerador desse coeficiente. Buffett exclui todos os ganhos e perdas de capital bem como fatores extraordinários que podem elevar ou reduzir os lucros operacionais. Com isso, ele busca isolar o desempenho anual específico de um negócio. Ele quer saber se a gestão executa bem a tarefa de gerar um retorno sobre as operações do negócio considerando o capital empregado. Esta, ele diz, é a melhor medida do desempenho econômico da gestão.

Além disso, Buffett acredita que um negócio deve obter bons retornos sobre o patrimônio líquido empregando pouca ou nenhuma dívida. Sabemos que as empresas podem aumentar seu retorno sobre o patrimônio líquido ao elevar seu índice de dívida sobre o patrimônio líquido. Buffett está ciente disso, mas a idéia de acrescentar um ou dois pontos ao retorno sobre o patrimônio líquido da Berkshire Hathaway simplesmente assumindo mais dívidas não o impressiona. "Bons negócios ou decisões de investimento", ele diz, "produzirão resultados econômicos bastante satisfatórios sem a ajuda da alavancagem".[2] Além disso, empresas altamente alavancadas são vulneráveis em períodos de turbulência econômica.

Buffett não nos dá nenhuma sugestão sobre os níveis de dívida adequados ou não para um negócio. Diferentes empresas, a depender de seus fluxos de caixa, podem administrar níveis diferentes de dívida. O que Buffett nos diz é que um bom negócio deve ser capaz de ganhar um bom retorno sobre o patrimônio líquido sem recorrer à alavancagem. Os investidores devem olhar com desconfiança para empresas que conseguem bons retornos sobre o patrimônio líquido somente pelo emprego de dívidas.

Coca-Cola

Na "Estratégia para a Década de 1980", seu plano para revitalizar a empresa, Goizueta salientou que a Coca-Cola deveria se livrar de qualquer negócio que tivesse deixado de gerar retornos aceitáveis sobre o patrimônio líquido. Qualquer novo empreendimento deveria ter um potencial real de crescimento para justificar um investimento. A Coca-Cola não estava mais interessada em batalhar por participação em um mercado estagnado. "Um maior lucro por ação e um maior retorno sobre o patrimônio líquido ainda são o mais importante", anunciou Goizueta.[3] Suas palavras foram sustentadas por ações. O negócio de vinhos da Coca-Cola foi vendido para a Seagram's em 1983.

Apesar de a empresa ter ganhado respeitáveis 20% de retorno sobre o patrimônio líquido durante a década de 1970, Goizueta não se impressionou. Ele exigiu maiores retornos e a empresa atendeu a suas demandas. Em 1988, o retorno sobre o patrimônio líquido da Coca-Cola havia subido para 31,8% (ver Figura 7.1, na página seguinte.)

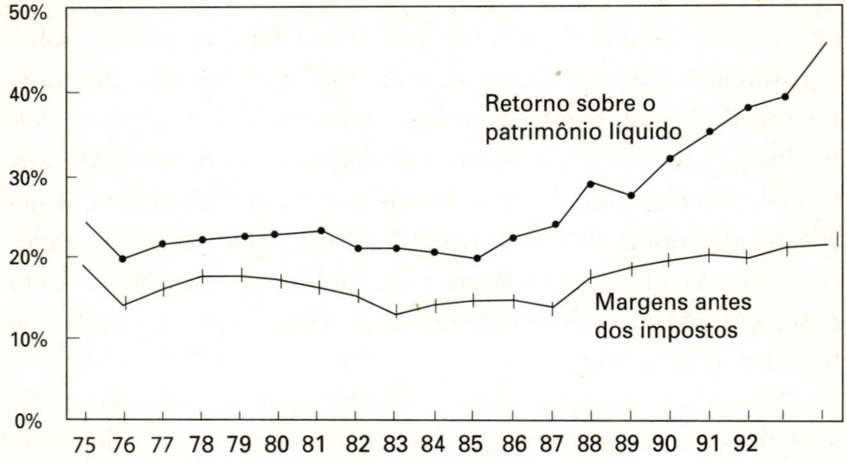

Figura 7.1 Retorno sobre o patrimônio líquido e margens antes dos impostos da Coca-Cola

Analisada sob qualquer ângulo, a Coca-Cola de Goizueta estava duplicando e triplicando as realizações financeiras do CEO anterior. Os resultados podiam ser vistos no valor de mercado da empresa. Em 1980, a Coca-Cola tinha um valor de mercado de US$ 4,1 bilhões. Ao final de 1987, mesmo após a queda do mercado de ações em outubro, o valor de mercado tinha subido para US$ 14,1 bilhões (ver Figura 7.2, ao lado). Em sete anos, o valor de mercado da Coca-Cola cresceu a uma taxa anual média de 19,3%.

The Washington Post Company

Quando Buffett comprou ações do Washington Post em 1973, seu retorno sobre o patrimônio líquido foi de 15,7%. Isso representava o retorno médio da maioria dos jornais e só ligeiramente melhor que o Standard & Poor's Industrial Index. Mas, em cinco anos, o retorno sobre o patrimônio líquido da Post duplicou. Na época, ele estava duas vezes acima do S&P Industrials e 50% acima da média dos jornais. Ao longo dos dez anos seguintes, a Post Company manteve sua supremacia, atingindo um pico de retorno sobre o patrimônio líquido de 36,3% em 1988.

Esses retornos acima da média são mais impressionantes quando levamos em consideração que a empresa, ao longo do tempo, reduziu intencionalmente sua dívida. Em 1973, a razão entre dívidas de longo prazo e patrimônio líquido era de 37,2%, o segundo maior índice do setor. Em 1978, Katherine Graham havia reduzido as dívidas da empresa em incríveis 70%. Em 1983, o índice dívida de longo prazo-patrimônio líquido estava em 2,7% — um décimo da média das empresas do setor — e, apesar disso, o Post gerava um retorno sobre o patrimônio líquido 10% superior ao dessas mesmas empresas.

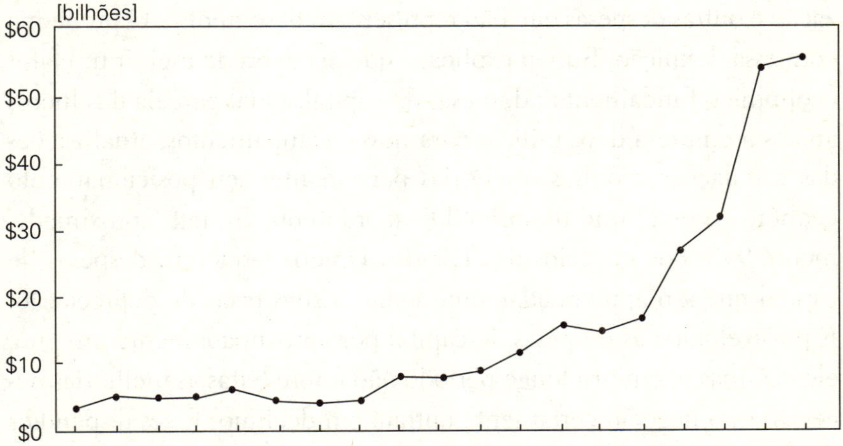

Figura 7.2 Valor de mercado da Coca-Cola Company

"Lucros do proprietário"

Os investidores, Buffett alerta, devem estar cientes de que o lucro contábil por ação representa o ponto de partida para a estimativa do valor econômico de um negócio, não o ponto de chegada. "O primeiro ponto a ser entendido", ele diz, "é que nem todos os lucros são criados da mesma forma."[4] Empresas com alto índice de ativos sobre lucros, ele salienta, tendem a relatar lucros falsos. Como a inflação cobra pedágio de empresas com grandes ativos, os lucros desses negócios assumem uma qualidade de miragem. Assim, os ganhos contábeis são úteis ao analista apenas quando se aproximam do fluxo de caixa esperado da empresa.

Contudo, Buffett alerta que mesmo o fluxo de caixa não é uma ferramenta perfeita para estimar o valor; ele muitas vezes ilude os investidores. O fluxo de caixa é uma forma adequada de avaliar negócios que possuem grandes investimentos iniciais e pequenos investimentos posteriores, como empresas de bens imobiliários, campos de gás natural ou empresas de TV a cabo. Por outro lado, empresas que requerem constante dispêndio de capital, como as manufaturas, não são estimadas com precisão somente com a utilização do fluxo de caixa.

O fluxo de caixa de uma empresa é normalmente definido como a renda líquida depois dos impostos mais depreciação, exaustão, amortização e outras despesas que não representam desembolso. O problema com essa definição, Buffett explica, é que ela deixa de incluir um fator econômico fundamental: despesas de capital. Qual parcela dos lucros anuais a empresa deve utilizar para novos equipamentos, atualizações das instalações e outras melhorias para manter seu posicionamento econômico e volume unitário? De acordo com Buffett, aproximadamente 95% dos negócios dos Estados Unidos requerem despesas de capital que são aproximadamente iguais a suas taxas de depreciação. É possível adiar as despesas de capital por aproximadamente um ano, ele diz, mas se em um longo período não forem feitas as melhorias necessárias, o negócio certamente entrará em declínio. Esses dispêndios de capital podem ser considerados despesas, da mesma forma como acontece com mão-de-obra e serviços públicos.

A popularidade dos resultados de fluxos de caixa cresceu durante o período de aquisições alavancadas da década de 1980, já que os preços exorbitantes pagos pelos negócios eram justificados pelo fluxo de caixa da empresa. Buffett acredita que os resultados de fluxos de caixa "são freqüentemente utilizados pelos vendedores de negócios e títulos para justificar o injustificável e, portanto, vender o invendível. Quando os lucros parecem ser inadequados ao custo da dívida de um título de segunda linha ou justificam um preço ridículo da ação, se torna muito conveniente se concentrar no fluxo de caixa".[5] Mas você não deve se concentrar no fluxo de caixa, Buffett alerta, a menos que esteja disposto a subtrair os dispêndios de capital necessários.

Em vez do fluxo de caixa, Buffett prefere o que chama de "lucros do proprietário" — a renda líquida de uma empresa mais depreciação, exaustão e amortização, menos o montante de despesas de capital e qualquer capital circulante líquido adicional que possa ser necessário. Não se trata de uma medida matematicamente precisa, Buffett admite, pela simples razão de que o cálculo do dispêndio de capital futuro geralmente requer estimativas aproximadas. Mesmo assim, citando Keynes, ele diz "Prefiro estar vagamente certo do que precisamente errado".

Coca-Cola

Em 1973, os "lucros do proprietário" da empresa (renda líquida mais depreciação menos dispêndios de capital) eram de US$ 152 milhões. Em 1980, os lucros do proprietário eram de US$ 262 milhões, uma taxa de crescimento anual composta de 8%. Então, de 1981 a 1988, os lucros do proprietário cresceram de US$ 262 milhões para US$ 828 milhões, uma taxa de crescimento anual composta de 17,8% (ver Figura 7.3).

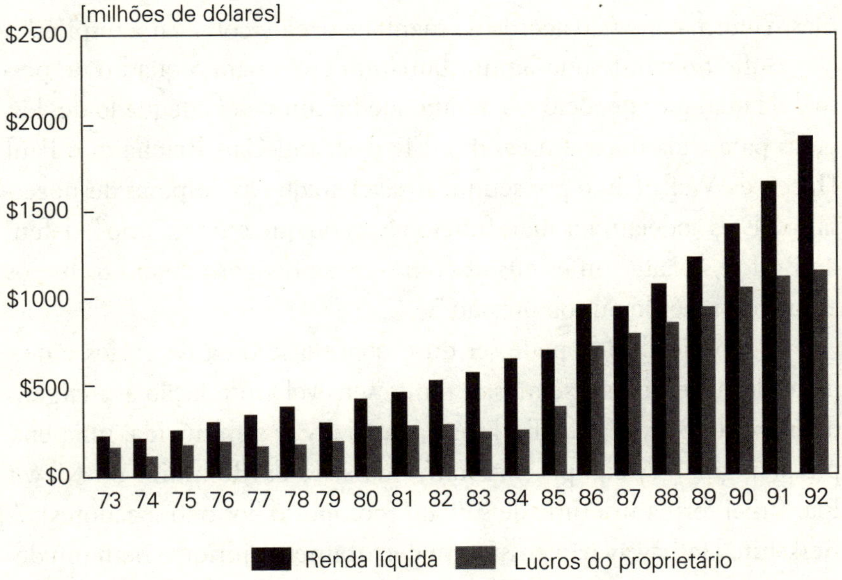

Figura 7.3 Renda líquida e "lucros do proprietário" da Coca-Cola Company

O crescimento dos lucros do proprietário é refletido no preço das ações da Coca-Cola. No período de dez anos entre 1973 e 1982, o retorno total da Coca-Cola cresceu a uma taxa anual média de 6,3%. Durante os dez anos subseqüentes, de 1983 a 1992, o retorno total cresceu a uma taxa anual média de 31,1%.

Margens de lucro

Como Philip Fisher, Buffett está ciente de que empresas excelentes se convertem em investimentos ruins caso a gestão não seja capaz de converter vendas em lucros. Em sua experiência, gestores de operações de alto custo tendem a descobrir caminhos que continuamente acrescentam custos gerais indiretos ao passo que os gestores de operações de baixo custo estão sempre encontrando formas de cortar despesas.

Buffett tem pouca paciência com gestores que permitem o aumento exagerado dos custos. Esses mesmos gestores costumam precisar de programas de reestruturação para reduzir custos de forma que se alinhem às vendas. Sempre que empresas anunciam programas de corte de custos, Buffett percebe que elas ainda não entenderam o que as despesas podem fazer pelos seus proprietários. "O verdadeiro bom gestor", Buffett diz, "não acorda de manhã e diz: 'Hoje é dia de cortar custos', da mesma forma que não acorda de manhã e decide começar a respirar".[6]

Buffett entende que há um tamanho certo para o quadro de pessoal de qualquer negócio e acredita que há um nível adequado de despesas para cada dólar em vendas. Ele destacou Carl Reichardt e Paul Hazen da Wells Fargo por seu incansável ataque às despesas desnecessárias. Eles "odeiam ter mais funcionários do que o necessário", defende Buffett, "e 'atacam os custos com o mesmo vigor estejam os lucros em níveis recorde ou sob pressão'".[7]

O próprio Buffett pode ser duro quando se trata de custos e despesas desnecessárias e se mostra muito sensível em relação às margens de lucro da Berkshire. A Berkshire Hathaway é, sem dúvida, uma empresa singular. A equipe corporativa da sede da Berkshire no Kiewit Plaza mal forma um time de *softball* (composto por oito jogadores). A Berkshire Hathaway não possui um departamento jurídico nem um departamento de relações públicas ou relações com os investidores. Não há um departamento de planejamento estratégico repleto de empregados com MBAs tramando fusões e aquisições. A despesa corporativa da empresa com custos gerais indiretos depois dos impostos é menor que 1% do lucro operacional. Compare isso, diz Buffett, a outras empresas com lucros similares mas despesas corporativas de 10%; os acionistas perdem 9% do valor de suas participações simplesmente em função dos custos gerais indiretos.

The Pampered Chef

Como já foi mencionado, Doris Christopher fundou sua empresa com um empréstimo de US$ 3 mil garantido por sua apólice de seguro de vida familiar e nunca mais contraiu dívidas. Hoje, a empresa gera mais de US$ 700 milhões em vendas.

Os clientes pagam por produtos antes da entrega, de forma que a empresa é um negócio com caixa positivo. Alan Luce, presidente da Luce & Associates de Orlando, Flórida, uma empresa de consultoria em vendas diretas, estima margens de lucro antes dos impostos de mais de 25%.

Coca-Cola

Em 1980, as margens de lucro antes dos impostos da Coca-Cola eram de apenas 12,9%. As margens estavam em queda nos cinco anos subseqüentes e estavam substancialmente abaixo das margens em 1973 — 18%. No primeiro ano da administração de Goizueta, as margens de lucro antes dos impostos subiram para 13,7%; em 1988, quando Buffett comprou suas ações da Coca-Cola, as margens tinham subido para o patamar recorde de 19%.

The Washington Post Company

Seis meses após a Post Company ter aberto seu capital em 1971, Katherine Graham se reuniu com analistas de títulos de Wall Street. A principal prioridade do negócio, ela lhes disse, era maximizar os lucros das operações existentes da empresa. Os lucros continuavam a crescer nas emissoras de televisão e na *Newsweek*, mas a lucratividade do jornal estava estagnada. O principal motivo, ela explicou, eram os altos custos de produção, isto é, os salários.

Depois que a Post comprou o *Times-Herald*, os lucros da empresa oscilaram. A cada vez que os sindicatos atacavam o jornal (1949, 1958, 1966, 1968, 1969), a gestão optou por pagar suas demandas em vez de arriscar fechar as portas.Durante esse período, Washington, D.C., ainda era uma cidade de três jornais. Ao longo das décadas de 1950 e 1960, os custos salariais em alta amorteceram os lucros. Esse problema, a senhora Graham garantiu aos analistas, seria solucionado.

Quando os contratos dos sindicatos começaram a expirar na década de 1970, a senhora Graham contratou negociadores trabalhistas que assumiram uma postura linha-dura com os sindicatos. Em 1974, a empresa derrotou uma greve promovida pelo sindicato Newspaper Guild[8], e após longas negociações, os impressores aceitaram o novo contrato.

No começo de década de 1970, a *Forbes* publicou: "O melhor que pode ser dito sobre o desempenho da The Washington Post Company é que ela conseguiu lucratividade de uma forma não muito cavalheiresca".[9] A margem de lucro antes dos impostos em 1973 foi de 10,8% — muito abaixo das margens históricas de 15% da empresa na década de 1960. Depois da renegociação bem-sucedida dos contratos com o sindicato, a sorte da Post melhorou. Em 1978, as margens de lucro saltaram para 19,3% — um aumento de 80% em cinco anos.

A aposta de Buffett se pagou. Em 1988, a margem antes dos impostos da Post atingiu 31,8%, que se comparava de forma favorável com a média dos jornais, de 16,9%, e com a média da Standard & Poor's Industrial, 8,6%. Apesar de as margens de lucro da empresa terem caído um pouco nos últimos anos, elas permanecem substancialmente mais altas do que a média do setor.

A premissa do um dólar

A meta de Buffett é selecionar empresas nas quais cada dólar de lucros acumulados seja traduzido em pelo menos US$ 1 de valor de mercado. O teste pode identificar rapidamente empresas cujos gestores, com o tempo, foram capazes de investir de forma ótima o capital. Se os lucros acumulados são investidos na empresa e produzem um retorno acima da média, a prova será um aumento proporcionalmente maior do valor de mercado da empresa.

Com o tempo, é importante ressaltar. Apesar de o mercado de ações acompanhar o valor de um negócio relativamente bem em longos períodos, em qualquer ano os preços podem variar radicalmente por outros motivos que não o valor. O mesmo se aplica aos lucros acumulados, Buffett explica. Se uma empresa utiliza os lucros acumulados de forma não produtiva no decorrer de um longo período, mais cedo ou mais tarde o mercado, de forma justificável, precificará suas ações de forma decepcionante. Por outro lado, se uma empresa foi capaz de obter um retorno acima da média sobre o capital aumentado, um preço mais alto das ações refletirá esse sucesso.

Buffett acredita que, se selecionar uma empresa com perspectivas econômicas de longo prazo favoráveis administrada por gestores competentes e voltados aos acionistas, a prova será o maior valor de mercado da empresa. E, para isso, ele utiliza um teste rápido: o maior valor de mercado deve corresponder a pelo menos o volume de lucros acumulados, dólar por dólar. Se o valor for mais alto que os lucros acumulados, ainda melhor. No geral, explica Buffett, "nesta gigantesca arena de leilões, nosso trabalho é selecionar uma empresa com características econômicas que permitam que cada dólar de lucros acumulados seja traduzido em pelo menos US$ 1 de valor de mercado".[10]

Coca-Cola

Desde 1988, quando Buffett começou a investir na empresa, o desempenho do preço das ações da Coca-Cola tem sido extraordinário – saltou de US$ 10 por ação para US$ 45, em 1992. Durante o mesmo período, a Coca-Cola bateu o desempenho do índice Standard & Poor's 500.

Entre 1989 e 1999, o valor de mercado da Coca-Cola subiu de US$ 25,8 bilhões para US$ 143,9 bilhões. Para colocar esse crescimento em outros termos, considere o seguinte: um investimento de US$ 100 em ações ordinárias no dia 31 de dezembro de 1989, com os dividendos reinvestidos, apresentava um valor antes dos impostos de US$ 681 dez anos depois — uma média anual de retorno composto de 21%. Nesse mesmo período de dez anos, a empresa produziu US$ 26,9 bilhões em lucros, pagou US$ 10,5 bilhões em dividendos aos acionistas e reteve US$ 16,4 bilhões para reinvestimento. Para cada dólar que a empresa reteve, ela criou US$ 7,20 em valor de mercado.

No final de 2003, o investimento original da Berkshire de US$ 1,023 bilhão na Coca-Cola estava avaliado em mais de US$ 10 bilhões.

Gillette

De 1988, quando Buffett passou a investir na empresa, até 1992, o valor de mercado da Gillette aumentou US$ 9,3 bilhões. Durante esse período, a empresa teve um lucro de 1,6 bilhão de dólares, distribuiu

US$ 582 milhões aos acionistas e reteve US$ 1,011 bilhão para reinvestimento. Para cada dólar retido, o valor de mercado da empresa aumentou US$ 9,21.

Não é tarefa fácil analisar profundamente a estrutura financeira de uma empresa e, para qualquer pessoa que não seja Warren Buffett, é praticamente impossível conhecer todos esses fatores se a empresa for de propriedade privada. Mesmo assim, Buffett nos diz, o esforço sempre se paga, já que revela informações significativas.

E, como aprendemos com um escândalo contábil após o outro, uma investigação profunda dessas áreas financeiras se tornou ainda mais crítica. Não há garantias de que, com esse esforço, você descobrirá toda a verdade, mas terá muito mais chances de identificar números incoerentes do que se não fizer nada. Como Buffett observa: "Os gestores que sempre prometem 'atingir os números', em algum momento inventarão os números".[11] O seu objetivo é a aprender a reconhecer a diferença.

| CAPÍTULO 8 |

ORIENTAÇÕES DE INVESTIMENTO

PRINCÍPIOS DE VALOR

Todos os preceitos incorporados nos princípios descritos até agora levam a um ponto de decisão: comprar ou não comprar ações de uma empresa. Neste ponto, qualquer investidor deve ponderar dois fatores: se a empresa tem um bom valor e se o momento é bom para comprar— ou seja, o preço é favorável?

O mercado de ações define o preço. O investidor define o valor depois de ponderar todas as informações conhecidas sobre o negócio, a gestão e as características financeiras da empresa. O preço e o valor não são necessariamente iguais. Como Warren Buffett costuma observar, "O preço é o que você paga. O valor é o que você recebe".

Se o mercado de ações fosse de fato eficiente, os preços se ajustariam instantaneamente a todas as informações disponíveis. Sabemos que isso, obviamente, não acontece. Os preços das ações se movimentam acima e abaixo dos valores das empresas por várias razões, nem todas lógicas.

> "É péssimo ir para a cama à noite pensando no preço de uma ação. Pensamos no valor e nos resultados da empresa. O mercado de ações está aí para servi-lo, não para instruí-lo.[1]"
>
> WARREN BUFFETT, 2003

Teoricamente, os investidores tomam suas decisões com base nas diferenças entre o preço e o valor. Se o preço estiver abaixo do valor por ação, um investidor racional decidirá comprar. Se o preço estiver acima do valor, qualquer investidor deixará as ações passarem.

À medida que a empresa se move ao longo de seu ciclo de vida econômico, um investidor experiente reavaliará periodicamente o valor dela em relação ao preço de mercado e comprará, venderá ou manterá as ações de acordo com o resultado de sua análise.

Assim, em resumo, o investimento racional possui dois componentes:

- Determinar o valor do negócio.
- Comprar somente quando o preço estiver certo — quando o negócio estiver à venda com um desconto significativo em relação a seu valor.

Calcular o valor do negócio

Ao longo dos anos, os analistas financeiros utilizaram várias fórmulas para estimar o valor intrínseco de uma empresa. Alguns preferem utilizar métodos rápidos: baixos índices preço-lucro, baixo índice preço-valor contábil e alto retorno dos dividendos. Mas o melhor sistema, de acordo com Buffett, foi elaborado há mais de 60 anos por John Burr Williams (ver Capítulo 2). Buffett e muitos outros consideram o modelo de desconto de dividendos de Williams, apresentado em seu livro *The Theory of Investment Value* (não publicado no Brasil), como a melhor forma de estimar o valor de um título.

Parafraseando Williams, Buffett nos diz que o valor de uma empresa é o total dos fluxos de caixa líquidos (lucros do proprietário) esperados ao longo de toda a vida do negócio descontado de uma taxa de juros adequada. Ele considera este método o parâmetro mais adequado para avaliar uma cesta de diferentes tipos de investimentos: obrigações do governo, obrigações corporativas, ações ordinárias, prédios residenciais, poços de petróleo e fazendas.

A prática matemática, Buffett nos diz, é similar na avaliação de uma obrigação. O mercado de obrigações acrescenta todos os dias os cupons futuros de uma obrigação e desconta os cupons às taxas de juros prevalecentes; isso determina o valor da obrigação. Para avaliar o valor de um negócio, o investidor estima os "cupons" que o negócio gerará em um período futuro e depois desconta todos esses cupons ao presente. "Estimados dessa forma", Buffett afirma, "todos os negócios, de fabricantes de chicotes a operadoras de telefonia celular, se tornam equivalentes econômicos".[2]

Assim, em resumo, calcular o valor atual de um negócio significa, primeiramente, estimar os lucros totais que provavelmente ocorrerão ao longo da vida do negócio e, depois, descontar esse total retrocedendo até a data presente. (Lembre-se que, com "lucros", Buffett quer dizer "lucros do proprietário" — o fluxo de caixa líquido ajustado pelos dispêndios de capital, conforme descrito no Capítulo 7.)

Para estimar os lucros futuros totais, aplicamos tudo o que aprendemos sobre as características dos negócios de uma empresa, sua saúde financeira e a qualidade de seus gestores, utilizando os princípios de análise descritos até agora. Quanto à segunda parte da fórmula, só precisamos determinar qual seria a taxa de desconto — o que será abordado mais adiante.

Buffett se mantém firme em um aspecto: ele busca empresas cujos lucros futuros sejam tão previsíveis, tão certos, quanto os lucros das obrigações. Se a empresa tem operado com potencial consistente de lucro e se o negócio for simples e compreensível, Buffett acredita poder estimar seus lucros futuros com um alto grau de segurança. Se ele não puder projetar com convicção quais serão os fluxos de caixa futuros de um negócio, não tentará estimar o valor da empresa. Ele simplesmente deixará a empresa passar.

> "Para estimar o valor de um negócio de forma adequada, o ideal seria pegar todos os fluxos de caixa que serão distribuídos entre hoje e o dia do juízo final e descontá-los a uma taxa de desconto apropriada. A avaliação do negócio se resume a isso. Parte da equação é o nível de certeza que você tem sobre a ocorrência desses fluxos de caixa. Alguns negócios são mais fáceis de prever do que outros. Tentamos encontrar negócios previsíveis.[3]"
>
> **WARREN BUFFETT, 1988**

Essa é a distinção da abordagem de Buffett. Apesar de admitir que a Microsoft seja uma empresa dinâmica e ter Bill Gates em grande consideração como gestor, Buffett confessa que não faz idéia de como estimar os lucros futuros dessa empresa. É isso que ele quer dizer com o "círculo de competência"; ele não conhece o setor de tecnologia bem o suficiente para projetar os lucros potenciais de longo prazo de qualquer empresa do setor.

Isso nos leva ao segundo elemento da fórmula: qual é a taxa de desconto apropriada? A resposta de Buffett é simples: a taxa que seria considerada livre de risco. Por muitos anos, ele utilizou a taxa então atual para as obrigações de longo prazo do governo. Como é quase 100% certo que o governo norte-americano pagará seus cupons ao longo dos próximo 30 anos, podemos dizer que se trata de uma taxa livre de risco.

Quando as taxas de juros estavam baixas, Buffett ajustava a taxa de desconto para cima. Quando os rendimentos das obrigações caíam abaixo de 7%, Buffett elevava sua taxa de desconto para 10% e essa é a taxa que ele normalmente utiliza hoje. Se as taxas de juros aumentarem mais com o tempo, ele terá conseguido a correspondência entre sua taxa de desconto e a taxa de longo prazo. Se não, ele terá aumentado sua margem de segurança em três pontos adicionais.

Alguns acadêmicos argumentam que nenhuma empresa, independente de seus pontos fortes, pode garantir lucros futuros com o mesmo nível de segurança de uma obrigação. Portanto, eles insistem, um fator de desconto mais adequado seria a taxa de retorno livre de risco mais um prêmio pelo risco, adicionado para refletir a incerteza dos fluxos de caixa futuros da empresa. Buffett não acrescenta um prêmio pelo risco. Ele prefere confiar em seu obstinado foco nas empresas com lucros consistentes e previsíveis e na margem de segurança proveniente de já comprar a um desconto substancial. "Eu coloco um grande peso na certeza", Buffett diz. "Se isso for feito, toda essa idéia de fator de risco não faz nenhum sentido para mim."[4]

Coca-Cola

Quando Buffett começou a comprar ações da Coca-Cola em 1988, as pessoas perguntaram: "Onde está o valor na Coca-Cola?" Por que Buffett estava disposto a pagar cinco vezes o valor contábil por uma empresa com 6,6% de taxa de retorno? Porque, como ele não cansa de nos lembrar, o preço não diz nada sobre o valor, e ele acreditava que a Coca-Cola era um bom valor.

Para começar, a empresa apresentava um retorno sobre o patrimônio líquido de 31% enquanto aplicava relativamente pouco investimento de capital. E, o mais importante, Buffett conseguia ver a diferença da gestão de Roberto Goizueta. Como Goizueta estava vendendo os negócios de baixo desempenho e reinvestindo os rendimentos no negócio de xaropes, de maior rendimento, Buffett sabia que os retornos financeiros da Coca-Cola melhorariam. Além disso, Goizueta estava recomprando as ações da Coca-Cola no mercado, aumentando, assim, o valor econômico do negócio ainda mais. Tudo isso foi levado em conta no cálculo de valor feito por Buffett. Vamos acompanhá-lo nesse cálculo.

Em 1988, os lucros do proprietário da Coca-Cola eram de US$ 828 milhões. As obrigações do Tesouro dos Estados Unidos (a taxa livre de risco) de 30 anos na época estavam sendo negociadas a um rendimento de aproximadamente 9%. Assim, os lucros do proprietário da Coca-Cola em 1988, descontados em 9%, produziriam um valor intrínseco de US$ 9,2 bilhões. Quando Buffett investiu na Coca-Cola, o valor de mercado estava avaliado US$ 14,8 bilhões, 60% mais alto, o que levou alguns observadores a pensar que ele tinha pago demais. Mas US$ 9,2 bilhões representam o valor descontado dos lucros correntes do proprietário da Coca-Cola na ocasião. Buffett só poderia se dispor a pagar o preço mais alto se percebesse que parte do valor da Coca-Cola estava em suas oportunidades de crescimento futuro.

Quando uma empresa é capaz de aumentar os lucros do proprietário sem capital adicional, é adequado descontar os lucros do proprietário pela diferença entre a taxa de retorno livre de risco e o crescimento esperado nos lucros do proprietário. Analisando a Coca-Cola, descobrimos que de 1981 a 1988 os lucros do proprietário cresceram a uma taxa anual de 17,8% — mais rápido do que a taxa de retorno livre de risco. Quando isso ocorre, os analistas utilizam um modelo de desconto de duas etapas. Esse modelo é uma forma de calcular os lucros futuros quando uma empresa apresenta um crescimento extraordinário por alguns anos seguindo de um período de crescimento constante a uma taxa menor.

Podemos utilizar esse processo de duas etapas para calcular o valor presente em 1988 dos fluxos de caixa futuros da empresa (ver Tabela 8.1 na página seguinte). Primeiro, suponha que, começando em 1988, a Coca-Cola fosse capaz de aumentar seus lucros do proprietário em 15% ao ano durante dez anos. Trata-se de uma suposição razoável, já

Tabela 8.1 Lucros do proprietário da The Coca-Cola Company calculados pelo modelo de desconto de "dividendos" de duas etapas (primeira etapa de dez anos).

	ANO									
	1	2	3	4	5	6	7	8	9	10
Fluxo de caixa do ano anterior	$828	$0,952	$1.095	$1.259	$1.448	$1.665	$1.915	$2.202	$2.532	$2.912
Taxa de crescimento (somar)	15%	15%	15%	15%	15%	15%	15%	15%	15%	15%
Fluxo de caixa	$952	$1,095	$1.259	$1.448	$1.665	$1.915	$2.202	$2.532	$2.532	$3.349
Fator de desconto (multiplicar)	0,9174	0,8417	0,7722	0,7084	0,6499	0,5963	0,5470	0,5019	0,5019	0,4224
Valor descontado por ano	$873	$922	$972	$1.026	$1.082	$1.142	$1.204	$1.271	$1.271	$1.415
Soma do valor presente dos fluxos de caixa					$11.248					
Valor residual			$3.349							
Fluxo de caixa no ano 10			5%							
Taxa de crescimento (g) (somar)			$3.516							
Fluxo de caixa no ano 11			4%							
Taxa de capitalização (k – g)			$87.900							
Valor ao final do ano 10			0,4224							
Fator de desconto ao final do ano 10 (multiplicar)										
Valor presente do residual					$37.129					
Valor de mercado da empresa					$48.377					

Notas: Taxa de crescimento presumida na primeira etapa = 15,0%; taxa de crescimento presumida na segunda etapa = 5,0%; k = taxa de desconto = 9,0%.

Valores em dólares grafados em milhões.

que essa taxa é mais baixa que a média dos sete anos anteriores da empresa. No décimo ano, os lucros do proprietário de US$ 828 milhões com os quais começamos teriam crescido para US$ 3,349 bilhões. Agora, vamos supor que, a partir do décimo primeiro ano, a taxa de crescimento desacelere para 5% ao ano. Utilizando uma taxa de desconto de 9% (a taxa de longo prazo da obrigação na época), podemos voltar no tempo para calcular o valor intrínseco da Coca-Cola em 1988: US$ 48,377 bilhões (ver detalhes sobre esse cálculo na seção Notas, no final deste livro).[5]

Mas o que acontece se decidirmos ser mais conservadores e utilizar diferentes suposições de taxa de crescimento? Se supusermos que a Coca-Cola pode aumentar os lucros do proprietário em 12% por dez anos e um crescimento de 5% a partir do décimo primeiro ano, o valor presente da empresa descontado em 9% seria de US$ 38,163 bilhões. Com um crescimento de 10% durante dez anos e 5% depois disso, o valor da Coca-Cola seria de US$ 32,497 bilhões. E, se supusermos apenas 5% durante todo o período, a empresa ainda valeria pelo menos US$ 20,7 bilhões [US$ 828 milhões divididos por (9–5%)].

GILLETTE

A Berkshire, conforme mencionado no Capítulo 4, comprou US$ 600 milhões em ações preferenciais conversíveis em ordinárias em julho de 1989. Depois de um desdobramento de ações de 2 por 1 em fevereiro de 1991, a Berkshire converteu suas ações preferenciais e recebeu 12 milhões de ações ordinárias, 11% das ações emitidas da Gillette.

Agora que a Berkshire tinha ações ordinárias com rendimento de 1,7%, e não mais ações preferenciais com um rendimento de 8,75%, seu investimento na Gillette não era mais um título de renda fixa com potencial de valorização, mas um comprometimento direto em ações. Para a Berkshire manter suas ações ordinárias, Buffett precisava se convencer de que a Gillette representava um bom investimento.

Já sabemos que Buffett entendia a empresa e que as perspectivas de longo prazo desta eram favoráveis. As características financeiras da Gillette, incluindo o retorno sobre o patrimônio líquido e as margens de lucro antes dos impostos, evoluíam. A capacidade de aumentar os preços e, assim, elevar o retorno sobre o patrimônio líquido a taxas acima da média sinalizava o crescente *goodwill* econômico da empresa. O CEO Mockler estava resolutamente reduzindo a dívida de longo prazo da Gillette e se empenhando em aumentar o valor para os acionistas.

Resumindo, a empresa cumpria todos os pré-requisitos para a compra. Com isso, Buffett só precisava estimar o valor da empresa, para certificar-se de que não estava sobrevalorizada.

Os lucros do proprietário da Gillette no final de 1990 eram de US$ 275 milhões e cresciam a uma taxa anual de 16% desde 1987. Apesar de se tratar de um período muito curto para estimar com precisão o crescimento de uma empresa, podemos começar a pressupor algumas coisas. Em 1991, Buffett comparou a Gillette com a Coca-Cola: "A Coca-Cola e a Gillette são duas das melhores empresas do mundo", ele escreveu, "e esperamos que seus lucros cresçam de forma sólida nos próximos anos".[6]

No início de 1991, as obrigações do governo norte-americano de trinta anos eram negociadas a um rendimento de 8,62%. Adotando uma postura conservadora, podemos utilizar uma taxa de desconto de 9% para estimar o valor da Gillette. Mas, assim como ocorria como a Coca-Cola, o crescimento potencial dos lucros da Gillette suplanta a taxa de desconto, de forma que novamente devemos utilizar o modelo de desconto de duas etapas. Se supusermos um crescimento anual de 15% durante dez anos e um crescimento de 5% depois disso, descontando os lucros do proprietário da Gillette em 1990 a 9%, o valor aproximado da empresa seria de US$ 16 bilhões. Se reduzirmos o taxa de crescimento futuro para 12%, o valor seria de aproximadamente US$ 12,6 bilhões; com um crescimento a 10%, o valor seria de US$ 10,8 bilhões. Supondo um crescimento muito conservador de 7% nos lucros do proprietário, o valor da Gillette seria de pelo menos US$ 8,5 bilhões.

The Washington Post Company

Em 1973, o valor de mercado total do *Washington Post* era de US$ 80 milhões. Contudo, Buffett alega que "a maioria dos analistas de títulos, corretores e executivos de mídia teria estimado o valor intrínseco da WPC em US$ 400 a 500 milhões".[7] Como Buffett chegou a essa estimativa? Analisemos os números de acordo com o raciocínio de Buffett.

Começaremos calculando os lucros do proprietário para aquele ano: renda líquida (US$ 13,3 milhões) mais depreciação e amortização (US$ 3,7 milhões) menos despesas de capital (US$ 6,6 milhões) gerando lucros do proprietário de US$ 10,4 milhões em 1973. Se dividirmos esse lucro pelos rendimentos de obrigações de longo prazo do governo norte-americano na época (6,81%), o valor do *Washington Post* chega a US$ 150 milhões, quase o dobro do valor de mercado da empresa mas muito abaixo da estimativa de Buffett.

Buffett nos diz que, com o tempo, as despesas de capital de um jornal serão iguais às despesas de depreciação e amortização e, assim a renda líquida deverá se aproximar dos lucros do proprietário. Sabendo disso, podemos simplesmente dividir a renda líquida pela taxa livre de risco, chegando a uma estimativa de US$ 196 milhões de dólares.

Se pararmos por aqui, o pressuposto é que o aumento dos lucros do proprietário será igual ao aumento da inflação. Mas sabemos que os jornais possuem um raro poder de precificação: por serem em sua maioria monopólios em suas comunidades, eles podem aumentar preços a taxas maiores do que a inflação. Se adotarmos um último pressuposto — que o Washington Post tem a capacidade de elevar os preços reais em 3% — o valor da empresa se aproxima de US$ 350 milhões. Buffett também sabia que as margens de lucro antes dos impostos de 10% estavam abaixo de suas margens médias históricas de 15% e sabia que Katherine Graham estava se empenhado para que o Post recuperasse essas margens. Se as margens de lucro antes dos impostos aumentassem para 15%, o valor presente da empresa aumentaria em 135 milhões de dólares, elevando o valor intrínseco total a US$ 485 milhões.

WELLS FARGO

O valor de um banco é função de seu patrimônio líquido mais seus lucros projetados como uma empresa em continuidade de operação. Quando a Berkshire Hathaway começou a comprar o Wells Fargo em 1990, a empresa tinha lucrado US$ 600 milhões no ano anterior. O rendimento médio das obrigações do governo americano de 30 anos naquele ano era de aproximadamente 8,5%. Assumindo uma postura conservadora, podemos descontar os lucros de US$ 600 milhões do Wells Fargo em 1989 em 9%e estimar o valor do banco em US$ 6,6 bilhões. Se o banco nunca lucrasse um tostão a mais além de US$ 600 milhões ao ano pelos próximos 30 anos, ele valeria pelo menos US$ 6,6 bilhões. Quando Buffett comprou o Wells Fargo em 1990, ele pagou US$ 58 por ação. Com 52 milhões de ações emitidas, isso equivaleria a pagar US$ 3 bilhões pela empresa — um desconto de 55% em relação a seu valor.

O debate nos círculos de investimento na época se concentrava na possibilidade ou não de o Wells Fargo, depois de levar em consideração todos os seus problemas de empréstimo, chegar a ter poder de lucro. Os vendedores a descoberto diziam que não; Buffett dizia que sim. Ele sabia muito bem que a propriedade do Wells Fargo carregava uma dose de risco, mas se sentia confiante em sua análise. Seu raciocínio passo a passo é um bom modelo para qualquer pessoa que pondere o fator de risco de um investimento.

Ele começou com o que já sabia. Carl Reichardt, então presidente do conselho do Wells Fargo, administrava o banco desde 1983, com resultados impressionantes. Sob sua liderança, o crescimento dos lucros e do retorno sobre o patrimônio líquido foi acima da média e a eficiência operacional estava entre as mais altas dos Estados Unidos. Reichardt também desenvolveu uma sólida carteira de empréstimos.

Depois, Buffett anteviu os eventos que poderiam ameaçar o investimento e chegou a três possibilidades, tentando, então, imaginar as chances de elas ocorrerem. Trata-se, em um sentido real, de um exercício de probabilidades.

O primeiro risco possível era um grande terremoto, que criaria caos e desordem nos tomadores de empréstimos e, por sua vez, nos credores. O segundo risco era mais amplo: uma "retração sistêmica nos negócios ou pânico financeiro tão grave que ameaçaria quase todas as instituições alavancadas, independentemente de sua administração ser eficiente ou não". Nenhum dos dois riscos poderia ser totalmente excluído, é claro, mas Buffett concluiu, com base nas evidências, que a probabilidade de cada um deles era baixa.

O terceiro risco, e aquele que estava obtendo a maior atenção do mercado na época, era que os valores dos bens imóveis no Oeste dos Estados Unidos cairiam devido à exploração excessiva, com muitas construções, e "gerariam enormes perdas aos bancos que financiaram a expansão".[8] Qual seria a gravidade disso?

Buffett raciocinou que uma queda significativa dos valores dos imóveis não deveria causar grandes problemas para um banco bem administrado como a Wells Fargo. "Vamos pensar em termos matemáticos", ele explicou. Buffett sabia que a Wells Fargo lucrava US$ 1 bilhão ao ano antes dos impostos depois de uma despesa média de US$ 300 milhões por perdas em empréstimos. Ele calculou que, se 10% dos US$ 48 bilhões em empréstimos do banco — não apenas empréstimos comerciais para imóveis mas todos os empréstimos do banco — fossem empréstimos problemáticos em 1991 e gerassem perdas, incluindo juros, de em média 30% do valor principal do empréstimo, o Wells Fargo ainda estaria no ponto de equilíbrio, sem ganhar nem perder.

Na opinião de Buffett, a possibilidade de isso ocorrer era baixa. Mesmo se o Wells Fargo não lucrasse por um ano, mas simplesmente se mantivesse no ponto de equilíbrio, Buffett não hesitaria. "Um ano como esse — que consideramos apenas uma pequena possibilidade, pouco provável — não nos preocuparia."[9]

A atração do Wells Fargo se intensificou quando Buffett conseguiu comprar ações com um desconto de 50% sobre seu valor. Sua aposta recompensou. Ao final de 1993, o preço das ações da Wells Fargo chegou a US$ 137 cada, quase o triplo do que o preço pago originalmente por Buffett.

Compre a preços atrativos

Concentrar-se em negócios compreensíveis, com fatores econômicos duradouros e administrados por gestores orientados aos acionistas — todas essas características são importantes, Buffett diz, mas, sozinhas, não garantem o sucesso do investimento. Para isso, é preciso começar comprando a bons preços e então a empresa precisa concretizar suas expectativas de negócios. O segundo fator não é facilmente controlável, mas o primeiro é: se o preço não for satisfatório, ele passa a vez.

O objetivo básico de Buffett é identificar negócios que obtenham retornos acima da média e comprar esses negócios a preços abaixo de seu valor provável. Graham ensinou a Buffett a importância de comprar uma ação somente quando a diferença entre seu preço e seu valor represente uma margem de segurança. Esse continua a ser seu princípio orientador, apesar de seu parceiro Charlie Munger tê-lo incentivado ocasionalmente a pagar mais por empresas que se destaquem.

> "Grandes oportunidades de investimento surgem quando empresas excelentes estão cercadas de circunstâncias incomuns que fazem com que a ação seja subvalorizada.[10]"
>
> WARREN BUFFETT, 1988

O princípio de margem de segurança ajuda Buffett de duas maneiras. Primeiro, protege-o do risco de queda do preço. Se ele calcular que o valor de um negócio é apenas ligeiramente superior a seu preço por ação, ele não comprará as ações. Ele raciocina que, se o valor intrínseco da empresa cair mesmo que um pouco, mais cedo ou mais tarde o preço da ação também cairia, talvez abaixo do que ele pagou. Mas, quando a margem entre o preço e o valor é grande o suficiente, o risco de queda de valor é menor. Se Buffett puder comprar uma empresa a 75% de seu valor intrínseco (um desconto de 25%) e depois o valor cair em 10%, seu preço de compra original ainda gerará um retorno adequado.

A margem de segurança também proporciona oportunidades para retornos extraordinários das ações. Se Buffett identificar corretamente uma empresa com retornos econômicos acima da média, o valor de suas ações no longo prazo subirá de forma estável. Se uma empresa repetidamente lucrar 15% sobre o patrimônio, o preço de suas ações valorizará mais a cada ano do que o de uma empresa que lucrar 10% sobre o patrimônio. Além disso, se Buffett, com a utilização da margem de segurança, for capaz de comprar esse excelente negócio com um desconto significativo em relação a seu valor intrínseco, a Berkshire ganhará um bônus quando o mercado corrigir o preço do negócio. "O mercado, como Deus, ajuda os que se ajudam", diz Buffett. "Mas, diferentemente de Deus, o mercado não perdoa os que não sabem o que fazem."[11]

[continua na p. 171]

análise de caso | LARSON-JUHL, 2001

Em 2001, Warren Buffett fechou o negócio de compra da Larson-Juhl, um atacadista de materiais de molduras personalizadas para retratos, por US$ 223 milhões à vista. Tratava-se do cenário preferido de Buffett: uma empresa sólida, com bons fatores econômicos, forte gestão e excelente reputação no setor, mas passando por uma retração de curto prazo que criava um preço atraente.

O negócio era 100% de propriedade de Craig Ponzio, um talentoso designer com o mesmo talento para os negócios. Quando estava na faculdade, Ponzio trabalhou em uma das fábricas da Larson Picture Frame, e acabou comprando a empresa em 1981. Sete anos depois, ele comprou a concorrente, Juhl-Pacific, criando a empresa hoje conhecida como Larson-Juhl. Quando Ponzio comprou a Larson em 1981, suas vendas anuais eram de US$ 3 milhões; em 2001, as vendas da Larson-Juhl eram de mais de US$ 300 milhões.

Esse é o tipo de desempenho admirado por Buffett.

Ele também admira a estrutura operacional da empresa. A Larson-Juhl fabrica e vende os materiais utilizados por lojas de molduras personalizadas: frisos elegantes, quinas, vidros e peças sortidas. Os varejistas expõem amostras de todas as molduras disponíveis, mas mantêm pouquíssimas em estoque. Quando um cliente escolhe determinada moldura, a loja faz o pedido à fabricante. É neste ponto que a Larson-Juhl brilha. Por meio de sua rede de 23 instalações de manufatura e distribuição espalhadas pelos Estados Unidos, ela é capaz de entregar os pedidos em tempo recorde. Na maioria dos casos — analistas do setor dizem que em até 95% das vezes — o material é recebido no dia seguinte.

Com esse extraordinário nível de serviços, muito poucas lojas trocariam de fornecedor, mesmo se os preços da concorrência forem mais baixos. E isso dá à Larson-Juhl o que Buffett chama de fosso — uma vantagem clara e sustentável sobre os concorrentes.

Expandindo ainda mais o fosso, a Larson-Juhl é amplamente conhecida pela qualidade de suas molduras. As lojas de molduras fazem os pedidos de frisos com incrementos de 30 centímetros e os cortam no tamanho exato necessário para o projeto do cliente. Se a moldura rachar ou não puder ser cortada de forma homogênea, eles não conseguirão os cantos precisos dos quais a empresa se orgulha. As molduras da Larson-Juhl, eles dizem, sempre proporcionam um corte perfeitos. A reputação de qualidade fez da Larson-Juhl não somente a maior, mas a mais prestigiosa empresa no setor.

A Larson-Juhl vende milhares de estilos de molduras e acabamentos para mais de 18.000 clientes. Líder de marca nos Estados Unidos, a empresa também opera 33 instalações na Europa, Ásia e Austrália.

Em resumo, a Larson-Juhl possui várias das qualidades que Buffett procura. O negócio é simples e compreensível e a empresa possui um histórico longo e consistente; uma das empresas originais que compõem o grupo tem mais de 100 anos. Ela também tem um futuro previsível, com perspectivas de longo prazo favoráveis. Os componentes das molduras personalizadas — frisos, vidros, quinas — provavelmente não se tornarão obsoletos por mudanças tecnológicas e a demanda do cliente para esse tipo de arte não tem muitas chances de se esgotar.

O que chamou a atenção de Buffett naquele momento específico, entretanto, foi a oportunidade de adquirir a empresa a um preço atraente, causado por uma queda de lucratividade que ele acreditava ser temporária.

No ano fiscal de 2001 (que terminou em agosto), a Larson-Juhl tinha US$ 314 milhões em vendas líquidas e US$ 30,8 milhões em caixa. Isso representava uma queda em relação aos anos anteriores: US$ 361 milhões em vendas e US$ 39,1 milhões em caixa em 2000; US$ 386 milhões em vendas em 1999. Conhecendo a abordagem geral de Buffett para calcular o valor, podemos imaginar, com uma boa dose de segurança, como foi a análise financeira que ele conduziu para a Larson-Juhl. Utilizando sua taxa-padrão de desconto de dividendos de 10%, ajustados a uma taxa de crescimento muito razoável de 3%, a empresa teria um valor de US$ 440 milhões em 2001 (US$ 30,8 milhões divididos por [10 – 3%]). Assim, o preço de compra de US$ 223 milhões apresentava um valor muito bom. Além disso, Buffett estava convencido de que os fatores econômicos fundamentais da empresa eram sólidos e que os resultados mais baixos eram uma reação de curto prazo à economia em recessão na época.

Como normalmente acontece, a Larson-Juhl abordou a Berkshire, e não o contrário. Buffett descreve a conversa: "Apesar de nunca ter ouvido falar da Larson-Juhl antes da ligação de Craig, alguns minutos conversando com ele me fizeram pensar que fecharíamos um negócio. Ele era objetivo e direto na descrição do negócio, se preocupava com quem fosse comprá-lo e era realista em relação ao preço. Dois dias depois, Craig e Steve McKenzie, seu CEO, vieram a Omaha e em 90 minutos chegamos a um acordo".[12] Do primeiro contato à assinatura do contrato, as negociações levaram apenas 12 dias.

Coca-Cola

Desde o momento em que Roberto Goizueta assumiu o controle da Coca-Cola em 1980, o preço das ações da empresa aumentou ano após ano. Nos cinco anos antes de Buffett comprar suas primeiras ações, o preço aumentou em média 18% a cada ano. A prosperidade da empresa era tamanha que Buffett não conseguiu comprar nenhuma ação a preços baixos gerados por momentos difíceis. E, mesmo assim, ele foi em frente. O preço, ele nos lembra, não tem nada a ver com o valor.

Em junho de 1988, as ações da Coca-Cola valiam aproximadamente US$ 10 (ajustado pelo desdobramento). Ao longo dos dez meses subseqüentes, Buffett adquiriu 93,4 milhões de ações, a um preço médio de US$ 10,96 — 15 vezes os lucros, 12 vezes o fluxo de caixa e cinco vezes o valor contábil. Ele se dispôs a isso em função do nível extraordinário de *goodwill* econômico da empresa e porque acreditava que o valor intrínseco da empresa era muito maior.

O valor da Coca-Cola no mercado de ações em 1988 e 1989, durante o período de compra de Buffett, era em média de US$ 15,1 bilhões. Buffett estava, porém, certo de que o valor intrínseco era superior — US$ 20 bilhões (supondo um crescimento de 5%), US$ 32 bilhões (supondo um crescimento de 10%), US$ 38 bilhões (a um crescimento de 12%) e talvez até US$ 48 bilhões (com crescimento de 15%). Assim, a margem de segurança de Buffett — o desconto ao valor intrínseco — poderia variar entre conservadores 27% e um máximo de 70%. Ao mesmo tempo, sua convicção em relação à empresa não se alterou: as probabilidades de o preço das ações da Coca-Cola superar a taxa de retorno do mercado cresciam sem parar (ver Figura 8.1 na p. 148).

Então, o que Buffett fez? Entre 1988 e 1989, a Berkshire Hathaway comprou mais de US$ 1 bilhão em ações da Coca-Cola, 35% da carteira de ações ordinárias da Berkshire. Foi uma manobra corajosa. Era Buffett agindo de acordo com seus princípios orientadores: quando as probabilidades de sucesso são muito altas, faça uma grande aposta.

Gillette

De 1984 a 1990, o ganho médio anual das ações da Gillette foi de 27%. Em 1989, o preço das ações aumentou 48% e, em 1990, um ano antes de a Berkshire ter convertido suas ações preferenciais em

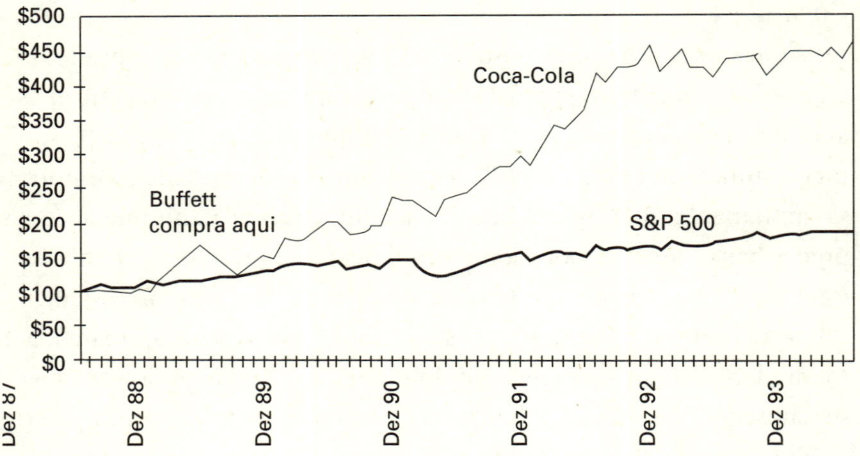

Figura 8.1 Preço das ações ordinárias da Coca-Cola Company em comparação com o índice S&P 500 (indexado a US$ 100 na data de início)

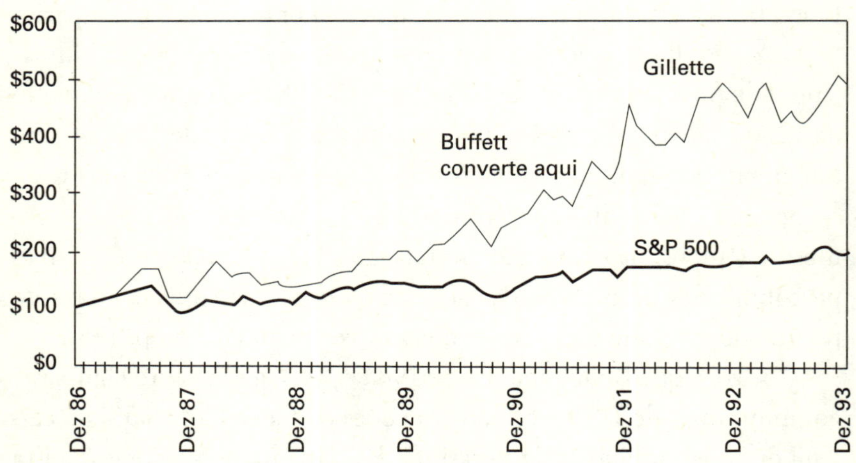

Figura 8.2 Preço das ações ordinárias da Gillette Company em comparação com o índice S&P 500 (indexado a US$ 100 na data de início)

ordinárias, o preço das ações da Gillette subiu 28% (ver Figura 8.2, ao lado). Em fevereiro de 1991, o preço das ações da Gillette chegou a US$ 73 cada (antes do desdobramento), então um aumento recorde. Naquela época, a empresa tinha 97 milhões de ações em circulação. Quando a Berkshire fez a conversão, o número total de ações subiu para 109 milhões. O valor da Gillette no mercado de ações era de US$ 8,03 bilhões.

A depender de suas estimativas de crescimento para a Gillette, no momento da conversão, o preço de mercado para a empresa poderia estar com um desconto de 50% em relação ao valor (crescimento de 15% nos lucros do proprietário), um desconto de 37% (12% de crescimento) ou um desconto de 25% (crescimento de 10%).

The Washington Post Company

Mesmo o cálculo mais conservador de valor indica que Buffett comprou ações da Washington Post Company por pelo menos metade de seu valor intrínseco. Ele sustenta que investiu na empresa a menos de um quarto de seu valor. De qualquer forma, Buffett satisfez a premissa de Ben Graham de que comprar com desconto cria uma margem de segurança.

The Pampered Chef

Segundo consta, Buffett comprou a participação majoritária da Pampered Chef por algo entre US$ 800 e 900 mil. Com margens de lucro antes dos impostos de 20 a 25%, isso significa que a Pampered Chef foi comprada a um múltiplo de 4,3 a 5 vezes o lucro antes dos impostos e 6,5 a 7,5 vezes o lucro líquido, supondo lucros totalmente tributáveis.

Com um crescimento da receita de 25% ou superior e um lucro líquido que se converte em disponível em qualquer ponto desde uma alta fração de lucros até um múltiplo de lucros e com um retorno sobre o capital muito alto, não há dúvidas de que a Pampered Chef foi comprada com um desconto significativo.

análise de caso | FRUIT OF THE LOOM, 2002

Em 2001, quando a Fruit of the Loom operava sob a supervisão do tribunal de falências, a Berkshire Hathaway se ofereceu para comprar a divisão de vestuário da empresa (seu negócio principal) por US$ 835 milhões à vista. Como parte desse acordo de falência, foi solicitado que a Fruit of the Loom conduzisse um leilão para ofertas competitivas. Em janeiro de 2002, o tribunal anunciou que a Berkshire foi o licitante vencedor e que o resultado da venda iria para os credores.

No momento da oferta da Berkshire, a Fruit of the Loom tinha uma dívida total de aproximadamente US$ 1,6 bilhão — US$ 1,2 bilhão a credores e detentores de obrigações com garantias e US$ 400 milhões a detentores de obrigações sem garantia. De acordo com os termos do acordo, estima-se que os credores com garantias tenham recebido 73 centavos por dólar por seus pedidos de indenização, e os credores não segurados, cerca de 10 centavos por dólar.

Logo antes de abrir falência em 1999, a empresa tinha US$ 2,35 bilhões em ativos e depois perdeu dinheiro durante a reorganização. No dia 31 de outubro de 2000, os ativos valiam US$ 2,02 bilhões.

Assim, em resumo, Buffett comprou uma empresa com US$ 2 bilhões de dólares em ativos por US$ 835 milhões, que foram utilizados para pagar uma dívida de US$ 1,6 bilhão.

Mas o acordo foi favorável. Logo depois de a Fruit of the Loom abrir falência, a Berkshire comprou sua dívida (tanto obrigações quanto empréstimos bancários) por cerca de 50% do valor nominal. Ao longo do período de falência, os pagamentos dos juros das dívidas continuaram a ser feitos, gerando para a Berkshire um retorno de cerca de 15%. Com efeito, Buffett comprou uma empresa que lhe devia dinheiro e recuperou esse dinheiro. Como o próprio Buffett explicou, "Nossa participação cresceu para 10% da dívida principal da Fruit, que provavelmente acabará nos dando um retorno de 70% do valor nominal. Com esse investimento, reduzimos indiretamente nosso preço de compra para toda a empresa em uma pequena quantia".[13]

Warren Buffett é uma das poucas pessoas que poderiam caracterizar US$ 105 milhões como uma "pequena quantia", mas, na verdade, depois de considerar esses pagamentos de juros, o preço de compra líquido foi de US$ 730 milhões.

Quando a oferta da Berkshire estava sendo revista pelo tribunal de falência, um repórter do *Omaha World-Herald* questionou Travis Pascavis, um analista da Morningstar, em relação ao acordo. Pascavis observou que empresas como a Fruit of the Loom normalmente são vendidas por seu valor contábil, que, no caso, teria sido de US$ 1,4 bilhão. Assim, com um lance de US$ 835 milhões (ao final, US$ 730 milhões), a Berkshire compraria a empresa por uma pechincha.[14]

Clayton Homes

A compra da Clayton pela Berkshire não foi um processo tranqüilo; o preço de venda acabou provocando uma batalha jurídica.

A US$ 12,50 por ação, a oferta de Buffett em abril de 2003 pela Clayton estava no extremo mais baixo do intervalo de US$ 11,49 a 15,58 que os banqueiros haviam atribuído para as ações um mês antes. A gestão da Clayton argumentou que o negócio era justo considerando o declínio do setor na época. Entretanto, os acionistas da Clayton promoveram uma batalha judicial, afirmando que a oferta da Berkshire estava muito abaixo do valor real das ações da empresa. James J. Dorr, consultor jurídico geral da Orbis Investment Management Ltd., usou sua participação de 5,4% para votar contra a fusão, resmungando: "O fato de ser Warren Buffett que quer comprar de você deveria ser um indicativo de que você não deveria vender, pelo menos não a este preço".[15] Para um investidor em valor, essa afirmação seria provavelmente considerada como um grande elogio.

Warren Buffett manteve sua oferta. Na época da votação dos acionistas, ele escreveu: "o negócio de casas pré-fabricadas estava em má situação e empresas como a Clayton, que precisam de pelo menos US$ 1 bilhão em financiamentos por ano e enfrentam vendas em declínio, continuariam a ter dificuldades em encontrar recursos". O conselho de administração da Clayton aparentemente concordava. Então, como uma prova de seu comprometimento à Clayton, Buffett acrescentou que tinha adiantado à empresa US$ 360 milhões em financiamentos desde sua oferta.[16] Buffett e a gestão da Clayton acabaram ganhando a batalha com os acionistas por uma pequena vantagem.

Juntando tudo

Warren Buffett disse mais de uma vez que o investimento em ações é muito simples: encontre excelentes empresas administradas por pessoas honestas e competentes e que estejam à venda por menos do que seu valor intrínseco. Sem dúvida muitas pessoas que ouviram ou leram essa observação ao longo dos anos pensaram consigo mesmas: "Tudo bem, é simples se você for Warren Buffett. Mas para mim não é tão simples assim".

Ambos os sentimentos são verdadeiros. Encontrar empresas excelentes demanda tempo e esforço, e isso nunca é fácil. O passo seguinte — estimar seu valor real para poder decidir se o preço está correto —, porém, é uma simples questão de utilizar as variáveis corretas. E é neste ponto que os princípios de investimento descritos nesses capítulos lhe serão de grande utilidade:

- Os princípios de negócios manterão seu foco em empresas que sejam relativamente previsíveis. Se você se limitar a empresas com um histórico operacional consistente e perspectivas favoráveis, que produzam basicamente os mesmos produtos para os mesmos mercados, você desenvolverá uma maior compreensão de como será o desempenho dessas empresas no futuro. O mesmo se aplica se você se concentrar em negócios de que entende; de outra forma, você não será capaz de interpretar o impacto de novos acontecimentos.
- Os princípios de gestão manterão seu foco em empresas que sejam bem administradas. Gestores excelentes podem fazer toda a diferença no sucesso futuro de uma empresa.
- Juntos, os princípios de negócios e gestão lhe darão uma boa idéia do potencial de lucros futuros da empresa.
- Os princípios financeiros revelarão os números dos quais você precisa para estimar o valor real da empresa.
- Os princípios de valor o conduzirão pelos cálculos matemáticos necessários para chegar à resposta final: com base em tudo o que você aprendeu, trata-se de uma boa compra?

Os dois princípios de valor são fundamentais. Mas não se preocupe demais se não conseguir dominar totalmente os outros dez. Não se deixe paralisar pelo excesso de informações. Faça o melhor que puder, dê o pontapé inicial e siga em frente.

| CAPÍTULO 9 |

INVESTINDO EM TÍTULOS DE RENDA FIXA

Warren Buffett talvez seja mais conhecido no mundo dos investimentos por suas decisões relativas a ações ordinárias e é famoso por "comprar e manter" posições em empresas como Coca-Cola, American Express, Washington Post e Gillette. Suas atividades, contudo, não se limitam às ações. Ele também compra títulos de renda fixa de curto e longo prazos, uma categoria que inclui obrigações e ações preferenciais. Com efeito, o investimento em renda fixa é uma das atividades regulares de Buffett desde que — como sempre — existam oportunidades subvalorizadas. Ele simplesmente procura, a qualquer momento, os investimentos que proporcionem o mais alto retorno depois dos impostos. Nos últimos anos, isso incluiu incursões no mercado de dívidas, incluindo obrigações corporativas e do governo, títulos conversíveis em ações, ações preferenciais conversíveis em ordinárias e mesmo obrigações de segunda linha de alto rendimento.

Quando analisamos essas transações de renda fixa, não nos surpreendemos com o que vemos, já que Buffett tem apresentado a mesma abordagem em relação a seus investimentos em ações. Ele procura margem de segurança, comprometimento e preços baixos (pechinchas). Ele insiste em uma gestão sólida e honesta, boa alocação de capital e um potencial para o lucro. Suas decisões não dependem de tendências da moda ou fatores de *timing* de mercado[1], mas são investimentos inteligentes baseados em oportunidades específicas nas quais acredita haver ativos ou títulos subvalorizados.

Esse aspecto do estilo de investimento de Buffett não recebe muita atenção na imprensa financeira, mas constitui uma parte fundamental da carteira geral da empresa. Os títulos de renda fixa representavam 20% da carteira de investimentos da Berkshire em 1992; hoje, 14 anos mais tarde, essa porcentagem cresceu para cerca de 30%.

A razão para acrescentar esses investimentos de renda fixa é simples: eles representavam o melhor valor na época. Em função do crescimento absoluto da carteira da Berkshire Hathaway e do ambiente dinâmico de investimentos, incluindo uma escassez de ações de empresas de capital aberto que ele considera atraentes, Buffett muitas vezes se voltou a comprar empresas inteiras e a adquirir títulos de renda fixa. Ele escreveu em sua carta aos acionistas de 2003 que estava difícil encontrar ações significativamente subvalorizadas, "uma dificuldade agravada pelo enorme crescimento dos fundos que devemos alocar".

Nessa mesma carta de 2003, Buffett explicou que a Berkshire manteria as práticas de alocação de capital que utilizou no passado: "Se as ações estiverem mais baratas que negócios inteiros, nos direcionaremos a comprá-las agressivamente. Se as obrigações selecionadas se tornarem atraentes, como aconteceu em 2002, novamente nos abasteceremos com esses títulos. Em quaisquer condições econômicas ou de mercado, ficaremos felizes em comprar negócios que se adéqüem aos nossos padrões. E, para os que atenderem aos nossos critérios, quanto maior melhor. Nosso capital agora está subutilizado. Trata-se de uma condição dolorosa mas não tão dolorosa quanto fazer algo idiota. (Digo isso por experiência própria.)"[2]

Até certo ponto, os investimentos em renda fixa sempre serão necessários para a carteira da Berkshire Hathaway em virtude da concentração da Berkshire em empresas seguradoras. Para cumprir sua obrigação com os segurados, as seguradoras devem investir parte de seus ativos em títulos de renda fixa. Mesmo assim, a Berkshire mantém uma porcentagem significativamente menor de títulos de renda fixa em sua carteira de investimentos de seguros em comparação com outras seguradoras.

De forma geral, Buffett tende a evitar investimentos de renda fixa (além do necessário para as carteiras das seguradoras) sempre que teme uma inflação iminente, que desgastaria o poder de compra futuro do dinheiro e, portanto, o valor das obrigações. Apesar de as taxas de juros no final da década de 1970 e começo da década de 1980 terem se aproximado dos retornos da maioria dos negócios, Buffett não foi um comprador líquido de obrigações de longo prazo. Sempre existiu, para ele, a possibilidade de uma inflação desgovernada. Nesse tipo de ambiente, as ações ordinárias teriam perdido valor real, mas as obrigações pendentes teriam sofrido perdas muito maiores. Uma empresa de seguros que investe pesadamente em obrigações em um ambiente hiperinflacionário tem o potencial de exterminar sua carteira.

Apesar de a relação entre Buffett e as obrigações poder ser uma nova idéia para você, não é de se surpreender que ele aplique os mesmos princípios que utiliza ao estimar o valor de uma empresa ou ações. Ele é um investidor baseado em princípios que colocará seu dinheiro em um negócio se vir um potencial para lucro e se certifica de que o risco esta incluído no preço negócio. Mesmo em transações de renda fixa, sua perspectiva de proprietário do negócio significa que ele analisa com muita atenção a gestão, os valores e o desempenho da empresa emissora. Essa abordagem de encarar as "obrigações como um negócio" ao investimento em renda fixa é altamente incomum, mas tem funcionado muito bem para Buffett.

Obrigações

Washington Public Power Supply System

Em 1983, Buffett decidiu investir em algumas obrigações da Washington Public Power Supply System (WPPSS). A transação é um exemplo claro do raciocínio de Buffett em termos dos ganhos possíveis da compra das obrigações em comparação com os ganhos da compra da empresa inteira.

No dia 25 de julho de 1983, a WPPSS (pronunciado, com humor negro, "Whoops") anunciou que estava em inadimplência de US$ 2,25 bilhões em obrigações municipais utilizadas para financiar a construção incompleta de dois reatores nucleares, conhecidos como Projetos 4 e 5. O estado promulgou que as autoridades de energia local não seriam obrigadas a pagar à WPPSS pela energia que haviam prometido comprar mas que acabaram não utilizando. Essa decisão levou à maior inadimplência de obrigações municipais da história dos Estados Unidos. O tamanho da inadimplência e o desastre que se seguiu depreciou o mercado de obrigações públicas de energia por vários anos. Os investidores foram rápidos em vender suas obrigações de serviços de utilidade pública forçando os preços para baixo e os rendimentos correntes[3] para cima.

A nuvem que pairava sobre os Projetos 4 e 5 da WPPSS lançou sua sombra até sobre os Projetos 1, 2 e 3. Mas Buffett percebeu diferenças significativas entre os termos e as condições dos Projetos 4 e 5, por um lado, e dos Projetos 1, 2 e 3, por outro. Os três primeiros eram serviços públicos operacionais e também estavam sob a responsabilidade da Bonneville Power Administration, um órgão do governo. Entretanto, os problemas dos Projetos 4 e 5 eram tão graves que algumas pessoas previam que isso poderia enfraquecer a posição de crédito da Bonneville Power.

Buffett avaliou os riscos de adquirir obrigações municipais dos Projetos 1, 2 e 3 da WPPSS. Certamente havia um risco de essas obrigações não serem pagas e também um risco de que os pagamentos de juros ficassem suspensos por um longo período. Outro fator era o teto do provável lucro futuro dessas obrigações. Apesar de poder comprar essas obrigações com um desconto em relação a seu valor nominal, quando atingissem a maturidade seriam avaliadas pelo valor de face.

Logo após a inadimplência dos Projetos 4 e 5, a Standard & Poor's suspendeu suas classificações para os Projetos 1, 2 e 3. As obrigações com cupons[4] dos Projetos 1, 2 e 3 caíram para 40 centavos por dólar e produziram um rendimento corrente de 15 a 17% livres de impostos. As mais altas obrigações com cupons caíram para 80 centavos por dólar e geraram um rendimento similar. Sem se desanimar com isso, de outubro de 1983 a junho do ano seguinte, Buffett comprou agressivamente obrigações emitidas pela WPPSS para os Projetos 1, 2 e 3. Ao final de junho de 1984, a Berkshire Hathaway tinha 139 milhões de obrigações dos Projetos 1, 2 e 3 da WPPSS (tanto de alto quanto de baixo cupom), com valor nominal de US$ 205 milhões.

Com a WPPSS, explica Buffett, a Berkshire adquiriu um negócio de US$ 139 milhões que poderia lucrar US$ 22,7 milhões ao ano depois dos impostos (o valor cumulativo dos cupons anuais da WPPSS) e pagaria esses lucros à Berkshire, à vista. Buffett salienta que havia poucos negócios disponíveis para compra naquele período à venda com um desconto em relação ao valor contábil e rendendo 16,3% após os impostos sobre capital não alavancado. Ele imaginou que a compra de uma empresa operante não alavancada com rendimento de US$ 22,7 milhões após os impostos (US$ 45 milhões antes dos impostos) custaria à Berkshire entre US$ 250 e 300 milhões — supondo que ele conseguisse encontrar uma. Se encontrasse um negócio forte que entendesse e do qual gostasse, Buffett teria pago essa quantia sem pestanejar. Contudo, ele observa que a Berkshire pagou a metade desse preço pelas obrigações da WPPSS para realizar o mesmo volume de lucros. Além disso, a Berkshire comprou o negócio (as obrigações) com um desconto de 32% em relação ao valor contábil.

Em retrospecto, Buffett admite que a compra das obrigações da WPPSS teve um resultado melhor do que ele esperava. De fato, as obrigações tiveram um desempenho melhor do que a maioria dos negócios feitos em 1983. Buffett desde então tem vendido as obrigações de baixo cupom da WPPSS. Essas obrigações, que ele comprou com um desconto significativo em relação ao valor nominal, duplicaram em valor ao mesmo tempo em que renderam à Berkshire um retorno de 15 a 17% livre de impostos. "Nossa experiência com a WPPSS, apesar de agradável, não alterou em nada nossa opinião negativa em relação às obrigações de longo prazo", disse Buffett. "Ela só nos faz ter a esperança de nos deparar com algum outro negócio altamente estigmatizado cujos problemas tenham-no tornado significativamente subvalorizado pelo mercado".[5]

RJR Nabisco

Na década de 1980, um novo veículo de investimento foi lançado nos mercados financeiros. O nome formal é título de alto rendimento, mas a maioria dos investidores, na época e atualmente, o chama de títulos de segunda linha.

Do ponto de vista de Buffett, esses novos títulos de alto rendimento diferem dos "anjos caídos" que os precederam — o termo de Buffett para títulos com classificação de crédito que, por terem caído em momentos difíceis, foram depreciados pelos órgãos de classificação. As obrigações da WPPSS eram anjos caídos. Ele descreveu esses títulos de alto rendimento como uma modalidade mais baixa dos anjos caídos e afirmou que eles já eram de segunda linha antes de sua emissão.

Os vendedores de títulos de Wall Street eram capazes de promover a legitimidade do investimento em títulos de segunda linha citando pesquisas anteriores que indicavam taxas de juros mais altas que compensavam o investidor pelo risco de inadimplência. Buffett argumentava que estatísticas anteriores de inadimplência não tinham nenhum significado, já que se baseavam em um grupo de obrigações que diferiam significativamente dos títulos de segunda linha atualmente sendo emitidos. Era ilógico, ele afirmou, supor que os títulos de segunda linha eram idênticos aos anjos caídos. "Era um erro similar a analisar o índice histórico de mortalidade por Kool-Aid[6] antes de beber a versão servida em Jonestown".[7]

Com o desenrolar da década de 1980, os títulos de alto rendimento ficaram ainda piores à medida que novas ofertas invadiam o mercado. "Montanhas de títulos de segunda linha", observou Buffett, "eram vendidas por pessoas que não se importavam para pessoas que não pensavam e não havia escassez em nenhum desses grupos".[8] No auge dessa febre de dívidas, Buffett previu que alguns empreendimentos de capital com certeza fracassariam quando se tornou evidente que empresas imersas em dívidas estavam lutando com todas as forças para cumprir seus pagamentos de juros. Em 1989, tanto a Southmark Corporation quanto a Integrated Resources falharam no cumprimento de suas obrigações. Até a Campeau Corporation, um império do varejo norte-americano criado com títulos de segunda linha, anunciou estar tendo dificuldades em cumprir com suas obrigações. Então, no dia 13 de outubro de 1989, a UAL Corporation, alvo de uma aquisição de US$ 6,8 bilhões que seria financiada com títulos de alto rendimento, anunciou ser incapaz de obter o financiamento. Os arbitradores venderam todas as suas ações ordinárias da UAL e o índice Dow Jones caiu 190 pontos em um dia.

A decepção com o negócio da UAL, aliada às perdas da Southmark e da Integrated Resources, levou muitos investidores a questionar o valor dos títulos de alto rendimento. Administradores de carteira começaram a se livrar de seus títulos de segunda linha. Sem compradores, o preço dos títulos de alto rendimento despencou. Depois de começar o ano com ganhos acima da média, o índice da Merrill Lynch para títulos de alto rendimento foi de modestos 4,2% em comparação com os retornos de 14,2% dos títulos com classificação de crédito. Ao final de 1989, os títulos de segunda linha estavam profundamente depreciados no mercado.

Um ano antes, a Kohlberg Kravis & Roberts teve sucesso com a compra da RJR Nabisco por US$ 25 bilhões, financiada principalmente com dívidas bancárias e títulos de segunda linha. Apesar de a RJR Nabisco ter cumprido suas obrigações financeiras, quando o mercado de títulos de segunda linha começou a apresentar problemas, os títulos da RJR caíram junto com os outros de segunda linha. Em 1989 e 1990, durante a baixa dos títulos de segunda linha, Buffett começou a comprar os títulos da RJR.

A maioria dos títulos de segunda linha continuou não sendo atrativa durante esse período, mas Buffett considerou que a RJR Nabisco estava sendo punida injustamente. Os produtos estáveis da empresa geravam fluxo de caixa suficiente para cobrir seus pagamentos de dívida. Além disso, a RJR Nabisco teve sucesso na venda de partes de seu negócio a preços muito atraentes, reduzindo, assim, seu índice de dívida-patrimônio. Buffett analisou os riscos de investimento na RJR e concluiu que o crédito da empresa era mais alto do que o percebido pelos outros investidores, que vendiam seus títulos. Os títulos da RJR estavam rendendo 14,4% (um retorno eficiente) e o achatamento de preços oferecia um potencial ganho de capital.

Desta forma, entre 1989 e 1990, Buffett adquiriu US$ 440 milhões em títulos descontados da RJR. Na primavera de 1991, a RJR Nabisco anunciou que resgataria a maioria de seus títulos de segunda linha pelo valor nominal. Os títulos da RJR subiram 34%, gerando um ganho de capital de US$ 150 milhões para a Berkshire Hathaway.

Level 3 Communications

Em 2002, Buffett comprou grandes grupos de outras obrigações corporativas de alto rendimento aumentando seis vezes sua participação nesses títulos, para US$ 8,3 bilhões. Do total, 65% eram do setor de energia e cerca de US$ 7 bilhões foram comprados por meio das seguradoras da Berkshire.

Descrevendo seu raciocínio na carta aos acionistas de 2002, Buffett escreveu: "A gestão da Berkshire não acredita que os riscos de crédito associados aos emissores desses instrumentos tenham caído de maneira correspondente". E isso vindo de um homem que não assume riscos inexplicáveis (leia-se: com preços que não se justificam). E acrescentou: "Charlie e eu detestamos assumir até mesmo pequenos riscos a não ser que sintamos que seremos adequadamente recompensados por isso. O máximo que seguiremos por esse caminho é ocasionalmente comer queijo branco um dia depois da data de vencimento marcada na embalagem".[9]

Além de precificar seu risco, ele também costumava comprar os títulos a preços muito mais baixos do que valiam, mesmo a preços depreciados, e esperava até que o valor dos ativos se realizasse.

O que é especialmente intrigante sobre essas compras de obrigações é que tudo indica que Buffett não teria comprado ações de muitas dessas empresas. Ao final de 2003, entretanto, seus investimentos de alto rendimento pagaram cerca de US$ 1,3 bilhão, enquanto a renda líquida da empresa naquele ano totalizou US$ 8,3 bilhões. À medida que o mercado de alto rendimento subia às alturas, algumas obrigações foram resgatadas antecipadamente ou vendidas. O comentário de Buffett na época foi simplesmente: "As pragas de ontem estão sendo precificadas como as flores de hoje".

Em julho de 2002, três empresas investiram um total de US$ 500 milhões em títulos conversíveis em ações de dez anos da Level 3 Communications, com sede em Broomfield, Colorado, com um cupom de 9% e um preço de conversão de US$ 3,41 para ajudar a empresa a fazer aquisições e melhorar sua posição de capital. As três empresas eram a Berkshire Hathaway (US$ 100 milhões), a Legg Mason (US$ 100 milhões) e a Longleaf Partners (US$ 300 milhões).

Empresas intensivas em tecnologia não fazem parte das aquisições normais de Buffett; ele admite com franqueza que desconhece uma forma de avaliar adequadamente as empresas de tecnologia. Esse foi um negócio dispendioso para a Level 3, mas proporcionou recursos e credibilidade à empresa em um momento no qual precisava deles. Por sua vez, Buffett obteve um investimento lucrativo (9%) com uma posição em ações. Na época, Buffett foi citado dizendo que os investidores deveriam esperar retornos anuais de 7 a 8% do mercado de ações, de forma que, com 9%, ele estaria em vantagem nesse páreo.

Há outro aspecto dessa história que é característico de Buffett — um forte elemento de integridade gerencial e relacionamentos pessoais. A Level 3 Communications era fruto do desmembramento de uma empresa de construção com sede em Omaha, a Peter Kiewit Sons; o amigo de Buffett, Walter Scott Jr., era tanto presidente emérito da Kiewit quanto presidente do conselho da Level 3. Com grande reputação em Omaha, Scott foi a força impulsionadora por trás do zoológico da cidade, seu museu de arte, o instituto de engenharia e a Nebraska Game and Parks Foundation. Scott e Buffett possuem estreitas relações pessoais e profissionais: Scott faz parte do conselho de administração da Berkshire e os dois trabalham a apenas dois andares de distância no Kiewit Plaza.

Apesar de Buffett conhecer bem Scott e respeitá-lo profundamente, ele queria que o investimento fosse justo e transparente, para que ninguém questionasse que o relacionamento entre os dois pudesse ter influenciado o acordo. Assim, Buffett sugeriu que O. Mason Hawkins, presidente do conselho e principal executivo da Southeastern Asset Management, que presta consultoria à Longleaf Partners, intermediasse o acordo e negociasse os termos.

Em meados de junho de 2003, um ano mais tarde, Buffett, a Legg Mason e a Longleaf Partners trocaram US$ 500 milhões por um total de 174 milhões de ações ordinárias da Level 3 (incluindo 27 milhões de ações adicionais como um incentivo à conversão). (A Longleaf já tinha convertido US$ 43 milhões no mesmo ano e depois converteu o restante, US$ 457 milhões, em junho.)

Buffett recebeu 36,7 milhões de ações. Em junho, vendeu 16,8 milhões de ações por US$ 117,6 milhões e em novembro vendeu mais 18,3 milhões de ações por US$ 92,4 milhões. Sem dúvida, a Level 3 teve um bom desempenho em seus pagamentos da dívida e, no final de 2003, Buffett tinha duplicado seu dinheiro em 16 meses. Além disso tudo, seus títulos renderam US$ 45 milhões em juros e ele ainda manteve 1.644.900 ações da Level 3.

QWEST

No verão de 2002, a Berkshire comprou centenas de milhões de dólares em obrigações emitidas pela Qwest Communications, uma empresa de telecomunicações em dificuldades sediada em Denver, antes conhecida como US West, e sua controlada operacional, a Qwest Corporation. Na época, a Qwest tinha uma dívida de US$ 26 bilhões e estava em processo de revisão de suas demonstrações financeiras de 1999, 2000 e 2001. Havia rumores de falência. As obrigações corporativas da Qwest estavam sendo negociadas por 35 a 40 centavos por dólar e as obrigações de sua empresa operante, a 80 centavos por dólar. Algumas obrigações estavam rendendo 12,5% e eram lastreadas por ativos específicos; outras, mais arriscadas, não tinham lastro. Buffett comprou as duas.

A maioria dos analistas disse na ocasião que os ativos da Qwest tinham valor suficiente para que Buffett recuperasse seu investimento e ainda saísse com lucros devido ao preço corrente de negociação. E, não fosse pelos pagamentos dos juros, a Qwest teria um fluxo de caixa saudável. O ativo mais valioso da empresa era a franquia de serviços telefônicos locais em 14 estados dos Estados Unidos, mas Buffett acreditava que, com o ex-CEO da Ameritech, Dick Notebaert, no comando, a empresa superaria seus problemas.

AMAZON.COM

Em julho de 2002, uma semana depois de ter escrito uma carta ao CEO Jeff Bezos elogiando-o pela sua decisão de registrar as opções sobre ações como despesa, Buffett comprou US$ 98,3 milhões em títulos de alto rendimento da Amazon.

Buffett aprecia gestores que demonstram integridade e valores fortes e sempre foi um defensor das opções sobre ações apresentadas como despesas, mas certamente não estava em uma missão de boa vontade quando comprou as obrigações da Amazon.com. A Government Employees Insurance Company, unidade de seguros de automóveis da Berkshire, realizaria um lucro de US$ 16,4 milhões sobre o investimento em títulos de alto rendimento, um retorno de 17% em nove meses, se a Amazon recomprasse os US$ 264 milhões em títulos emitidos em 1998. Mais tarde, naquele verão, Buffett comprou US$ 60,1 milhões adicionais em títulos conversíveis em ações da Amazon. Supondo um preço de US$ 60 por título de US$ 1 mil, o rendimento seria de saudáveis 11,46% e o rendimento até o vencimento teria sido ainda mais alto depois de calculados os pagamentos dos juros.

Sabe-se que Buffett se limita a coisas que entende e se afasta da tecnologia. Seu envolvimento com a Internet é limitado a três atividades on-line: ele compra livros, lê o Wall Street Journal e joga *bridge*. Buffett chegou a brincar com sua própria aversão à tecnologia em sua carta aos acionistas de 2000: "Recebemos o século XXI de braços abertos entrando em setores de alta tecnologia e altamente inovadores, como tijolos, carpetes e tinta. Tentem controlar o entusiasmo".[10]

Então o que o atraiu nas obrigações da Amazon? Primeiro, ele disse, elas estavam "extraordinariamente baratas". Em segundo lugar, ele acreditava que a empresa prosperaria. Buffett também pode ter observado que a Amazon.com tinha um perfil similar a muitos de seus outros investimentos em empresas de varejo. A Amazon.com gera suas receitas por meio de um grande volume de vendas a preços baixos e, apesar de ter margens de lucro pequenas, a empresa é eficiente e lucrativa. Buffett admira a forma como Bezos criou uma megamarca e a forma como conduziu a empresa em tempos difíceis.

Arbitragem

A arbitragem, em sua forma mais simples, envolve comprar um título em um mercado e simultaneamente vender o mesmo título em outro mercado. O objetivo é lucrar com as discrepâncias de preço. Por exemplo, se as ações de uma empresa foram cotadas a US$ 20 por ação no mercado de Londres e US$ 20,01 no mercado de Tóquio, um arbitrador poderia lucrar ao simultaneamente comprar ações da empresa em Londres e vender as mesmas ações em Tóquio. Neste caso, não há risco de capital. O arbitrador está meramente lucrando com as ineficiências que ocorrem entre os mercados. Como essa transação não envolve risco, ela é apropriadamente chamada de arbitragem sem risco. A arbitragem de risco, por outro lado, é a venda ou a compra de um título na esperança de obter lucro sobre algum valor anunciado.

O tipo mais comum de arbitragem de risco envolve a compra de uma ação com desconto em relação a algum valor futuro. Esse valor futuro é geralmente baseado em uma incorporação, liquidação, oferta pública ou reorganização corporativa. O risco que o arbitrador enfrenta é que o preço futuro anunciado para a ação pode não se concretizar.

Para avaliar oportunidades de arbitragem de risco, explica Buffett, você precisa responder quatro questões básicas. "Qual é a probabilidade de o evento prometido de fato ocorrer? Quanto tempo seu dinheiro ficará comprometido? Quais são as chances de alguma coisa melhor surgir — um lance competitivo de aquisição, por exemplo? O que acontecerá se o evento não ocorrer em função de ações antitruste, falhas no financiamento etc.?"[11]

Diante de mais caixa do que idéias nas quais pudesse investir, Buffett muitas vezes se voltou à arbitragem como uma maneira útil de empregar seu excesso de caixa. A transação da Arkata Corporation em 1981, na qual ele comprou mais de 600.000 ações quando a empresa estava passando por uma aquisição alavancada, representa um bom exemplo disso. Entretanto, enquanto a maioria dos arbitradores pode chegar a participar de 50 ou mais negócios ao ano, Buffett buscava poucas transações financeiramente representativas. Ele limitava sua participação a negócios que fossem anunciados e amigáveis e se recusava a especular sobre aquisições hostis ou a utilização do *greenmail*.[12]

Apesar de nunca ter calculado seu desempenho em arbitragens ao longo dos anos, Buffett estimou que a Berkshire obteve um retorno médio anual de aproximadamente 25% antes dos impostos. Como a arbitragem é muitas vezes um substituto das letras do tesouro norte-americano de curto prazo, o apetite de Buffett por transações variava de acordo com o nível de caixa da Berkshire.

Hoje em dia, entretanto, ele não se envolve em arbitragens em grande escala, e sim investe seu excesso de caixa em letras do tesouro e outros investimentos líquidos de curto prazo. Ele sabe que, ao substituir as obrigações de médio prazo por letras do tesouro norte-americano de curto prazo, corre o risco de perda do principal se for forçado a vender em um momento não vantajoso. Mas, como essas obrigações livres de impostos oferecem retornos depois dos impostos mais altos do que as letras do tesouro norte-americano, Buffett raciocina que a perda potencial é compensada pelo ganho em renda.

Com o sucesso histórico da Berkshire em arbitragem, os acionistas podem se perguntar por que Buffett se desviou de sua estratégia. Os retornos de seus investimentos foram reconhecidamente melhores do que ele imaginou, mas, em 1989 o cenário da arbitragem começou a mudar. Os excessos financeiros gerados pelo mercado de aquisições alavancadas estavam criando um ambiente de entusiasmo desenfreado. Buffett não estava certo de quando os emprestadores e os compradores recuperariam a razão, mas sempre agiu de forma cautelosa quando os outros agem de forma irrefletida. Mesmo antes do colapso da aquisição da UAL em outubro de 1989, Buffett já estava se retirando das transações de arbitragem. Uma outra razão pode ser que simplesmente não existissem oportunidades de negócios de porte suficiente para realmente fazer uma diferença na enorme carteira de Buffett.

De qualquer forma, a retirada da Berkshire das transações de arbitragem foi facilitada pelo advento das ações preferenciais conversíveis em ordinárias.

Ações preferenciais conversíveis em ordinárias

Uma ação preferencial conversível em ordinária é um título híbrido que possui características tanto de ações quanto de obrigações. Geralmente, essas ações proporcionam aos investidores uma maior renda corrente do que as ações ordinárias. Este maior rendimento oferece proteção para o risco de queda do preço. Se as ações ordinárias caírem, o maior rendimento das ações preferenciais conversíveis em ordinárias impede que estas caiam tanto quanto as ordinárias. Em teoria, as ações conversíveis sofrerão queda de preço até que seu rendimento corrente se aproxime do valor de uma obrigação não conversível com rendimento, crédito e vencimento similares.

Uma ação preferencial conversível também proporciona ao investidor a oportunidade de participar do potencial de alta das ações ordinárias. Como é conversível em ações ordinárias, quando as ordinárias sobem, a ação conversível também subirá. Entretanto, como a ação conversível fornece uma alta renda e tem potencial de ganhos de capital, ela é precificada com ágio em relação à ação ordinária. O ágio se reflete na taxa na qual a ação preferencial é conversível em ordinária. Geralmente, o prêmio de conversão é de 20% a 30%. Isso significa que a ação ordinária deve ter seu preço aumentado em 20 a 30% antes de a ação conversível ser convertida em ações ordinárias sem perda de valor.

Da mesma forma como investiu em títulos de alto rendimento, Buffett investiu em ações preferenciais conversíveis em ordinárias sempre que a oportunidade se mostrava melhor que os outros investimentos. No final da década de 1980 e na década de 1990, Buffett fez vários investimentos em ações preferenciais conversíveis em ordinárias, em empresas como Salomon Brothers, Gillette, USAir, Champion International e American Express.

Grupos de *takeover* estavam desafiando várias dessas empresas e Buffett ficou conhecido como o "cavaleiro medieval em um cavalo branco", por resgatar empresas de invasores hostis. Buffett, contudo, com certeza não se enxergava como um salvador *pro bono*. Ele simplesmente encarava essas compras como bons investimentos com um grande potencial de lucro. Na época, as ações preferenciais dessas empresas lhe ofereciam um retorno mais alto do que ele poderia encontrar em algum outro lugar.

Algumas das empresas que estavam emitindo títulos preferenciais conversíveis eram conhecidas por Buffett, mas, em outros casos, ele não tinha um conhecimento especial sobre o negócio nem tinha como prever com qualquer nível de segurança quais seriam seus fluxos de caixa futuros. Essa imprevisibilidade, Buffett explica, foi o exato motivo pelo qual o investimento da Berkshire foi direcionado para ações preferenciais conversíveis e não ações ordinárias. Apesar do potencial de conversão, o valor real da ação preferencial, em sua percepção, residia em suas características de renda fixa.

Há uma exceção: a MidAmerican. Essa foi uma transação multifacetada envolvendo ações preferenciais conversíveis e ordinárias, além da dívida. Neste caso, Buffett estima as ações preferenciais conversíveis em função de seu retorno de renda fixa bem como da participação acionária futura.

MIDAMERICAN

No dia 14 de março de 2000, a Berkshire adquiriu 34,56 milhões de ações preferenciais conversíveis junto com 900.942 ações ordinárias da MidAmerican Energy Holdings Company, uma empresa de gás e eletricidade sediada em Des Moines, por aproximadamente US$ 1,24 bilhão, ou US$ 35,05 por ação. Dois anos depois, em março de 2002, a Berkshire adquiriu mais 6,7 milhões de ações preferenciais conversíveis em ordinárias por US$ 402 milhões. Isso elevou a posição da Berkshire a mais de 9% de participação por voto e pouco mais de 80% em participação econômica na MidAmerican.

Desde 2002, a Berkshire e algumas de suas controladas também adquiriram aproximadamente US$ 1,728 milhão em títulos preferenciais não transferíveis, dos quais US$ 150 milhões foram resgatadas em agosto de 2003. Trezentos milhões de dólares adicionais foram investidos por David Sokol, o presidente do conselho e CEO da MidAmerican, e Walter Scott, o maior acionista individual da MidAmerican. Foi Scott quem inicialmente abordou Buffett; aquela foi a primeira grande negociação que eles faziam juntos em seus 50 anos de amizade.

O preço que Buffett pagou pela MidAmerican estava perto do extremo inferior da escala que, de acordo com relatos, era de US$ 34 a 48 por ação, de maneira que ele pôde obter algum desconto. Entretanto, Buffett também se comprometeu e à Berkshire com o crescimento futuro da MidAmerican, e eles apoiariam a aquisição de gasodutos pela empresa até o limite de US$ 15 bilhões. Como parte de sua estratégia de crescimento, a MidAmerican, com a ajuda de Buffett, adquiriu gasodutos de empresas de energia com problemas.

Uma dessas compras ocorreu quase imediatamente. Em março de 2002, Buffett comprou da Williams Company, sediada em Tulsa, o projeto Kern River Gas Transmission, que transportava 24 milhões de metros cúbicos de gás ao dia por um gasoduto de 1.500 quilômetros de extensão. Buffett pagou US$ 960 milhões, incluindo a assunção de dívida e US$ 1 bilhão adicionais em despesas de capital.

A MidAmerican também foi em frente e comprou o gasoduto da Northern Natural de Dynegy, ainda em 2002, por uma pechincha de cerca de US$ 900 milhões, mais a assunção de dívida. Então, mais ou menos no final de janeiro de 2004, a Berkshire anunciou que bancaria cerca de 30% dos custos, ou US$ 2 bilhões, de um novo gasoduto que transportaria as reservas de gás natural do Alasca e elevaria as reservas norte-americanas em 7%. Sokol, o presidente do conselho da MidAmerican, disse que, sem a ajuda de Buffett, o investimento teria sido um grande fardo para a MidAmerican.

Em outra transação correlata, uma subsidiária da Berkshire, a MEHC Investment Inc., comprou US$ 275 milhões em ações preferenciais da Williams. Essas ações preferenciais geralmente não proporcionam direito de voto em conjunto com as ações ordinárias para eleger os membros do conselho de administração, mas, nesse caso, a Berkshire Hathaway recebeu o direito de eleger 20% do conselho de administração da MidAmerican bem como os direitos de aprovar algumas importantes transações.

No verão daquele ano, Buffett, junto com a Lehman Brothers, forneceu à Williams um empréstimo alavancado de US$ 900 milhões a mais de 19%, garantido por quase todos os recursos de óleo e gás da Barrett Resources, que a Williams adquiriu por cerca de US$ 2,8 bilhões. Segundo consta, o empréstimo de Buffett foi parte de um pacote de US$ 3,4 bilhões de caixa e crédito que a Williams, ainda uma empresa com boa classificação de crédito, precisava para evitar a falência. Os termos da negociação foram duros e repletos de condições e taxas que, de acordo com os relatos, poderiam ter colocado as taxas de juros do acordo em 34%. Mesmo assim, é possível argumentar que Buffett não somente estava ajudando uma empresa com boa classificação de crédito a sair de uma situação apertada, mas também se protegendo do alto risco da situação.

Apesar de a MidAmerican não ter sido a única incursão de Buffett no então problemático setor de energia, tratou-se definitivamente de um investimento complexo e multifacetado. Buffett acreditava que a empresa valia mais do que o seu valor corrente de mercado na época. Ele sabia que a gestão, incluindo Walter Scott e David Sokol, trabalhava com credibilidade, integridade e inteligência. Para completar, o setor de energia pode ser um negócio estável e Buffett esperava que ele se tornasse ainda mais estável e lucrativo.

Com a MidAmerican, Buffett comprou um investimento de renda fixa com potencial em ações. Como ocorre com todos os seus outros investimentos, ele assumiu uma atitude característica de posse e se comprometeu com o crescimento da empresa. Ele ganhou algum dinheiro com os instrumentos de renda fixa da Williams ao mesmo tempo em que se protegeu com contratos, altas taxas e ativos (a Barrett Resources). Em outubro de 2003, a MidAmerican tinha se transformado na terceira maior distribuidora de eletricidade do Reino Unido e fornecia eletricidade a 689.000 pessoas em Iowa, enquanto cerca de 7,8% do gás natural dos Estados Unidos eram transportados pelos dutos da Kern River e da Northern Natural. No total, a empresa tinha aproximadamente US$ 9 bilhões em ativos e US$ 6 bilhões em receitas anuais em 25 estados norte-americanos e vários outros países e rendia à Berkshire Hathaway cerca de US$ 300 milhões por ano.

É importante notar que Buffett pensa nas ações preferenciais conversíveis em ordinárias primeiramente como títulos de renda fixa e depois como veículos de valorização. Assim, o valor das ações preferenciais da Berkshire não pode ser nem um centavo mais baixo que o valor de ações preferenciais não conversíveis similares e, em função dos direitos de conversão, é provavelmente mais alto.

Buffett é amplamente reconhecido como o maior investidor em valor do mundo, o que basicamente significa comprar ações, obrigações e outros títulos, bem como empresas inteiras, por muito menos do que seu valor real, e esperar até que o valor dos ativos se realize. Assim, independente de serem ações de primeira linha ou dívidas corporativas de alto rendimento, Buffett aplica os mesmos princípios. Um investidor em valor vai aonde os negócios estão.

Apesar de geralmente ser reconhecido como um investidor de longo prazo em ações ordinárias, Buffett tem a capacidade, o fôlego e o capital para atacar energicamente setores com problemas e encontrar diamantes lapidados. Ele escolhe empresas específicas com gestores honestos e inteligentes e produtos geradores de caixa. Também escolhe os instrumentos que fazem mais sentido no momento. Normalmente acerta e, quando erra, admite o erro. O fato é que sua decisão de se direcionar energicamente a instrumentos de renda fixa em 2002 e 2003 estava definitivamente correta. Em 2002, o ganho bruto realizado pela Berkshire com seus investimentos de renda fixa foi de 1 US$ bilhão. Em 2003, esse valor quase triplicou, tendo atingido US$ 2,7 bilhões.

| CAPÍTULO 10 |

ADMINISTRANDO SUA CARTEIRA

Até este ponto, estudamos a abordagem de Warren Buffett para tomar decisões de investimentos, fundamentada em premissas atemporais codificadas em 12 princípios. Observamos de perto enquanto ele aplicava esses princípios para comprar ações e obrigações e para adquirir empresas. E reservamos um tempo para compreender as contribuições de outras pessoas que ajudaram a moldar sua filosofia de investimentos.

Mas, como todo investidor sabe, decidir quais ações comprar é só a metade do percurso. A outra metade é o processo contínuo de administrar a carteira e aprender como lidar com a montanha-russa emocional que inevitavelmente acompanha tais decisões.

Não é nenhuma surpresa que, também neste aspecto, a liderança de Warren Buffett nos mostrará o caminho.

Hollywood nos proporcionou um clichê visual do administrador de recursos financeiros: alguém que fala em dois telefones ao mesmo tempo, faz anotações freneticamente enquanto tenta manter os olhos nas telas de computador que piscam e apitam de todas as direções, e arranca os cabelos sempre que um desses computadores mostra uma minúscula queda no preço de uma ação.

Warren Buffett está o mais distante possível desse tipo de frenesi. Ele se movimenta com a calma fundamentada em muita confiança. Não tem necessidade de observar dez telas de computador ao mesmo tempo, já que não se interessa nas mudanças minuto a minuto do mercado. Buffett não pensa em termos de minutos, dias ou meses, e sim de anos. Não precisa se manter atualizado em relação a centenas de empresas, porque seus investimentos se concentram em apenas algumas empresas selecionadas. Essa abordagem, que ele chama de "investimento focado", simplifica em muito a tarefa do gerenciamento da carteira.

> "Nós só nos concentramos em algumas excelentes empresas. Somos investidores focados.[1]"
>
> WARREN BUFFETT, 1994

Status quo: uma escolha entre duas opções

O estado atual do gerenciamento de carteira, como praticado por todos os investidores, parece estar preso em um cabo-de-guerra entre duas estratégias opostas — o gerenciamento ativo de carteira e o investimento em índice de mercado.

Os gestores de carteira ativos estão constantemente comprando e vendendo um grande número de ações ordinárias. Seu trabalho é tentar manter seus clientes satisfeitos. Isso significa bater repetidamente o mercado de forma que, em qualquer dia, se o cliente aplicar um teste mais óbvio — "como está o desempenho da minha carteira em relação ao mercado geral?" —, a resposta será positiva e o cliente manterá seu dinheiro no fundo. Para se manter no topo, os gestores ativos tentam prever o que ocorrerá com as ações nos próximos seis meses e alteram continuamente a carteira, esperando tirar vantagem de suas previsões.

O investimento em índice de mercado, por outro lado, é uma abordagem passiva de comprar e manter. Ela envolve compor, e depois manter, uma carteira amplamente diversificada de ações ordinárias deliberadamente escolhidas para simular o comportamento de um índice específico de *benchmark*, como o índice Standard & Poor's 500. A forma mais simples e mais comum de conseguir isso é por meio de um fundo mútuo indexado.

Os defensores de ambas as abordagens há muito travam uma guerra para provar qual delas renderá, no final, o maior retorno sobre o investimento.

Os gestores de carteira ativos argumentam que, em função de suas habilidades superiores de escolha de ações, eles podem ter um desempenho melhor do que qualquer índice. Os estrategistas de índice, por outro lado, têm uma história recente para utilizar como argumento. Em um estudo que acompanhou os resultados em um período de 20 anos, de 1977 a 1997, a porcentagem de fundos mútuos de ações que foram capazes de bater o índice Standard & Poor's 500 caiu drasticamente, de 50% nos primeiros anos a pouco mais de 25% nos últimos quatro anos. E, em novembro de 1998, 90% dos fundos ativamente gerenciados estavam com desempenho abaixo do mercado (em média 14% abaixo do S&P 500), o que significa que somente 10% apresentavam um desempenho melhor.[2]

O gerenciamento ativo de carteira, da forma como é comumente praticado hoje, tem uma chance muito pequena de apresentar um desempenho melhor que o índice. Para começar, ele é baseado em uma premissa muito instável: compre hoje o que prevemos que pode ser vendido logo com lucro, independentemente do que seja. A falha fatal dessa lógica é que, dada a complexidade do universo financeiro, as previsões são impossíveis. Em segundo lugar, esse alto nível de atividade gera custos de transações que reduzem os retornos líquidos aos investidores. Quando esses custos são considerados, torna-se evidente que o negócio de gerenciamento ativo de recursos financeiros cria o seu próprio fracasso.

A indexação, por não acionar despesas equivalentes, é melhor que as carteiras ativamente gerenciadas em muitos aspectos. Mas, mesmo o melhor fundo de índice, operando em seu auge, só terá exatamente os retornos líquidos do mercado geral. Os investidores de índice podem não ter um desempenho abaixo do mercado, mas também não acima.

Os investidores devem se perguntar: Eu me satisfaço com a média? Posso ganhar mais?

Uma nova opção

Se Warren Buffett tivesse de escolher entre as abordagens ativa e de índice, não hesitaria em escolher a indexação. Isso vale principalmente para investidores com muito baixa tolerância ao risco e para pessoas que têm pouquíssimo conhecimento dos fatores econômicos de um negócio, mas mesmo assim querem lucrar com os benefícios de longo prazo do investimento em ações ordinárias.

"Ao investir periodicamente em fundos de índice", ele diz em estilo inimitável, "o investidor que não sabe nada pode de fato bater a maioria dos investidores profissionais".[3] Buffett, entretanto, rapidamente acrescentaria que existe uma terceira alternativa — um tipo muito diferente de estratégia ativa de carteira que aumenta significativamente as chances de bater o índice. A alternativa é o investimento focado.

Investimento focado: um panorama

Na essência, o investimento focado significa o seguinte: escolha algumas poucas ações que têm chances de produzir retornos acima da média no longo prazo, concentre o grosso dos seus investimentos nessas ações e tenha a paciência de se manter firme durante as flutuações de curto prazo do mercado.

As seções seguintes descrevem os diferentes elementos deste processo.

"Encontre empresas excelentes"

Ao longo dos anos, Warren Buffett desenvolveu uma forma de identificar em quais empresas vale a pena investir seu dinheiro. Ela se baseia em uma noção de senso comum: se a empresa tem um bom desempenho e é gerenciada por pessoas inteligentes, mais cedo ou mais tarde o preço de suas ações refletirá seu valor inerente. Assim, Buffett dedica a maior parte de sua atenção não a acompanhar o preço da ação, mas a analisar os fatores econômicos do negócio básico e avaliar sua gestão.

Seus princípios, descritos nos capítulos anteriores, podem ser vistos como uma espécie de cinto de utilidades. Cada princípio é uma ferramenta analítica que, em conjunto, fornecem um método para isolar as empresas com mais chances de gerar altos retornos econômicos. Buffett utiliza seu cinto de utilidades para encontrar empresas com um longo histórico de desempenho superior e gestão estável. Tal estabilidade significa que elas possuem uma grande probabilidade de apresentar um desempenho futuro no mesmo nível que apresentaram no passado. Esta é justamente a alma do investimento focado: concentrar os investimentos em empresas com a maior probabilidade de desempenho acima da média.

AS REGRAS DE OURO DO INVESTIDOR FOCADO

1. Concentre seus investimentos em empresas excelentes conduzidas por uma administração forte.
2. Limite-se a empresas que consiga verdadeiramente entender. Um número entre dez e 20 é bom; mais de 20 é procurar problemas.
3. Escolha as melhores dessas boas empresas e concentre nelas a maior parte de seus investimentos.
4. Pense em longo prazo: mínimo de cinco a dez anos.
5. A volatilidade é um fator. Continue firme.

"Menos é mais"

Você se lembra do conselho de Buffett para os investidores que não sabem nada — manter-se com os fundos de índice? O mais interessante para os nossos propósitos é o que ele diz em seguida:

"Se você for um investidor com algum conhecimento, capaz de entender os fatores econômicos de um negócio e encontrar entre cinco e dez empresas com preços razoáveis e que possuam importantes vantagens competitivas de longo prazo, a diversificação convencional (carteiras ativas de base ampla) não faz sentido para você".[4]

Qual é o problema com a diversificação? Para começar, ela aumenta muito as chances de você comprar algo sobre o qual não sabe o suficiente. Philip Fisher, conhecido por suas carteiras focadas, apesar de não utilizar o termo, influenciou profundamente o raciocínio de Buffett nesse aspecto. Fisher sempre disse que preferia ter um pequeno número de empresas excelentes que ele entendia bem a um grande número de empresas medíocres, muitas das quais ele não entendia bem.

Os investidores "que sabem alguma coisa", ao aplicar os princípios de Buffett, se sairiam melhor se concentrassem sua atenção em apenas algumas empresas. Quantas empresas? Até os grandes sacerdotes das finanças modernas descobriram que, em média, manter apenas 15 empresas lhes daria uma diversificação de 85%.[5] Para o investidor médio, um bom número seria entre dez e 12. O investimento focado não se sustenta se aplicado a uma grande carteira com dezenas de empresas.

"Faça grandes apostas em eventos de alta probabilidade"

A influência de Phil Fisher sobre Buffett também fica aparente em outro aspecto — sua crença de que o único caminho razoável quando nos deparamos com uma grande oportunidade é fazer um grande investimento. Warren Buffett ecoa essa lógica: "Em cada investimento que faz, você deve ter a coragem e a convicção de colocar pelo menos 10% de seu ativo total nessa ação".[6]

É possível ver por que Buffett diz que a carteira não deve conter mais de dez empresas, já que cada uma deve receber 10%. Contudo, o investimento focado não é uma simples questão de encontrar dez boas ações e dividir seu investimento igualmente entre elas. Apesar de todas as ações em uma carteira focada serem eventos de alta probabilidade, algumas inevitavelmente serão maiores que outras e devem receber uma proporção maior do investimento.

Os jogadores de vinte-e-um (*blackjack*) entendem isso intuitivamente: quando identificam que as chances a seu favor são grandes, fazem uma grande aposta.

> "Eu não posso estar envolvido em 50 ou 75 coisas ao mesmo tempo. Isso seria uma abordagem de Arca de Noé para os investimentos — você acaba tendo um zoológico em mãos. Eu gosto de colocar quantias significativas de dinheiro em algumas poucas coisas.[7]"
>
> WARREN BUFFETT, 1987

Pense por um momento sobre a decisão de Buffett de comprar a American Express para a sociedade limitada, descrita no Capítulo 1. Quando a ameaça de escândalo fez com que o preço das ações da empresa caísse para quase a metade, Buffett investiu impressionantes 40% dos ativos da sociedade nessa única empresa. Ele estava convencido de que, apesar das controvérsias, a empresa era sólida e, mais cedo ou mais tarde, o preço das ações voltaria ao nível adequado; no meio tempo, ele reconheceu uma incrível oportunidade. Mas isso valia quase metade do seu total do ativo? Foi uma grande aposta que se pagou de forma generosa: dois anos depois, ele vendeu as ações muito valorizadas com um lucro de US$ 20 milhões.

"Seja paciente"

O investimento focado é a antítese de uma abordagem amplamente diversificada e de alto giro. Apesar de o investimento focado ter a maior chance, dentre todas as estratégias ativas, de apresentar um retorno melhor que o do índice ao longo do tempo, essa abordagem exige que os investidores segurem pacientemente sua carteira mesmo quando as outras estratégias estejam aparentemente vencendo.

Quanto tempo é o suficiente? Como você pode imaginar, não existe uma receita (entretanto, Buffett provavelmente diria que qualquer coisa antes de cinco anos seria tolice). A meta não é giro zero (nunca vender nada); isso seria a tolice na direção oposta, já que o impediria de aproveitar alguma coisa melhor que porventura passe pelo seu caminho. Como regra prática geral, deveríamos visar uma taxa de giro entre 20 e 10%, o que significa manter as ações por um período entre cinco e dez anos.

"Não entre em pânico com as variações de preço"

O investimento focado busca resultados *acima* da média, e há fortes evidências, tanto em pesquisas acadêmicas quanto em casos verídicos, de que essa busca pode ter sucesso. Não deve haver dúvidas, entretanto, de que o caminho é tortuoso, já que a volatilidade dos preços é um subproduto necessário da abordagem focada. Os investidores focados toleram a tortuosidade porque sabem que, no longo prazo, os fatores econômicos básicos das empresas mais que compensarão quaisquer flutuações do preço em curto prazo.

Buffett é um mestre em ignorar as pedras no caminho. O mesmo acontece com seu sócio, Charlie Munger, que em certa ocasião calculou, utilizando uma tabela de juros compostos e as lições aprendidas jogando pôquer, que, enquanto pudesse lidar com a volatilidade de preços, seria suficiente manter só três empresas. "Eu sei que seria capaz de lidar psicologicamente com as pedras no caminho, porque fui criado por pessoas que acreditam em lidar com os obstáculos."[8]

Talvez você também venha de uma longa linhagem de gente que sabe lidar com as adversidades do caminho. Entretanto, mesmo que não tenha nascido com tanta sorte, pode desenvolver parte dessas características. Trata-se de uma questão de decidir mudar conscientemente sua forma de pensar e de agir. Adquirir novos hábitos e padrões de pensamento não ocorre da noite para o dia, mas é viável — e necessário — aprender gradualmente a não entrar em pânico e não reagir de forma imprudente aos caprichos do mercado.

Buffett e a teoria moderna do portfólio

A crença de Warren Buffett nas idéias fundamentais do investimento focado o coloca em discordância com muitos outros gurus das finanças e também com uma série de conceitos conhecidos como *teoria moderna do portfólio*. Considerando que este é um livro sobre o pensamento de Buffett e considerando que o próprio Buffett não é um defensor dessa teoria, não dedicaremos muito tempo a descrevê-la. Mas, à medida que você continuar a aprender sobre investimentos, se deparará com menções a essa teoria, de forma que é importante cobrir seus elementos básicos. Portanto, daremos a Buffett uma chance de discutir cada uma delas.

A teoria moderna do portfólio é uma combinação de três idéias seminais sobre as finanças, desenvolvidas por três mentes poderosas. Harry Markowitz, formado em economia pela University of Chicago, foi o primeiro a quantificar a relação entre retorno e risco. Utilizando uma ferramenta matemática chamada co-variância, ele mensurou o movimento combinado de um grupo de ações e utilizou isso para definir o risco da carteira com um todo.

Markowitz concluiu que o risco do investimento não é uma função da alteração do preço de uma ação individual, mas da alteração de um grupo de ações na mesma direção. Se isso acontecer, há boas chances de as mudanças econômicas empurrarem todas para baixo ao mesmo tempo. A única proteção razoável, ele disse, seria a diversificação.

Cerca de dez anos mais tarde, Bill Sharpe, formado pela University of California, em Los Angeles, desenvolveu um processo matemático para mensurar a volatilidade, simplificando a abordagem de Markowitz. Ele chamou essa metodologia de Modelo de Precificação de Ativos Financeiros (CAPM – Capital Assets Pricing Model).

Assim, no período de uma década, dois acadêmicos definiram dois elementos importantes do que mais tarde viria a ser chamado de teoria moderna do portfólio: Markowitz com sua idéia de que o equilíbrio adequado entre recompensa e risco depende da diversificação nos investimentos para evitar riscos concentrados e Sharpe com sua definição de risco. Um terceiro aspecto — a teoria do mercado eficiente — foi desenvolvido por um jovem professor-assistente de finanças da University of Chicago, Eugene Fama.

Fama começou estudando as mudanças dos preços das ações no início da década de 1960. Leitor ávido, ele absorveu todos os trabalhos escritos sobre comportamento do mercado de ações disponíveis na época e concluiu que os preços das ações não são previsíveis porque o mercado é eficiente demais. Em um mercado eficiente, à medida que as informações se tornam disponíveis, muitas pessoas espertas aplicam agressivamente essa informação de forma a causar um ajuste instantâneo nos preços, antes de qualquer pessoa poder lucrar. A qualquer instante, os preços das ações refletem todas as informações disponíveis. Desta forma, previsões sobre o futuro não têm espaço em um mercado eficiente, porque os preços das ações se ajustam muito rapidamente.

A VISÃO DE BUFFETT PARA O RISCO

Na teoria moderna do portfólio, o risco é definido pela volatilidade do preço das ações. Contudo, ao longo de sua carreira, Buffett sempre percebeu uma queda nos preços das ações como uma oportunidade de ganhar dinheiro. Em seu raciocínio, portanto, uma redução no preço na verdade reduz o risco. Ele salienta: "Para os proprietários de um negócio — e é assim que consideramos os acionistas —, a definição de risco dada pelos acadêmicos é muito imprecisa, de forma a produzir idéias absurdas".[9]

Buffett tem uma definição diferente de risco: a possibilidade de danos. Este é um fator do valor intrínseco do negócio, não do comportamento do preço da ação. Os danos financeiros provêm de uma estimativa errada dos lucros futuros do negócio, além do efeito incontrolável e imprevisível dos impostos e da inflação.

Além disso, Buffett considera o risco como inextricavelmente ligado ao horizonte de tempo de um investidor. Se você comprar uma ação hoje, ele explica, com a intenção de vendê-la amanhã, terá entrado em uma transação arriscada. As chances de prever se o preço da ação subirá ou cairá em um período curto são as mesmas de prever cara ou coroa ao lançar uma moeda; você perderá na metade das vezes. Entretanto, diz Buffett, se você estender seu horizonte de tempo para vários anos (sempre supondo que tenha feito uma compra razoável), então as chances mudam de forma significativa a seu favor.

A VISÃO DE BUFFETT PARA A DIVERSIFICAÇÃO

A visão de Buffett para o risco orienta sua estratégia de diversificação, e também aqui seu pensamento é o oposto da teoria moderna do portfólio. De acordo com essa teoria, o principal benefício de uma carteira amplamente diversificada é mitigar os efeitos da volatilidade de preços das ações individuais. Mas, se você não se preocupar com a volatilidade de preços, como Buffett, também enxergará a diversificação de carteira sob uma luz diferente.

Ele sabe que muitos acadêmicos diriam que a estratégia da Berkshire é mais arriscada, mas não se deixa influenciar por isso. "Acreditamos que uma política de carteira focada pode *reduzir* em muito o risco, à medida que tanto a intensidade com a qual um investidor pensa sobre um negócio quanto o nível de conforto que ele deve sentir com suas características econômicas aumentam, como deveriam, antes de ele se decidir por comprar a ação".[10] Ao se concentrar intencionalmente em apenas algumas empresas selecionadas, você terá mais chances de estudá-las profundamente e compreender seu valor intrínseco. Quanto mais conhecimento acumular sobre essas empresas, menos riscos estará assumindo.

"A diversificação serve como uma proteção contra a ignorância", explica Buffett. "Se você quiser ter certeza de que nada de mau ocorrerá a você no mercado, deve comprar tudo. Na há nada de errado com isso. Trata-se de uma abordagem perfeitamente robusta para uma pessoa que não sabe como analisar negócios."[11]

A VISÃO DE BUFFETT PARA A TEORIA DO MERCADO EFICIENTE

O problema de Buffett com a teoria do mercado eficiente reside em um ponto central: ela não proporciona, aos investidores que analisam as ações, todas as informações disponíveis, como Buffett os incentiva a fazer e que lhes fornece uma vantagem competitiva.

Mesmo assim, a teoria do mercado eficiente ainda é religiosamente ensinada em faculdades de administração, fato que não proporciona nenhuma satisfação a Warren Buffett. "Naturalmente o desserviço feito aos alunos e profissionais ingênuos do setor de investimentos que engoliram a teoria do mercado eficiente tem sido extraordinariamente útil para nós e outros seguidores de Graham", Buffett observou com ironia. "De uma perspectiva egoísta, provavelmente deveríamos financiar professores nas faculdades para garantir que a teoria do mercado eficiente seja ensinada para sempre."[12]

Em muitos aspectos, a teoria moderna do portfólio protege os investidores que possuem um conhecimento e uma compreensão limitada de como estimar o valor de um negócio. Mas essa proteção tem um preço. De acordo com Buffett, "a teoria moderna do portfólio lhe diz como ser mediano. Porém, acredito que todo mundo consegue entender como ter um desempenho mediano já no ensino básico".[13]

Os superinvestidores da Buffettville

Um dos maiores livros sobre investimentos de todos os tempos foi publicado em 1934, no auge da Grande Depressão. *Security Analysis*, de Benjamin Graham e David Dodd, é reconhecido mundialmente como um clássico e continua sendo impresso nos Estados Unidos depois de cinco edições e 65 anos. É impossível exagerar sua influência no mundo moderno dos investimentos.

Cinqüenta anos após sua publicação original, a Columbia Business School patrocinou um seminário em comemoração ao aniversário desse texto seminal. Warren Buffett, um dos seguidores mais conhecidos dessa escola e o mais famoso defensor moderno da abordagem do valor de Graham, conduziu o encontro. Ele intitulou seu discurso de "Os superinvestidores de Graham-and-Doddsville", que acabou também se tornando um clássico, como o livro que o inspirou.[14]

Buffett começou recapitulando o argumento central da teoria moderna do portfólio — de que o mercado de ações é eficiente, todas as ações são precificadas de forma correta e, portanto, qualquer pessoa que bata o mercado ano após ano só pode ser chamada de sortuda. Talvez sim, ele disse, mas conheço alguns sujeitos que conseguiram, e seu sucesso não pode ser desconsiderado como simplesmente fruto do acaso.

E prosseguiu mostrando as evidências. Os exemplos apresentados naquele dia foram todos de pessoas que conseguiram bater repetidamente o mercado ao longo do tempo, não em função da sorte, mas porque seguiam princípios aprendidos da mesma fonte: Ben Graham. Todos eles moravam, ele disse, "na vila intelectual" de Graham-and-Doddsville.

Quase duas décadas depois, achei que seria interessante proporcionar uma visão atualizada de algumas pessoas que exemplificaram a abordagem definida por Graham e que também compartilham da crença de Buffett no valor de uma carteira focada com um pequeno número de empresas. Penso neles como os superinvestidores da Buffettville: Charlie Munger, Bill Ruane, Lou Simpson e, é claro, Buffett. Há muito a aprender com o histórico de desempenho desses investidores.

Charlie Munger

Apesar de o desempenho dos investimentos da Berkshire Hathaway ser normalmente vinculado a seu presidente do conselho, nunca devemos nos esquecer de que seu vice-presidente, Charlie Munger, é um investidor excepcional. Os acionistas que tiveram a oportunidade de participar de um encontro anual da Berkshire ou leram as idéias de Charlie na *Outstanding Investor Digest* puderam ter uma amostra de seu aguçado intelecto.

"Eu o conheci mais ou menos em 1960", disse Buffett, "e lhe disse que o Direito daria um bom *hobby*, mas que ele poderia ir mais longe".[15] Como você deve se lembrar, na época Munger tinha um próspero escritório de advocacia em Los Angeles, mas direcionou aos poucos suas energias à nova sociedade de investimentos que leva seu nome. Os resultados de seus talentos podem ser conferidos na Tabela 10.1, na página ao lado.

"Sua carteira se concentrava em poucos títulos e, portanto, seu recorde foi muito mais volátil", Buffett explicou, "mas se baseou na mesma abordagem de valor descontado". Ao tomar decisões de investimento, Charlie seguia a metodologia de Graham e só procurava empresas que estavam à venda a um preço abaixo de seu valor intrínseco. "Ele es-

Tabela 10.1 Charles Munger Partnership

ANO	VARIAÇÃO PERCENTUAL ANUAL	
	GERAL SOCIEDADE (%)	DOW JONES MÉDIA DO SETOR (%)
1962	30,1	-7,6
1963	71,7	20,6
1964	49,7	18,7
1965	8,4	14,2
1966	12,4	-15,8
1967	56,2	19,0
1968	40,4	7,7
1969	28,3	-11,6
1970	-0,1	8,7
1971	25,4	9,8
1972	8,3	18,2
1973	-31,9	-13,1
1974	-31,5	-23,1
1975	73,2	44,4
Retorno médio	24,3	6,4
Desvio-padrão	33,0	18,5
Mínimo	-31,9	-23,1
Máximo	73,2	44,4

tava disposto a aceitar grandes altos e baixos no desempenho e acontece que ele é um sujeito cuja mente vai em direção à concentração".[16]

Note que Buffett não usa a palavra *risco* ao descrever o desempenho de Charlie. Utilizando a definição convencional de risco (volatilidade de preço), precisaríamos dizer que, em seus 13 anos de história, a sociedade de Charlie foi extremamente arriscada, com um desvio-padrão de quase o dobro do apresentado pelo mercado. Mas superar o retorno anual médio do mercado em 18 pontos nesses mesmos 13 anos não era o feito de um homem que corria riscos, mas de um investidor astuto.

Bill Ruane

Buffett conheceu Bill Ruane em 1951, quando os dois cursavam a disciplina de Ben Graham sobre análise de títulos na Columbia. Os dois colegas mantiveram contato e Buffett observou com admiração o desempenho dos investimentos de Ruane ao longo dos anos. Quando Buffett fechou sua sociedade de investimentos em 1969, perguntou a

Ruane se estaria disposto a lidar com os fundos de alguns dos sócios. Aquilo marcou o início do Sequoia Fund.

Era uma época difícil para abrir um fundo mútuo. O mercado de ações estava se dividindo em um mercado de dois níveis, com a maior parte do dinheiro sendo direcionada para as chamadas Nifty-Fifty[17] (as empresas mais importantes, como IBM e Xerox), deixando as ações de "valor" bem para trás. Ruane não recuou. Mais tarde, Buffett comentou: "Fico feliz em dizer que meus sócios, em uma proporção impressionante, não somente ficaram ao lado dele como também ganharam dinheiro, e com bons resultados".[18]

O Sequoia Fund foi um verdadeiro pioneiro, o primeiro fundo mútuo operado sob os princípios do investimento focado. O histórico da carteira do Sequoia demonstra claramente que Bill Ruane e Rick Cuniff, seu sócio na Ruane, Cuniff & Company, administraram uma carteira extremamente concentrada e de baixo giro. Em média, muito mais de 90% do fundo se concentrava entre seis e dez empresas. Mesmo assim, a diversidade econômica da carteira era, e continua a ser, ampla.

O ponto de vista de Bill Ruane é em muitos aspectos singular entre os administradores de recursos financeiros. De forma geral, a maioria dos administradores começa com uma noção preconcebida sobre o gerenciamento de carteira e depois compõe a carteira com várias ações. Na Ruane, Cuniff & Company, os sócios começam com a idéia de selecionar as melhores ações possíveis e então permitem que a carteira se forme com base nessas seleções.

É claro que selecionar as melhores ações possíveis requer um alto nível de pesquisa e, também nesse ponto, a Ruane, Cuniff & Company se destaca do restante do setor. A empresa evita os relatórios de pesquisas alimentados pelos corretores de Wall Street e, em vez disso, conta com suas próprias e extensas investigações de empresas. "Não nos apegamos muito a cargos e títulos em nossa empresa", Ruane disse, "[mas], se fosse o caso, o cargo exibido no meu cartão de visitas seria: Bill Ruane, Analista de Pesquisas".[19]

Com qual nível de sucesso essa abordagem singular serviu seus acionistas? A Tabela 10.2 esboça o desempenho dos investimentos do Sequoia Fund de 1971 a 2003. Durante esse período, o Sequoia obteve

Tabela 10.2 Sequoia Fund, Inc.

ANO	VARIAÇÃO PERCENTUAL ANUAL	
	SEQUOIA FUND	ÍNDICE S&P 500
1971	13,5	14,3
1972	3,7	18,9
1973	-24,0	-14,8
1974	-15,7	-26,4
1975	60,5	37,2
1976	72,3	23,6
1977	19,9	-7,4
1978	23,9	6,4
1979	12,1	18,2
1980	12,6	32,3
1981	21,5	-5,0
1982	31,2	21,4
1983	27,3	22,4
1984	18,5	6,1
1985	28,0	31,6
1986	13,3	18,6
1987	7,4	5,2
1988	11,1	16,5
1989	27,9	31,6
1990	-3,8	-3,1
1991	40,0	30,3
1992	9,4	7,6
1993	10,8	10,0
1994	3,3	1,4
1995	41,4	37,5
1996	21,7	22,9
1997	42,3	33,4
1998	35,3	28,6
1999	-16,5	21,0
2000	20,1	-9,1
2001	10,5	-11,9
2002	-2,6	-22,1
2003	17,1	-28,7
Retorno médio	18,0	12,9
Desvio-padrão	20,2	17,7
Mínimo	-24,0	-26,4
Máximo	72,3	37,5

um retorno anual médio de 18%, em comparação com os 12,9% do índice Standard & Poor's 500.

Lou Simpson

Mais ou menos quando Warren Buffett começou a comprar ações da Government Employees Insurance Company (GEICO) no final da década de 1970, ele recrutou um profissional que teria inferência direta sobre a saúde financeira da empresa de seguros. Seu nome era Lou Simpson.

Simpson, com mestrado em economia pela Princeton, trabalhou tanto para a Stein Roe & Farnham quanto para a Western Asset Management antes de Buffett atraí-lo para a GEICO em 1979. Hoje ele é o CEO de Operações de Capital da empresa. Recordando-se da entrevista para esse cargo, Buffett se recorda que Lou tinha "o temperamento ideal para os investimentos".[20] Lou, disse ele, apresentava pensamento independente, confiava em suas próprias pesquisas e "não tinha nenhum prazer especial em operar com ou contra a multidão".

Simpson, um leitor voraz, ignora as pesquisas de Wall Street, preferindo mergulhar no estudo dos relatórios anuais. Seu processo de seleção de ações ordinárias é similar ao de Buffett. Ele só compra negócios de alto retorno administrados por uma gestão competente e disponíveis a preços razoáveis. Lou também tem outro aspecto em comum com Buffett: concentra sua carteira em apenas algumas ações. A carteira de ações de US$ 1 bilhão da GEICO costuma ser composta por menos de dez empresas.

Entre 1980 e 1996, a carteira da GEICO obteve um retorno anual médio de 24,7%, em comparação com o retorno do mercado de 17,8% (ver Tabela 10.3, ao lado). "Esses números não são apenas excepcionais", diz Buffett. "O mais importante é que eles foram obtidos da maneira certa. Lou investiu repetidamente em ações ordinárias subvalorizadas que, individualmente, tinham poucas chances de apresentar uma perda permanente e que, em conjunto, eram praticamente livres de risco".[21]

É importante notar que a estratégia focada algumas vezes significa resistir a vários anos fracos. Mesmo os superinvestidores — indiscutivelmente habilidosos, indiscutivelmente bem-sucedidos — enfrentaram

Tabela 10.3 Lou Simpson, GEICO

ANO	VARIAÇÃO PERCENTUAL ANUAL	
	GEICO – AÇÕES (%)	S&P 500 (%)
1980	23,7	32,3
1981	5,4	-5,0
1982	45,8	21,4
1983	36,0	22,4
1984	21,8	6,1
1985	45,8	31,6
1986	38,7	18,6
1987	-10,0	5,1
1988	30,0	16,6
1989	36,1	31,7
1990	-9,1	-3,1
1991	57,1	30,5
1992	10,7	7,6
1993	5,1	10,1
1994	13,3	1,3
1995	39,7	37,6
1996	29,2	37,6
Retorno médio	24,7	17,8
Desvio-padrão	19,5	14,3
Mínimo	-10,0	-5,0
Máximo	57,1	37,6

períodos de baixo desempenho em curto prazo. A Tabela 10.4, na página a seguir, demonstra que eles passaram por vários períodos difíceis.

O que você acha que teria acontecido a Munger, Simpson e Ruane se eles fossem administradores iniciantes começando suas carreiras hoje, em um ambiente que só consegue enxergar o valor do desempenho em um ano isolado, ou até mesmo em um trimestre? Eles provavelmente teriam entrado na dança, para a grande perda de seus clientes.

Fazendo mudanças em sua carteira

Não se iluda achando que só porque a carteira focada apresenta diferenças em relação ao mercado de ações no que se refere ao preço, você esteja livre da responsabilidade constante de analisar atentamente o

Tabela 10.4 Os superinvestidores de Buffettville

	NÚMERO DE ANOS DE DESEMPENHO	NÚMERO DE ANOS DE DESEMPENHO ABAIXO DO MERCADO	NÚMERO DE ANOS CONSECUTIVOS DE DESEMPENHO ABAIXO DO MERCADO	PERCENTUAL DE DESEMPENHO ABAIXO DO MERCADO NO PERÍODO (TODOS OS ANOS)
Munger	14	5	3	36
Ruane	29	11	4	37
Simpson	17	4	1	24

desempenho. É verdade que os investidores focados não deveriam se tornar escravos dos caprichos do mercado de ações, mas você deve sempre se manter bem consciente de todos os movimentos econômicos das empresas de sua carteira. Haverá ocasiões nas quais comprar uma coisa e vender outra é exatamente a coisa certa a ser feita.

A DECISÃO DE COMPRAR: UMA DIRETRIZ CLARA

Quando Buffett pensa em realizar um novo investimento, ele primeiro analisa o que já tem em sua carteira para ver se a nova compra é de alguma forma melhor. "O que Buffett está dizendo é uma dica muito útil para praticamente qualquer investidor", Charlie Munger enfatiza. "Para uma pessoa comum, a melhor coisa que já se tem deve ser usada como referencial".

O que ele diz em seguida é um segredo dos mais importantes, apesar de amplamente negligenciados, para aumentar o valor de sua carteira. "Se a nova coisa que você está pensando em comprar não for melhor do que aquilo que você já sabe estar disponível", diz Charlie, "ela não atingiu o requisito mínimo. Isso elimina 99% do que você vê".[22]

A DECISÃO DE VENDER: DUAS BOAS RAZÕES PARA AGIR COM CALMA

O investimento focado é necessariamente uma abordagem de investimentos de longo prazo. Se perguntássemos a Buffett o que ele considera um período ideal para manter as ações, ele responderia "para sempre" — enquanto a empresa continuar gerando resultados acima da média e a gestão alocar os lucros da empresa de maneira racional. "Consideramos que a inatividade seja um comportamento inteligente", explica.[23]

Se você tiver em mãos uma empresa de má qualidade, é necessário girar as ações, porque de outra forma você acabará com os fatores econômicos de um negócio abaixo do seu valor real por um longo tempo. Entretanto, se tiver na carteira uma empresa superior, a última coisa a fazer é vendê-la.

Essa abordagem aparentemente indolente ao gerenciamento de carteira pode parecer bizarra para aqueles acostumados a ativamente comprar e vender ações de forma regular, mas ela apresenta dois importantes benefícios econômicos, além do capital crescente a um índice acima da média:

- *Reduz os custos de transação*. Esta é uma das dinâmicas mais simples, tão óbvia que é facilmente ignorada. A cada vez que você compra ou vende, aciona custos de corretagem que reduzem seus retornos líquidos.
- *Aumenta os retornos depois dos impostos*. Quando vendemos uma ação com lucro, somos atingidos por impostos sobre ganho de capital, desgastando os lucros finais. A solução: deixe estar. Se você não mexer em seus ganhos (chamados de ganhos não realizados), o seu dinheiro ganha juros compostos com mais vigor. No geral, os investidores têm subestimado demais o incrível valor desse ganho não realizado — que Buffett chama de um "empréstimo livre de juros do Tesouro".

Para reforçar seu argumento, Buffett pede para imaginarmos o que aconteceria caso você comprasse um investimento de US$ 1 cujo preço dobra a cada ano. Se você vendesse o investimento ao final do primeiro ano, teria um ganho líquido de US$ 0,66 (supondo que esteja na faixa de tributação de 34%). Agora você reinveste seus US$ 1,66 e o valor dobra ao final do ano. Se o investimento continuar a dobrar em valor a cada ano e você continuar a vender, pagar os impostos e reinvestir o que sobrar, ao final de 20 anos você terá um ganho líquido de US$ 25.200 após pagar US$ 13 mil em impostos. Se, por outro lado, você comprasse um investimento de US$ 1 que dobrasse de valor a cada ano e não fosse vendido no período de 20 anos, você ganharia US$ 692 mil depois de pagar impostos de aproximadamente US$ 356 mil.

A melhor estratégia para obter altos retornos depois do desconto dos impostos é manter a taxa média de giro de sua carteira entre 0 e 20%. Duas estratégias são mais adequadas para reduzir as taxas de giro. Uma delas é se manter em um fundo mútuo indexado, que, por definição, tem um giro mais baixo. Os que preferem um estilo mais ativo de investimento se voltarão à segunda estratégia: uma carteira focada.

O desafio do investimento focado

Meu objetivo até aqui foi apresentar os argumentos para adotar a abordagem de investimento focado que Warren Buffett utiliza com tanto sucesso. Eu estaria proporcionando a você menos que um serviço completo se também não deixasse claro que uma conseqüência inevitável dessa abordagem é a maior volatilidade. Quando a sua carteira se concentra em apenas algumas empresas, uma mudança de preço em qualquer uma de suas ações é muito mais evidente e tem um impacto geral muito maior.

A capacidade de resistir a essa volatilidade sem se deixar abater pelas dúvidas é fundamental para sua paz de espírito e, ao final, para seu sucesso financeiro. Aceitar essa realidade é uma questão de compreender os efeitos emocionais colaterais do investimento, o tópico do Capítulo 11.

As questões financeiras representam as questões mais emocionais de todas, e isso nunca mudará. Mas, ao mesmo tempo, você não precisa ficar constantemente à mercê dessas emoções, a ponto de prejudicar a ação racional. O segredo é manter suas emoções em uma perspectiva apropriada, e isso é muito mais fácil se você compreender a psicologia básica envolvida.

O desafio do sucesso

O desafio de Warren Buffett não é psicológico; ele compreende o lado emocional do investimento tão bem quanto qualquer pessoa e melhor do que a maioria. Seu desafio é manter o nível de retorno que as pessoas passaram a esperar dele. Dois fatores estão envolvidos: primeiro, nos últimos anos, Buffett não encontrou muitas ações que se adequassem aos seus critérios de preço. Esse é um problema do mercado. Em segundo lugar, quando se está dirigindo uma empresa de US$ 100 bilhões, é necessário ter um nível significativo de retorno econômico para mover o ponteiro da velocidade. Esse é um dos problemas do tamanho.

Buffett explica a situação da seguinte forma: "Alguns anos atrás, uma boa idéia de US$ 10 milhões faria maravilhas por nós. Hoje, a combinação de dez idéias como essa e o triplo do valor *de cada uma* aumentaria o patrimônio líquido da Berkshire em apenas um terço de 1%. Precisamos de 'elefantes' para obter ganhos significativos hoje — e eles não são fáceis de encontrar".[24] Isso foi no início de 2002. O patrimônio líquido da Berkshire continuou a crescer desde então e, supostamente, esses elefantes são ainda mais difíceis de encontrar hoje.

A boa notícia para a maioria dos investidores é que eles podem guardar seus rifles de caça de elefantes. A outra boa notícia é que, independentemente do tamanho de seu bolso, os fundamentos do investimento focado ainda se aplicam. Independentemente da quantia de dinheiro que tem para investir, você desejará fazer a mesma coisa que Buffett faz: quando encontrar um evento de alta probabilidade, faça uma grande aposta.

| CAPÍTULO 11 |

A PSICOLOGIA DO DINHEIRO

O estudo relacionado ao que motiva as pessoas é fascinante. Considero particularmente intrigante que isso tenha um papel tão poderoso nos investimentos, um mundo no qual as pessoas geralmente acreditam ser dominado por números frios e dados sem alma. Quando se trata de decisões de investimento, nosso comportamento é por vezes errático, muitas vezes contraditório e ocasionalmente tolo. Algumas vezes nossas decisões ilógicas são repetidamente ilógicas; noutras, nenhum padrão é discernível. Tomamos boas decisões por razões inexplicáveis e decisões ruins sem nenhuma razão.

O que é alarmante, e o que todos os investidores precisam entender, é que eles normalmente não estão conscientes de suas decisões ruins. Para compreender plenamente os mercados e os investimentos, precisamos entender nossa própria irracionalidade. Isso é tão valioso para um investidor quanto ser capaz de analisar um balanço patrimonial e um demonstrativo de resultado.

Trata-se de um estudo complexo, desconcertante e intrigante. Poucos aspectos da existência humana são mais motivados pelas emoções do que nossa relação com o dinheiro. E as duas emoções que impulsionam as decisões de forma mais profunda são o medo e a ganância. Motivados por medo ou ganância, ou ambos, os investidores freqüentemente compram ou vendem ações a preços irracionais, muito acima ou abaixo do valor intrínseco de uma empresa. Para dizer a mesma coisa de outra forma, os sentimentos do investidor têm um impacto mais pronunciado nos preços da ação dos que os fundamentos da empresa.

Muito do que motiva as decisões das pessoas em relação a compras de ações pode ser explicado apenas com princípios do comportamento humano. E, como o mercado é, por definição, as decisões coletivas tomada por todos os compradores de ações, não é um exagero dizer que as forças psicológicas puxam e empurram o mercado como um todo.

Qualquer pessoa que espere participar de forma lucrativa no mercado, portanto, deve levar em consideração o impacto da emoção. Trata-se de uma questão de dois lados: manter seu próprio perfil emocional sob controle o máximo possível e manter-se alerta para ocasiões nas quais as decisões de outros investidores motivados pela emoção lhe apresentem uma oportunidade de ouro.

> "O sucesso nos investimentos não tem correlação com o QI, desde que o seu seja maior que 125. Se tiver uma inteligência mediana, o que você precisa é de disciplina para controlar os impulsos que fazem com que as outras pessoas tenham problemas nos investimentos.[1]"
>
> WARREN BUFFETT, 1999

O primeiro passo para ponderar de forma adequada o impacto da emoção no investimento é entendê-lo. Felizmente, há boas informações disponíveis. Nos últimos anos, os psicólogos voltaram sua atenção a como princípios estabelecidos do comportamento humano se desenvolvem quando se trata de dinheiro. Essa mistura de economia e psicologia é conhecida como finanças comportamentais e só agora está descendo das torres de marfim das universidades para integrar as conversas informadas entre profissionais de investimento — que, se olharem para trás, verão a sombra do sorridente Ben Graham.

O temperamento de um verdadeiro investidor

Graham, como sabemos, incentivou impetuosamente seus alunos a entenderem a diferença básica entre um investidor e um especulador. O especulador, dizia ele, tenta prever e lucrar com as mudanças de preços; os investidores procuram só adquirir empresas a preços razoáveis. Ele explicou: o investidor de sucesso é muitas vezes a pessoa que conseguiu moldar um determinado temperamento — é calmo, paciente, racional. Os especuladores têm o temperamento oposto: são ansiosos, impacientes, irracionais. Seu pior inimigo não é o mercado de ações, mas eles próprios. Eles podem muito bem ter competências superiores em matemática, finanças e contabilidade, mas, se não conseguirem dominar as emoções, não estarão adaptados para lucrar com o processo de investimento.

Graham entendia a areia movediça emocional do mercado tão bem quanto qualquer psicólogo moderno, talvez até melhor. Sua noção de que os verdadeiros investidores podem ser reconhecidos tanto por seu temperamento quanto por suas habilidades é tão adequada nos dias de hoje quanto o foi no passado.

Os investidores possuem as características descritas a seguir.

Verdadeiros investidores são calmos. Eles sabem que os preços das ações, influenciados por tanto por forças racionais quanto por forças irracionais, cairá e subirá, e que isso inclui as ações que eles possuem. Quando isso acontece, eles reagem com tranqüilidade; sabem que, desde que a empresa retenha as qualidades que os atraíram como investidores no início, o preço voltará a subir. No meio tempo, não entram em pânico.

Sobre este ponto, Buffett é duro: você só deve estar no mercado de ações se for capaz de observar seu preço cair 50% sem entrar em pânico. Na verdade, acrescenta ele, enquanto você se sentir bem em relação aos negócios que possui, receberá os preços mais baixos de braços abertos, enxergando neles uma forma de aumentar sua participação de forma lucrativa.

No extremo oposto, os verdadeiros investidores também mantêm a calma diante do que podemos chamar de influência das massas. Quando uma ação, um setor ou um fundo mútuo se vê repentinamente sob os holofotes, a multidão se apressa naquela direção. O problema é que, quando todos estão fazendo as mesmas escolhas porque "todos" sabem que é o melhor a fazer, ninguém está em posição de lucrar. Em observações publicadas na *Fortune* no final de 1999, Buffett falou sobre o fator "não posso ficar de fora da festa" que contagiou tantos investidores otimistas.[2] Seu alerta parece ser: os verdadeiros investidores não se preocupam em perder a festa; eles se preocupam em chegar despreparados à festa.

Verdadeiros investidores são pacientes. Em vez de se deixar levar pela onda de entusiasmo da multidão, os verdadeiros investidores aguardam a oportunidade certa. Eles dizem "não" com mais freqüência do que dizem "sim". Buffett recorda que, quando trabalhou para a Graham-Newman analisando ações para possível compra, Ben Graham recusava suas recomendações na maioria das vezes. Graham, Buffett nos conta, nunca se dispunha a comprar uma ação a não ser que todos os fatos estivessem a seu favor. A partir dessa experiência, Buffett aprendeu que a capacidade de dizer não representa uma enorme vantagem para um investidor.

> "Não precisamos ser mais espertos do que os outros; precisamos ser mais disciplinados do que os outros.[3]"
>
> WARREN BUFFETT, 2002

Buffett acredita que investidores demais hoje em dia sentem necessidade de comprar ações demais, a maioria das quais com certeza é medíocre, em vez de esperar pelas poucas empresas excepcionais. Para reforçar a lição de Graham, Buffett costuma usar a analogia do cartão perfurado. "Um investidor", afirma ele, "deve agir como se tivesse um cartão de decisões para a vida inteira com lugar para apenas vinte perfurações. Com cada decisão de investimento, seu cartão é perfurado e ele tem uma decisão a menos disponível para o resto de sua vida".[4] Se os investidores se restringissem dessa forma, Buffett acredita que seriam forçados a esperar pacientemente até o surgimento de uma grande oportunidade de investimento.

Verdadeiros investidores são racionais. Eles abordam o mercado, e o mundo, de um ponto de vista lúcido. Eles não são indevidamente pessimistas nem irracionalmente otimistas; são, ao contrário, lógicos e racionais.

Buffett acha estranho que tantas pessoas costumem não gostar de mercados que estão a seu favor e prefiram os mercados que estão continuamente colocando-as em desvantagem. Elas se sentem otimistas quando os preços de mercado estão em alta e pessimistas quando os preços caem. Se esses investidores prosseguem para o próximo passo e colocam seus sentimentos em ação, o que fazem? Vendem a preços mais baixos e compram a preços mais altos — algo que está longe de ser a estratégia mais lucrativa.

O otimismo indevido ataca quando os investidores pressupõem afobadamente que de alguma forma a sorte lhes sorrirá e a ação que escolheram comprar será aquela dentre cem que realmente decolará. Isso é especialmente predominante em mercados em alta, quando as grandes expectativas são comuns. Os otimistas não vêem necessidade de fazer as pesquisas e as análises fundamentais que iluminaram os verdadeiros vendedores de longo prazo (isto é, encontrar poucas boas oportunidades entre todas as ponto.com similares umas em relação às outras), uma vez que os resultados de curto prazo são tão sedutores.

O pessimismo indevido, direcionado a uma empresa ou ao mercado em geral, motiva os investidores a vender exatamente no momento errado. Do ponto de vista de Buffett, os verdadeiros investidores se comprazem quando o resto do mundo se volta ao pessimismo, porque eles vêem a situação como ela de fato é: um momento perfeito para comprar boas empresas a preços de pechincha. O pessimismo, ele diz, "é a causa mais comum dos baixos preços... Queremos fazer negócios em um ambiente como esse, não porque gostamos do pessimismo, mas porque gostamos dos preços que isso gera. O otimismo é que é o inimigo do comprador racional".[5]

O fato de um investidor se sentir otimista ou pessimista é resultado do que o investidor pensa sobre o futuro. Prever a próxima coisa que vai acontecer é, na melhor das hipóteses, ilusório e absolutamente tolo quando o otimismo (ou o pessimismo) se baseia mais nas emoções do que em pesquisas. Buffett, que em uma circunstância observou que "o único valor dos previsores de ações é fazer com que os videntes pareçam mais profissionais", não tenta prever os períodos nos quais o mercado tende a subir ou descer.[6] Em vez disso, ele fica de olho no tom emocional do mercado em geral e age de acordo. "Simplesmente tentamos", ele explica, "ter medo quando os outros são gananciosos e ser gananciosos enquanto os outros estão com medo".[7]

Apresentando o Sr. Mercado

Para demonstrar aos seus alunos como as emoções estão fortemente relacionadas às flutuações do mercado de ações e ajudá-los a reconhecer a tolice de sucumbir às emoções, Graham criou um personagem alegórico que chamou de "Sr. Mercado". Buffett sempre conta a história do Sr. Mercado aos acionistas da Berkshire.

Imagine que você e o Sr. Mercado sejam sócios em um negócio privado. Todos os dias, invariavelmente, o Sr. Mercado dá a cotação de um preço pelo qual está disposto a comprar sua participação ou vender-lhe a dele. O negócio de vocês tem a sorte de apresentar características econômicas estáveis, mas as cotações do Sr. Mercado são tudo menos estáveis. Isso porque o Sr. Mercado é emocionalmente instável. Em alguns dias ele está alegre e muito otimista e só consegue enxergar os dias felizes. Nesses dias, ele oferece um preço muito alto pelas ações do seu negócio. Em outras ocasiões, o Sr. Mercado está abatido e terrivelmente pessimista; só enxergando os problemas pela frente, ele cota um preço muito baixo pelas suas ações do negócio.

O Sr. Mercado tem outra característica encantadora, segundo Graham: ele não se importa de ser esnobado. Se as cotações do Sr. Mercado forem ignoradas, ele voltará amanhã com uma nova oferta. Graham alertava seus alunos que o bolso do Sr. Mercado, e não a sua sabedoria, é que é útil. Se o Sr. Mercado aparecer com uma disposição imprudente, você pode tanto escolher ignorá-lo como se aproveitar dele, mas cair sob sua influência será desastroso .

"O investidor que se permite fugir em pânico ou se preocupar sem necessidade com quedas injustificadas em sua carteira está transformando sua vantagem básica em uma desvantagem básica", Graham escreveu. "Esse homem estaria em melhores condições se suas ações não tivessem nenhuma cotação de mercado, já que ele seria poupado da angústia mental imposta a ele pelos erros de avaliação de outra pessoa".[8]

Para ter sucesso, os investidores precisam de uma boa capacidade de julgamento do negócio e a capacidade de se proteger do turbilhão emocional causado pelo Sr. Mercado. Uma não basta sem a outra. Um fator importante do sucesso de Buffett é que ele sempre foi capaz de se distanciar das forças emocionais do mercado de ações. Ele dá a

Ben Graham e ao Sr. Mercado os créditos por lhe ensinar a se manter isolado da tolice do mercado.

Sr. Mercado, apresento-lhe Charlie Munger

Já se vão mais de 60 anos desde que Ben Graham apresentou o Sr. Mercado, e 60 anos desde que começou a escrever sobre a irracionalidade existente no mercado. Contudo, em todo esse tempo, houve pouca mudança aparente no comportamento do investidor. Os investidores ainda agem de maneira irracional. Os erros tolos ainda são a ordem do dia. O medo e a ganância ainda permeiam o mercado.

Podemos, por meio de vários estudos acadêmicos e levantamentos, analisar a tolice dos investidores. Se seguirmos o exemplo de Warren Buffett, podemos tirar vantagem do medo ou da ganância das outras pessoas. Porém, para entender completamente a dinâmica das emoções nos investimentos, nos voltaremos a outra pessoa: Charlie Munger.

A compreensão de Munger sobre como a psicologia afeta os investidores e sua insistência em levar isso em consideração influenciaram muito as operações da Berkshire Hathaway. Essa é uma de suas mais profundas contribuições. Mais especificamente, ele enfatiza o que chama de *psicologia da má decisão*: o que, na natureza humana, induz as pessoas a cometer erros de avaliação?

> “Eu cheguei à psicologia da má decisão quase contra minha vontade; eu a rejeitei até que percebi que minha atitude estava me custando muito dinheiro.[9]”
>
> CHARLIE MUNGER, 1995

Munger acredita que um problema central é que o nosso cérebro tende a pegar atalhos analíticos. Chegamos a conclusões muito rapidamente. Nós nos desviamos do caminho com facilidade e somos inclinados à manipulação. Para compensar isso, Munger desenvolveu um hábito mental que lhe tem sido bastante útil. “Eu, pessoalmente, apanhei tanto que hoje uso um tipo de análise dupla”, afirmou em um discurso de 1994, publicado na *Outstanding Investor Digest*. “Em primeiro lugar, identifico quais os fatores que de fato governam os interesses envolvidos, ponderados de forma racional. E, em segundo lugar, quais são as influências subconscientes que o cérebro, em nível inconsciente, processa automaticamente — em geral com resultados úteis, mas muitas vezes com distorções".[10]

Finanças comportamentais

Em muitos aspectos, Charlie Munger é um verdadeiro pioneiro. Ele já pensava, e falava, sobre os aspectos psicológicos do comportamento do mercado muito antes de estes começarem a ser alvo da atenção de outros profissionais do investimento. Isso, entretanto, está começando a mudar. As finanças comportamentais são hoje uma área de estudo bem aceita no departamento de economia das grandes universidades. Podemos citar como exemplo o trabalho conduzido por Richard Thaler, da University of Chicago.

Ao notar que as pessoas muitas vezes cometem erros tolos e usam premissas ilógicas ao lidar com suas próprias questões financeiras, alguns acadêmicos, incluindo Thaler, começaram a se aprofundar nos conceitos psicológicos para explicar as irracionalidades do pensamento humano. Apesar de este ser um campo de estudo relativamente novo, o que está sendo descoberto é fascinante, bem como extremamente útil para os investidores inteligentes.

Excesso de confiança

Vários estudos psicológicos demonstraram que os erros de avaliação ocorrem porque os indivíduos assumem, em geral, uma atitude confiante demais. Se você perguntar a uma grande amostra de pessoas se acreditam que suas habilidades de direção são acima da média, a maioria absoluta dirá que são excelentes motoristas. Outro exemplo: quando questionados, os médicos acreditam poder diagnosticar uma pneumonia com 90% de segurança quando, na verdade eles estão certos apenas em 50% das vezes.

A confiança por si só não é ruim. Já o excesso de confiança é outro departamento e pode ser prejudicial, principalmente quando lidamos com questões financeiras. Os investidores confiantes demais não somente tomam decisões irracionais para si mesmos, como também exercem um efeito poderoso no mercado como um todo.

O excesso de confiança explica por que tantos investidores fazem escolhas erradas. Eles confiam demais nas informações que coletam e acham que elas estão mais corretas do que de fato estão. Assim, se todos os participantes do mercado acreditam que suas informações estão certas e que sabem de algo que os outros não sabem, o resultado é um enorme volume de transações.

VIÉS DE SOBRE-REAÇÃO

Thaler fez referências a vários estudos que demonstram que as pessoas dão ênfase demais a alguns eventos aleatórios, achando que descobriram uma tendência. Os investidores, em particular, tendem a se fixar na informação mais recente que receberam e extrapolar inferências a partir dela; assim, o último relatório de lucros se transforma, em suas mentes, em um indicativo de lucros futuros. Dessa maneira, acreditando que estão enxergando algo que os outros não perceberam, eles tomam decisões rápidas baseadas em um raciocínio superficial.

Isso ocorre, em parte, pelo excesso de confiança – isto é, por acreditar que compreendemos os dados de forma mais clara do que os outros e que conseguimos interpretá-los melhor. O problema é maior do que isso, porém. As reações exageradas *agravam* o excesso de confiança. Os estudiosos do comportamento descobriram que as pessoas tendem a reagir de forma exagerada às más notícias e reagir lentamente às boas notícias. Os psicólogos chamam esse fenômeno de *viés de sobre-reação* (*overreaction bias*). Assim, se o relatório dos lucros de curto prazo não for bom, a resposta do investidor típico é uma reação exagerada, com seu efeito inevitável sobre os preços das ações.

Thaler descreve essa ênfase excessiva no curto prazo como "miopia" do investidor e acredita que a maioria dos investidores ganharia mais caso não recebesse demonstrativos mensais. Em um estudo conduzido com outros economistas comportamentais, ele comprovou sua idéia de forma radical.

Thaler e seus colegas solicitaram a um grupo de estudantes que dividissem uma carteira hipotética entre ações e Letras do Tesouro. Mas, antes, eles se sentaram com os alunos em frente a um computador e simularam os retornos da carteira ao longo de um período de 25 anos. Metade dos estudantes recebeu montanhas de informações, representando a natureza volátil do mercado com preços em constante mudança. O outro grupo só recebeu resultados de desempenho periódico mensurados em períodos de cinco anos. Depois, Thaler pediu a cada grupo que distribuísse sua carteira para os próximos 40 anos.

O grupo que foi bombardeado com toneladas de informações, algumas das quais inevitavelmente indicavam perdas, alocou apenas 40% do dinheiro no mercado de ações; o grupo que só recebeu informações periódicas alocou quase 70% de sua carteira em ações. Thaler, que ministra palestras todos os anos na Conferência Comportamental, patrocinada pelo National Bureau of Economic Research e a John F. Kennedy School of Government da Harvard, disse ao grupo: "Meu conselho para vocês é investir em ações e depois não abrir a correspondência".[11]

Essa pesquisa experimental, bem como outras, comprova de maneira inteligente a noção de Thaler da miopia do investidor — a falta de visão que leva a decisões tolas. Parte da razão pela qual a miopia provoca uma reação tão irracional reside em outro fator psicológico: nosso desejo inato de evitar perdas.

Aversão à perda

De acordo com os estudiosos do comportamento, a dor da perda é muito maior do que o prazer do ganho. Diversos experimentos, conduzidos por Thaler e outros, demonstraram que as pessoas precisam do dobro do positivo para superar um negativo. Em uma aposta 50/50, com chances exatamente iguais, a maioria das pessoas não arriscaria nada, a não ser que o ganho potencial fosse o dobro da perda potencial.

Isso é conhecido como *aversão assimétrica à perda*: as desvantagens exercem um impacto muito maior que as vantagens, o que representa um aspecto fundamental da psicologia humana. Aplicado ao mercado de ações, isso significa que os investidores se sentem duas vezes pior em relação a perder dinheiro do que se sentem bem quando escolhem uma ação vencedora.

Tal aversão à perda torna os investidores conservadores demais, a um custo muito alto. Todos nós queremos acreditar que tomamos boas decisões, de forma que nos apegamos às más escolhas por tempo demais, na vaga esperança de que as coisas mudarão. Se não vendemos nossas ações perdedoras, nunca precisamos confrontar nosso fracasso.

Entretanto, se você não vende um erro, está potencialmente abrindo mão de um ganho que poderia receber caso reinvestisse seu dinheiro de forma inteligente.

Contabilidade mental

Um último aspecto das finanças comportamentais que merece a nossa atenção é o que os psicólogos passaram a chamar de *contabilidade mental*. Este termo se refere ao hábito de mudar nossa perspectiva sobre o dinheiro à medida que as circunstâncias se alteram. Tendemos a colocar mentalmente o dinheiro em "contas" diferentes, o que determina como pensamos em utilizá-lo.

Isso pode ser ilustrado com uma situação simples. Imagine que você e sua esposa tenham acabado de voltar de uma saída romântica à noite. Você apanha sua carteira para pagar a babá, mas descobre que já não tem aquela nota de US$ 20 que achava ter. Assim, depois de levar a babá para casa, você pára em um caixa eletrônico para sacar mais US$ 20. No dia seguinte, você descobre a primeira nota de US$ 20 no bolso do paletó.

Se você for como a maioria das pessoas, ficará exultante. Os US$ 20 no paletó é dinheiro "achado". Apesar de os US$ 20 iniciais e os outros US$ 20 terem vindo da mesma conta, e ambos representarem um dinheiro pelo qual você trabalhou duro, a nota de US$ 20 que tem em mãos é um dinheiro que você não esperava ter – e por isso você se sente livre para gastá-lo de forma frívola.

Novamente, Richard Thaler nos brinda com um experimento acadêmico interessante para demonstrar esse conceito. Nesse estudo, ele começou com dois grupos de pessoas. As pessoas do primeiro grupo receberam US$ 30 cada e foram informados de que tinham duas opções: (1) poderiam embolsar o dinheiro e ir embora, ou (2) poderiam apostar o dinheiro no cara ou coroa. Se ganhassem, receberiam mais US$ 9 dólares e, se perdessem, teriam US$ 9 dólares a menos. A maioria (70%) aceitou a aposta porque achavam que acabariam ao menos com US$ 21 de dinheiro "achado". Às pessoas do segundo grupo foi apresentada uma escolha diferente: (1) elas poderiam apostar no cara ou coroa — se ganhassem, receberiam US$ 39 e, se perdessem, receberiam US$ 21; ou (2) poderiam sair com US$ 30 sem apostar nada.

Mais de metade (57%) decidiu pegar o dinheiro garantido. Ambos os grupos de pessoas poderiam ganhar exatamente a mesma quantia de dinheiro com exatamente as mesmas chances, mas perceberam a situação de forma diferente.[12]

Tolerância ao risco

Da mesma forma como um ímã poderoso atrai todos os pedaços de metal das proximidades, o seu nível de tolerância ao risco atrai todos os elementos da psicologia das finanças. Os conceitos psicológicos são abstratos, mas se concretizam nas decisões diárias que você toma em relação a comprar ou vender. O elemento em comum em todas essas decisões é a forma como você se sente no que tange ao risco.

Nos últimos dez anos, mais ou menos, os investidores profissionais têm dedicado uma energia considerável a ajudar as pessoas a avaliar sua própria tolerância ao risco. No início, a tarefa parecia simples. Utilizando entrevistas e questionários, eles poderiam montar um perfil de risco para cada investidor. O problema é que a tolerância das pessoas ao risco está fundamentada nas emoções, o que significa que ela muda de acordo com as diferentes circunstâncias. Quando o mercado cai dramaticamente, mesmo os indivíduos com perfil agressivo ficam muito cautelosos. Em um mercado em alta, investidores supostamente conservadores compram mais ações tão rapidamente quanto os investidores agressivos.

Um panorama real da tolerância ao risco requer o aprofundamento da análise das questões normais de avaliação e a investigação de questões motivadas pela psicologia. Alguns anos atrás, em colaboração com o doutor Justin Green da Villanova University, desenvolvi uma ferramenta de análise de risco que se concentra tanto na personalidade como nos fatores de risco mais evidentes e diretos.

Resumindo nossa pesquisa, descobrimos que a propensão ao risco se relaciona com dois fatores demográficos: sexo e idade. As mulheres costumam ser mais cautelosas que os homens, e as pessoas mais velhas estão menos dispostas a assumir riscos do que as mais jovens. Observando os fatores de personalidade, descobrimos que o investidor com nível mais alto de tolerância ao risco será alguém que estabelece metas, e acredita que tem o controle do ambiente e que pode afetar seu resultado. Essas pessoas encaram o mercado de ações como um dilema contingencial no qual as informações combinadas com as escolhas racionais produzirão bons resultados.

Para os investidores, as implicações das finanças comportamentais são claras: as formas como decidimos investir e como escolhemos administrar esses investimentos têm muito a ver com a maneira como pensamos sobre o dinheiro. A contabilidade mental foi sugerida como uma razão adicional pela qual não vendemos ações que não estão apresentando um bom desempenho: na nossa cabeça, a perdas só se tornarão reais se agirmos em reação a elas. Outra relação poderosa tem a ver com o risco. É muito mais provável assumirmos riscos com dinheiro "achado". Em uma escala mais ampla, a contabilidade mental salienta um ponto fraco da hipótese do mercado eficiente: ela demonstra que os valores de mercado são definidos não somente pelas informações agregadas, mas também pela maneira como os seres humanos processam tais informações.

A psicologia do investimento

Tudo o que aprendemos sobre psicologia e investimento se consolida na pessoa de Warren Buffett. Ele confia em suas próprias pesquisas e não na sorte. Age de acordo com metas cuidadosamente definidas e não se deixa levar por eventos de curto prazo. Ele compreende os verdadeiros elementos do risco e aceita as conseqüências com segurança.

Muito antes de as finanças comportamentais receberem um nome, o conceito era compreendido e aceito por alguns renegados, como Warren Buffett e Charlie Munger. Charlie salienta que, quando ele e Buffett se formaram na faculdade, "entraram no mundo dos negócios e encontraram padrões enormes e previsíveis de irracionalidade extrema".[13] Com isso ele não se refere a prever o *timing*, mas sim à idéia de que, quando a irracionalidade ocorre, leva a padrões previsíveis de comportamento subseqüente.

Quando se trata de investir, as emoções são muito reais, no sentido de que afetam o comportamento das pessoas e, em conseqüência, os preços de mercado. Tenho certeza de que você já percebeu duas razões pelas quais a compreensão da dinâmica humana é tão valiosa em seus próprios investimentos:

- Você terá diretrizes para ajudá-lo a evitar os erros mais comuns.
- Você será capaz de reconhecer os erros das outras pessoas a tempo de lucrar com eles.

Todos somos vulneráveis a erros de julgamento que podem afetar nosso sucesso pessoal. Quando milhares ou milhões de pessoas cometem erros de julgamento, o impacto coletivo é empurrar o mercado em uma direção destrutiva. Então, a tentação de seguir a multidão é tão forte que os erros acumulados de julgamento só se multiplicam. Em um mar turbulento de comportamento irracional, os poucos que agem racionalmente podem ser os únicos sobreviventes.

Os investidores focados bem-sucedidos precisam desenvolver um determinado tipo de temperamento. O caminho é sempre tortuoso, e conhecer o trajeto correto a ser seguido é muitas vezes contra-intuitivo. Os altos e baixos constantes do mercado de ações podem ser perturbadores, fazendo com que os investidores ajam de maneira irracional. Você precisa ficar alerta em relação a essas emoções e estar preparado para agir com lógica, mesmo se seus instintos exigirem o comportamento oposto. Entretanto, conforme aprendemos, as recompensas futuras do investimento focado são significativas o bastante para justificar tal esforço.

| CAPÍTULO 12 |

O HOMEM IRRACIONAL

George Bernard Shaw escreveu: "O homem racional se adapta ao mundo. O irracional insiste em adaptar o mundo a si mesmo. Desta forma, todo o progresso depende do homem irracional".[1]

Devemos concluir que Buffett é um "homem irracional"? Para isso, devemos supor que sua abordagem de investimento representa um progresso no mundo financeiro, uma suposição que faço sem restrições. Quando analisamos as realizações recentes dos homens "racionais", vemos, na melhor das hipóteses, irregularidade e, na pior, desastre.

A década de 1980 provavelmente será lembrada como a década do *Choque Futuro* da administração financeira. Operações programadas, aquisições alavancadas, títulos de segunda linha, títulos derivativos e futuros indexados amedrontaram muitos investidores. As distinções entre os administradores de recursos financeiros ficaram mais obscuras. As análises meticulosas da pesquisa fundamental foram substituídas pela velocidade dos computadores. As caixas-pretas substituíram as entrevistas e a investigação da gestão das empresas em análise. A automação substituiu a intuição.

O final da década de 1990 foi ainda pior. Aquele frenético e supervalorizado fenômeno do mercado geralmente conhecido como a explosão das ponto.com fracassou de forma desastrosa. Warren Buffett chamou o fenômeno de "A Grande Bolha". Todos sabemos o que acontece com as bolhas quando elas crescem demais: elas se rompem, espalhando um resíduo grudento em todos os que estiverem por perto. Muitos investidores se desencantaram e se afastaram do mercado financeiro. As conseqüências do mercado em baixa por três anos, de 2000 a 2002, deixaram muita gente com um gosto amargo na boca. Mesmo agora, com tantos administradores de recursos financeiros incapazes de agregar valor às carteiras dos clientes, é fácil entender por que o investimento passivo se tornou tão popular.

Ao longo das últimas décadas, os investidores flertaram com diversas abordagens de investimento. Periodicamente, a pequena capitalização, a grande capitalização, o crescimento, o valor, o *momentum* do mercado, a temática e a rotação de setores se provaram financeiramente gratificantes. Em outros momentos, essas abordagens deixaram seus seguidores na mão em períodos de mediocridade. Buffett, a exceção, não enfrentou períodos de mediocridade. Seu desempenho nos investimentos, amplamente documentado, tem sido repetidamente superior. Enquanto tanto os investidores quanto os especuladores se deixavam distrair por abordagens esotéricas do investimento, Buffett acumulava sem alardes uma fortuna de vários bilhões de dólares. Em geral, os negócios têm sido suas ferramentas, e o bom senso, sua filosofia.

Como ele conseguiu isso?

Dado o sucesso documentado do desempenho de Warren Buffett aliado à simplicidade de sua metodologia, a pergunta mais adequada é: por que os outros investidores não aplicam sua abordagem? A resposta pode residir em como as pessoas pensam sobre os investimentos.

Quando Buffett investe, ele enxerga um negócio. A maioria dos investidores só vê o preço das ações. Eles gastam tempo e esforço demais observando, prevendo e buscando se adiantar às alterações dos preços, e muito pouco tempo entendendo o negócio do qual são proprietários parciais. Por mais básico que isso possa ser, é a raiz que distingue Buffett.

> “O mercado de ações é simples. Tudo o que você faz é comprar ações de um grande negócio por menos do que o negócio vale intrinsecamente, com uma gestão da mais alta integridade e competência. Depois, você mantém essas ações para sempre.[2]”
>
> WARREN BUFFETT, 1990

Enquanto outros investidores profissionais estão ocupados estudando modelos de precificação de ativos financeiros, o beta[3] e a teoria moderna do portfólio, Buffett estuda demonstrativos de resultado, requisitos de reinvestimento de capital e os recursos geradores de ativos de suas empresas. Sua experiência prática com uma ampla variedade de negócios em muitos setores distingue Buffett de todos os outros investidores profissionais. "É possível explicar a um peixe como é viver fora da água?", Buffett pergunta. "Um dia fora d'água equivale a milhares de anos de reflexão a respeito, e um dia gerenciando um negócio tem exatamente o mesmo tipo de valor".[4]

De acordo com Buffett, o investidor e o homem de negócios deveriam encarar a empresa da mesma maneira, porque ambos querem essencialmente a mesma coisa. O homem de negócios quer comprar a empresa inteira e o investidor quer comprar partes da empresa. Teoricamente, o homem de negócios e o investidor, para lucrar, deveriam analisar as mesmas variáveis.

Se adaptar a estratégia de investimento de Buffett exigisse apenas uma mudança de perspectiva, provavelmente mais investidores se tornariam defensores dessa abordagem. Entretanto, a aplicação da abordagem de Buffett requer mudar não somente a perspectiva, mas também como o desempenho é avaliado e comunicado. A medida tradicional de desempenho é a alteração do preço: a diferença entre o que você originalmente pagou por uma ação e seu preço de mercado hoje.

No longo prazo, o preço de mercado de uma ação deve se aproximar da mudança de valor do negócio. Entretanto, no curto prazo, os preços podem variar radicalmente acima e abaixo do valor de uma empresa por quaisquer razões ilógicas. Permanece o problema de que a maioria dos investidores utiliza essas mudanças de preços de curto prazo para estimar o sucesso ou fracasso de sua abordagem de investimento, mesmo apesar de as mudanças freqüentemente terem pouca relação com o valor econômico dinâmico do negócio e muita relação com a tentativa de prever o comportamento por parte dos outros investidores.

Para piorar ainda mais as coisas, os clientes exigem que os profissionais informem o desempenho em períodos trimestrais. Sabendo que devem melhorar o desempenho de curto prazo ou encarar o risco de perder os clientes, os investidores profissionais se tornam obcecados em perseguir os preços das ações.

> "O mercado está aí somente como um ponto de referência para ver se alguém está se oferecendo para fazer algo tolo.[5]"
>
> WARREN BUFFETT, 1988

Buffett acredita ser tolice utilizar os preços de curto prazo para avaliar o sucesso de uma empresa. Em vez disso, ele permite que suas empresas lhe informem seu valor em termos de progresso econômico. Uma vez por ano, ele verifica uma série de variáveis:

- retorno sobre patrimônio líquido inicial;
- mudanças nas margens operacionais, níveis de endividamento e necessidades de despesas de capital;
- capacidade de geração de caixa da empresa.

Se esses indicadores econômicos estão melhorando, ele sabe que o preço das ações, no longo prazo, deverá refletir isso. O que acontece ao preço das ações no curto prazo não tem conseqüência alguma.

O jeito Warren Buffett de investir

O principal objetivo deste livro é ajudar os investidores a entender e empregar as estratégias de investimento que fizeram o sucesso de Buffett. Espero que, ao aprender com as experiências deste grande investidor, você seja capaz de seguir em frente e aplicar seus métodos. Talvez no futuro você possa ver exemplos de compras no "estilo Buffett" e estará em posição de lucrar com esses ensinamentos.

Por exemplo...

- quando o mercado de ações força o preço de um bom negócio para baixo, como aconteceu com o Washington Post; ou
- quando um risco específico temporariamente pune um negócio, como aconteceu com o Wells Fargo; ou
- quando a indiferença dos investidores permite que um negócio superior como a Coca-Cola seja vendido pela metade do preço em relação a seu valor intrínseco,

... os investidores que sabem como pensar e agir como Buffett serão recompensados.

Investir igual a Warren Buffett é ilusoriamente simples. Não há programas de computador para aprendê-lo, nem volumosos manuais de investimentos a decifrar. Não há nada de científico sobre avaliar um negócio e pagar um preço que esteja abaixo do valor desse negócio. "O que fazemos não está além da capacidade de qualquer pessoa", Buffett afirma. "Simplesmente, não é necessário fazer coisas extraordinárias para obter resultados extraordinários."[6]

A ironia é que o sucesso de Buffett reside, em parte, no fracasso dos outros. "Tem sido muito útil para mim", ele explica, "ter dezenas de milhares [de alunos] aprendendo nas faculdades de administração que pensar não traz benefício algum".[7] Eu não estou sugerindo aqui que Buffett seja mediano — longe disso. Ele é inquestionavelmente brilhante. Mas a lacuna entre Buffett e os outros investidores profissionais é ampliada pela própria disposição destes últimos a jogar um jogo que Buffett escolhe não jogar. Os leitores deste livro têm a mesma escolha.

Independentemente de você ser financeiramente capaz de comprar 10% de uma empresa ou meras centenas de ações, o jeito de Warren Buffett investir pode ajudá-lo a atingir retornos lucrativos dos investimentos. Entretanto, essa abordagem só ajudará os investidores que estiverem dispostos a se ajudar. Para ter sucesso, você deve estar disposto a pensar por conta própria. Se precisar de afirmação constante, especialmente do mercado de ações, de que suas decisões de investimento estão corretas, você reduzirá seus benefícios. Porém, se você puder desenvolver um pensamento independente, aplicar métodos relativamente simples e ter a coragem de suas convicções, aumentará muito suas chances de lucrar.

Sempre que as pessoas tentam algo novo, há uma apreensão inicial. Adotar uma estratégia de investimento nova e diferente naturalmente evocará certo desconforto. Para investir ao estilo de Warren Buffett, o primeiro passo é o mais desafiador. Se você conseguir dominar esse primeiro passo, o resto do caminho será fácil.

PASSO 1: DESLIGUE-SE DO MERCADO DE AÇÕES

Lembre-se de que o mercado de ações é bipolar. Algumas vezes ele está extremamente animado com as perspectivas futuras e em outras vezes, fica deprimido sem motivo algum. Obviamente, esse comportamento cria oportunidades, especialmente quando as ações de negócios espetaculares estão disponíveis a preços ilogicamente baixos.

Entretanto, da mesma forma como você não aceitaria conselhos de um indivíduo bipolar, você não deve permitir que o mercado determine suas ações.

O mercado de ações não é um professor; ele existe meramente para ajudá-lo com a mecânica de compra e vendas de ações. Se acreditar que o mercado de ações é mais esperto que você, invista seu dinheiro em fundos de índice. Porém, se você fez sua lição de casa, entende seu negócio e está confiante de que sabe mais sobre ele do que o mercado de ações, desligue-se do mercado.

Buffett não tem um terminal de cotações de ações no seu escritório e parece estar se saindo muito bem sem ele. Se você planeja manter ações de um negócio brilhante por um determinado número de anos, o que acontece no mercado no dia-a-dia não tem conseqüência alguma. Embora seja preciso checar regularmente o mercado, para ver se algo aconteceu de modo a lhe apresentar uma oportunidade atraente, você logo descobrirá que sua carteira resiste bem aos golpes de vento e às pancadas de chuva mesmo se você não verificar constantemente os preços do mercado.

"Depois que compramos determinadas ações, não nos perturbaríamos se os mercados fechassem por um ano ou dois", diz Buffett. "Não precisamos de uma cotação diária de nossa posição de 100% na See's ou na H.H. Brown para validar nosso bem-estar. Por que, então, deveríamos ter cotações de nossa participação de 7% [hoje, mais de 8%] na Coca-Cola?"[8]

Buffett está nos dizendo que não precisa dos preços do mercado para validar os investimentos da Berkshire em ações ordinárias. O mesmo se aplica aos investidores individuais. Você sabe que se aproximou do nível de Buffett quando sua atenção se volta ao mercado de ações e a única pergunta em sua cabeça é: "Alguém fez alguma tolice que me dará uma oportunidade comprar um bom negócio a um preço excelente?"

Passo 2: Não se preocupe com a economia

Da mesma forma como as pessoas passam horas infrutíferas se preocupando com o mercado de ações, elas também se preocupam desnecessariamente com a economia. Se você se pegar discutindo e debatendo sobre a possibilidade de a economia apontar para um crescimento ou indicar uma recessão, sobre o aumento ou queda das taxas de juros ou se há inflação ou desinflação, PARE! Dê um tempo a si mesmo.

Muitas vezes os investidores partem de uma premissa econômica e depois começam a selecionar ações que se encaixam completamente nesse panorama. Buffett acredita que isso é tolice. Para começar, ninguém detém o poder de prever a economia, da mesma forma como ninguém tem o poder de prever o mercado de ações. Além disso, se você selecionar ações que se beneficiarão de um ambiente econômico específico, inevitavelmente estará atraindo giro e especulação, à medida que continuamente ajusta a sua carteira aos benefícios do próximo cenário econômico.

Buffett prefere comprar um negócio que tenha a possibilidade de lucrar em qualquer ambiente econômico. As forças macroeconômicas são capazes de afetar os retornos marginalmente, mas, de modo geral, os negócios de Buffett conseguem lucrar de forma estável *apesar* dos caprichos da economia. O tempo é gasto de forma mais sábia identificando e mantendo negócios que possam lucrar em todos os ambientes econômicos do que "alugando" uma carteira de ações que teria um bom desempenho somente se determinada suposição sobre a economia estiver correta.

Passo 3: Compre um negócio, não uma ação

Vamos imaginar que você precise tomar uma decisão muito importante. Amanhã você terá a oportunidade de escolher um negócio para investir. Para tornar as coisas mais interessantes, imaginemos também que, uma vez tomada a sua decisão, você não possa mudar de idéia e, além disso, tenha de manter o investimento por dez anos. Ao final, a riqueza gerada pela propriedade desse negócio o sustentará em sua aposentadoria. Agora, o que você está pensando?

Provavelmente muitas questões passarão rapidamente pela sua cabeça, provocando uma grande confusão. Porém, se Buffett se confrontasse com o mesmo teste, ele começaria metodicamente avaliando o negócio em relação aos seus princípios básicos, um a um:

- O negócio é simples e compreensível, com um histórico operacional consistente e perspectivas de longo prazo favoráveis?

- Ele é administrado por gestores honestos e competentes, que alocam o capital de forma racional, comunicam-se de maneira franca com os acionistas e resistem ao imperativo institucional?
- Os fatores econômicos da empresa estão em boa forma — com altas margens de lucro, bom lucro para o proprietário e valor de mercado superior que correspondam aos lucros retidos?
- Para completar, o negócio está disponível com desconto em relação a seu valor intrínseco? Note: é somente neste estágio final que Buffett olha o preço do mercado de ações.

Calcular o valor de um negócio não é uma operação matematicamente complexa. Entretanto, os problemas surgem quando fazemos uma estimativa incorreta do fluxo de caixa futuro de uma empresa. Buffett lida com esse problema de duas maneiras. Para começar, ele aumenta suas chances de prever corretamente os fluxos de caixa futuros ao se limitar a negócios que sejam simples e estáveis. Depois, insiste em uma margem de segurança entre o preço de compra da empresa e seu valor estimado. Tal margem de segurança ajuda a criar um colchão de proteção — para ele e para você — contra empresas cujos fluxos de caixa futuros estejam variando.

Passo 4: Administre uma carteira de negócios

Agora que você é o proprietário de um negócio, em oposição a um locatário de ações, a composição de sua carteira mudará. Como você não está mais estimando seu sucesso unicamente com base nas alterações de preço ou comparando as variações anuais de preço a um *benchmark* de ações ordinárias, você está livre para selecionar os melhores negócios disponíveis. Não existe nenhuma lei dizendo que você deve incluir todos os principais setores em sua carteira, e não é necessário incluir 30, 40 ou 50 ações diferentes em sua carteira para obter uma diversificação adequada.

Buffett acredita que uma ampla diversificação seja necessária somente quando os investidores não sabem o que estão fazendo. Se esses investidores "que não sabem nada" querem ter ações ordinárias, eles devem simplesmente colocar seu dinheiro em um fundo de índice. Mas, para os investidores "que sabem alguma coisa", a diversificação convencional com dezenas de ações faz pouco sentido. Buffett sugere que você raciocine: se o melhor negócio que você tem apresenta o menor risco financeiro e tem as perspectivas de longo prazo mais favoráveis, por que investir dinheiro em um negócio no vigésimo lugar em sua lista de preferência em vez de colocar mais dinheiro na sua principal escolha?

Agora que você está administrando uma carteira de negócios, muitas coisas começam a mudar. Para começar, você tende menos a vender seus melhores negócios só porque eles estão retornando algum lucro. Além disso, escolherá com muito mais cuidado os novos negócios para comprar. Resistirá à tentação de comprar uma empresa marginal só porque tem reservas de recursos. Se a empresa não passar no seu teste, não a compre. Seja paciente e espere pelo negócio certo. É errado supor que, se você não está comprando e vendendo, não está progredindo. Na mente de Buffett, é muito difícil tomar centenas de decisões inteligentes ao longo de uma vida inteira. Em vez disso, ele prefere compor sua carteira de forma que precise tomar apenas algumas decisões inteligentes.

A ESSÊNCIA DE WARREN BUFFETT

A força motriz da estratégia de investimentos de Warren Buffett é a alocação racional de capital. A decisão de como alocar os lucros de uma empresa é a decisão mais importante que um gestor precisará tomar. A racionalidade — apresentar um pensamento racional ao fazer uma escolha — é a qualidade mais admirada por Buffett. Apesar dos caprichos e das variações subjacentes, os mercados financeiros são permeados por uma linha de raciocínio. O sucesso de Buffett é resultado da identificação dessa linha de raciocínio e de nunca se desviar de seu caminho.

Buffett já teve sua cota de fracassos e com toda certeza ainda terá mais alguns no futuro. O sucesso nos investimentos, porém, não é sinônimo de infalibilidade, mas de acertar mais do que errar. O jeito Warren Buffett de investir não é diferente. Seu sucesso depende tanto da eliminação dos possíveis enganos, que são muitos e confusos (prever mercados, tendências da economia e preços das ações), quanto do estímulo dos possíveis acertos, que são poucos e simples (estimar o valor de um negócio).

Quando Buffett compra ações, ele se concentra em duas variáveis simples: o preço do negócio e seu valor. O preço de um negócio pode ser identificado pela sua cotação. A estimativa do valor requer alguns cálculos, mas não está alem da compreensão de qualquer pessoa disposta a fazer sua parte.

> "Investir não é complicado. Você precisa ter noções de contabilidade, a linguagem dos negócios. Você precisa ler o livro *O investidor inteligente*. Você precisa do modelo mental correto, do temperamento correto. Você precisa se interessar pelo processo e se manter no seu círculo de competência. Leia Ben Graham e Phil Fisher, leia relatórios anuais e relatórios do setor, mas evite equações que envolvam letras gregas.[9]"
>
> **WARREN BUFFETT, 1993**

Como você não se preocupa mais com o mercado de ações, a economia ou a previsão dos preços das ações, agora está livre para passar mais tempo compreendendo os seus negócios. Pode passar mais tempo de forma mais produtiva lendo relatórios anuais e artigos sobre o negócio e o setor, que aprimorarão seu conhecimento na qualidade de um proprietário. Com efeito, quanto mais disposto você estiver a investigar seu próprio negócio, menos dependente estará da opinião de pessoas que ganham a vida aconselhando outras a tomar ações irracionais.

Para terminar, as melhores idéias de investimento virão quando você fizer a sua própria lição de casa. Entretanto, isso não deve intimidá-lo. O jeito Warren Buffett de investir não está fora do alcance da compreensão da maioria dos investidores sérios. Você não precisa se transformar em uma autoridade com o nível de um MBA em avaliação de negócios para utilizar essa estratégia com sucesso. E, mesmo assim, se não se sentir confortável aplicando esses princípios, nada o impede de fazer essas mesmas perguntas ao seu consultor financeiro. De fato, quanto mais você dialogar sobre preço e valor, mais começará a entender e valorizar o estilo de Warren Buffett.

Buffett, ao longo da vida, testou diferentes manobras de investimento. Na juventude, tentou usar gráficos de ações. Estudou com a mente financeira mais brilhante do século XX, Benjamin Graham, e administrou e foi proprietário de vários negócios com seu sócio, Charlie Munger. Ao longo das últimas cinco décadas, ele passou por períodos de taxas de juros de dois dígitos, hiperinflação e crises no mercado de ações. Apesar de todas essas distrações, encontrou seu nicho, aquele ponto no qual tudo faz sentido: o ponto em que a estratégia de investimento convive com a personalidade. "Nossa atitude [em relação aos investimentos]", disse Buffett, "se adequa à nossa personalidade e à maneira como desejamos levar nossa vida".[10]

A atitude de Buffett reflete essa harmonia. Ele sempre se mostra otimista e encorajador. Ele se empolga de verdade em ir trabalhar todos os dias. "Tudo o que eu quero da vida tenho aqui", ele diz. "Adoro todos os dias. Quer dizer, eu danço sapateado aqui e só trabalho com pessoas das quais gosto."[11] E completa: "Não existe nenhum trabalho no mundo mais divertido do que administrar a Berkshire, e me sinto privilegiado por estar onde estou".[12]

espantei com a forma como Buffett se movia sem dificuldades entre a descrição das ações da carteira e os atributos dos negócios das principais posições detidas pela Berkshire. Era como se a análise das ações e a análise dos negócios fizessem parte da mesma coisa.

Confesso que tinha passado o dia inteiro em treinamento analisando ações, que estava ciente de que elas representavam uma propriedade parcial dos negócios, mas ainda não tinha feito essa importantíssima relação analítica. Quando estudei os relatórios da Value Line, vi valores contábeis e índices financeiros. Quando li o relatório da Berkshire Hathaway, vi negócios, com produtos e clientes. Vi os fatores econômicos e os lucros. Vi concorrentes e despesas de capital. Talvez eu devesse ter visto tudo isso quando analisei os relatórios da Value Line, mas, por algum motivo, a repercussão foi menos poderosa. Enquanto prosseguia lendo o relatório da Berkshire, todo o mundo dos investimentos, que ainda era uma fonte de mistério para mim, começou a se revelar. Naquela noite, em um momento de epifania, Warren Buffett revelou a natureza interior dos investimentos.

Na manhã seguinte, eu estava explodindo com uma recém-descoberta paixão pelos investimentos e, ao final do treinamento, rapidamente voltei para Filadélfia com um único objetivo: eu investiria o dinheiro dos meus clientes ao estilo de Warren Buffett.

Eu sabia que precisava saber mais, então comecei a montar um arquivo de informações. Primeiro, consegui todos os relatórios anuais passados da Berkshire Hathaway. Depois encomendei os relatórios anuais de todas as empresas de capital aberto nas quais Buffett tinha investido. Então, juntei todos os artigos de revistas e jornais que pude encontrar sobre Warren Buffett.

Quando o arquivo estava o mais completo possível, eu mergulhei de cabeça. Minha meta era me tornar um especialista em Warren Buffett e depois compartilhar essas idéias com os meus clientes.

Ao longo dos anos, desenvolvi um respeitável grupo de administração de ativos. Seguindo os ensinamentos e as seleções de ações de Buffett, consegui para os meus clientes mais sucessos do que fracassos nos investimentos. A maioria dos meus clientes aderiu intelectualmente à abordagem de pensar nas ações como negócios e tentar comprar os melhores negócios com desconto. Os poucos clientes que não concordaram com a abordagem partiram não porque a abordagem de Buffett não era sólida, mas porque ser um opositor representava um desafio emocional grande demais. E alguns partiram simplesmente porque não tinham paciência suficiente para esperar até o processo ter sucesso. Eles queriam ver atividade, e essa coceira constante para fazer alguma coisa — qualquer coisa — os desviava do caminho. Em retrospecto, não acredito que tenha lidado com ninguém que tenha discordado abertamente da lógica da abordagem de investimentos adotada por Buffett, mas várias pessoas não se adequavam bem a esse modo de pensar.

Enquanto isso, continuei coletando dados sobre Buffett. Eu lia, analisava e arquivava relatórios anuais, artigo de revistas, entrevistas — qualquer coisa que tivesse alguma relação com Warren Buffett e a Berkshire Hathaway. Eu era como uma criança acompanhando a carreira de um jogador de beisebol. Ele era o meu herói e a cada dia eu tentava rebater a bola como Warren.

Com o passar dos anos, tive um desejo crescente e poderoso de me tornar um administrador de carteiras em período integral. Na época, os corretores eram recompensados com base em suas compras e vendas; era um sistema amplamente baseado em comissões. Como corretor, eu conseguia acertar na parte de "compra" da equação, mas a ênfase de Buffett em manter as ações em longo prazo dificultava a parte de "venda" da equação. Hoje em dia, a maioria das empresas de serviço financeiro permite que os corretores e consultores financeiros administrem o dinheiro para seus clientes por um honorário em vez de uma comissão — se eles preferirem. Cheguei a conhecer vários gestores de carteira que eram remunerados pelo desempenho independente de terem feito muitas operações de compra ou venda. Esse me pareceu o ambiente perfeito para aplicar os ensinamentos de Buffett.

No início, obtive alguma experiência em gerenciamento de carteiras no departamento de patrimônio de um banco local na Filadélfia e, enquanto isso, obtive o certificado obrigatório de Chartered Financial Analyst[1]. Mais tarde, entrei numa pequena empresa de consultoria de investimentos onde gerenciei carteiras de clientes por um honorário. Nosso objetivo era ajudar nossos clientes a obter uma taxa de retorno razoável dentro de um nível aceitável de risco. A maioria já tinha atingido suas metas financeiras e queria preservar seu patrimônio. Por esse motivo, muitas das carteiras de nossa empresa eram equilibradas entre ações e obrigações.

Foi lá que comecei anotar minhas idéias sobre Buffett, para compartilhar com os clientes a sabedoria de sua abordagem para os investimentos. Afinal, Buffett tinha investido por 40 anos e conseguiu resultados muito bons; aprender mais sobre como ele conseguiu isso com certeza não faria mal algum. Essa coletânea acabou compondo a base para este livro.

A decisão de abrir um fundo mútuo de ações com base nos princípios descritos neste livro veio de duas direções. Primeiro, nossa empresa de consultoria de investimentos precisava de um instrumento para gerenciar as contas que não eram grandes o suficiente para garantir uma carteira administrada individualmente. Depois, eu queria montar um registro de desempenho com base nos ensinamentos do livro. Eu queria demonstrar que o que Buffett ensinou e o que eu escrevi, se seguidos, permitiriam que um investidor gerasse retornos acima do mercado. A prova seria o desempenho.

O novo fundo foi aberto no dia 17 de abril de 1995. Munido do conhecimento obtido pelo estudo dos métodos de Warren Buffett por mais de dez anos, aliado à experiência de gestão de carteiras por sete anos, senti que estávamos em ótima posição de ajudar nossos clientes a obter resultados acima da média. Em vez disso, só tivemos dois anos bastante medíocres de desempenho nos investimentos.

O que aconteceu?

Ao analisar a carteira e o mercado de ações durante esse período, descobri duas explicações importantes mas distintas. Para começar, quando abri o fundo, incorporei à carteira, em sua maioria, ações ao estilo da Berkshire Hathaway: jornais, empresas de bebidas, outros negócios de produtos de consumo não duráveis e empresas selecionadas de serviços financeiros. Eu cheguei a comprar ações da Berkshire Hathaway.

Como meu fundo era um laboratório dos ensinamentos de Buffett, talvez não tenha sido surpresa que muitas das ações na carteira eram ações que o próprio Buffett tinha comprado. Mas a diferença entre as ações de Buffett na década de 1980 e essas mesmas ações em 1997 era evidente. Muitas das empresas que tinham apresentado um crescimento constante dos lucros do proprietário a uma taxa de dois dígitos na década de 1980 estavam desacelerando a uma taxa máxima de um dígito no final de década de 1990. Além disso, os preços das ações dessas empresas tinham subido de forma estável ao longo da década de forma que o desconto em relação ao valor intrínseco era menor em comparação com o período anterior. Quando os fatores econômicos de nossos negócios desaceleram e o desconto em relação ao valor intrínseco diminui, a oportunidade futura de grandes retornos sobre o investimento é reduzida.

Se o primeiro fator foi a ausência de um alto nível de crescimento na carteira, o segundo fator era gerado por circunstâncias externas à carteira. Ao mesmo tempo em que os fatores econômicos dos negócios no fundo estavam desacelerando, os fatores econômicos de certas empresas do setor de tecnologia — telecomunicações, *software* e provedores de serviço na Internet — estavam acelerando rapidamente. Como esses novos setores estavam conquistando uma participação maior da capitalização de mercado do índice Standard & Poor's 500, o próprio mercado de ações estava subindo a passos largos. O que logo descobri foi que os fatores econômicos do que eu mantinha no fundo não eram compatíveis com as empresas de tecnologia mais novas e mais poderosas que, então, estavam movimentando o mercado de ações.

Em 1997, meu fundo chegou a uma encruzilhada. Se eu continuasse a investir em ações no estilo tradicional de Buffett, provavelmente continuaria a gerar resultados apenas medianos. Até Buffett dizia aos acionistas da Berkshire Hathaway que eles não poderiam mais esperar receber os ganhos acima da média que a empresa tinha obtido no passado. Eu sabia que, se continuasse com as mesmas ações que Buffett tinha em sua carteira a esses altos preços, considerando os fatores econômicos moderados, tinha poucas chances de gerar resultados acima da média para os meus acionistas. E, se fosse esse o caso, qual seria o propósito? Se um fundo mútuo não puder gerar, com o tempo,resultados do investimento acima do índice do mercado amplo, então seus acionistas estariam em melhores condições em um fundo mútuo indexado.

Era péssimo ficar parado em uma encruzilhada durante esse período. Questões foram levantadas em relação à continuidade do fundo. Questões foram levantadas em relação a Buffett poder competir com os setores mais novos e ainda proporcionar resultados acima da média. E havia a questão implícita de se toda a filosofia de pensar em ações como negócios seria uma abordagem relevante ao analisar esses setores mais novos, voltados à tecnologia.

No fundo eu sabia que a abordagem de Buffett aos investimentos ainda era válida. Eu sabia sem sombra de dúvida que sua abordagem de análise de negócios ainda proporcionaria a oportunidade para os investidores identificarem uma precificação errônea e, dessa forma, lucrar com a visão mais estreita do mercado. Eu sabia de tudo isso e muito mais, mas hesitei por um momento na linha de rebentação, incapaz de cruzar a fronteira e entrar no novo cenário econômico.

Eu tive a sorte de fazer amizade com Bill Miller assim que comecei minha carreira na Legg Mason. Na época, Bill gerenciava, com Ernie Kiehne, um fundo de valor. Bill passava parte de seu tempo com os novos corretores de investimentos, compartilhando suas idéias sobre o mercado de ações, sobre empresas e sobre os vários livros que tinha lido. Depois que sai da Legg Mason para me tornar um gerente de carteiras, Bill e eu continuamos amigos. Depois da publicação deste livro, nos reuníamos para acaloradas discussões sobre investimentos e os desafios de navegar no cenário econômico.

No livro, salientei que Buffett não contou apenas com os índices preço-lucro para selecionar as ações. A força motriz da criação de valor eram os lucros do proprietário e a capacidade da empresa de gerar retornos sobre o capital acima da média. Por vezes uma ação com baixo índice preço-lucro chegava a gerar caixa e atingir altos retornos sobre o capital e, em conseqüência, se tornava um excelente investimento. Em outras ocasiões, uma ação com baixo índice preço-lucro consumia caixa e gerava retornos sobre o capital abaixo da média e, assim, se tornava um mau investimento. Ações com baixos índices preço-lucro podem ser um bom lago para pescar idéias, diz Buffett, mas o que verdadeiramente as faz crescer é o caixa e os altos retornos sobre o capital investido.

Bill tinha compreendido isso alguns anos antes e já estava direcionando seu fundo de valor nesse sentido. Ele já tinha conseguido quatro anos consecutivos de alto desempenho e já estava chamando a atenção da comunidade de investimentos.

Com meu fundo lutando para sobreviver, encontrei-me com Bill para falar de estratégias e oportunidades. Eu lhe disse que a abordagem de investimentos de Buffett era sólida. Ele concordou. Eu lhe disse que a única forma de bater o mercado de ações era analisar as ações como negócios para descobrir as mudanças fundamentais e profundas que ocorrem em um negócio antes de isso ser identificado pelo mecanismo de precificação do mercado. Ele concordou. Eu lhe disse que estava certo de que a abordagem de Buffett poderia ser aplicada aos novos setores, mas não estava certo de como proceder. Ele disse: "Venha trabalhar conosco na Legg Mason e eu lhe mostrarei como isso funciona".

Bill, utilizando uma abordagem de avaliação que se concentrava não nos índices preço-lucro, mas nos lucros e no retorno sobre o capital, já estava se voltando às empresas mais novas do setor de tecnologia. Ele comprou ações da Dell Computer em 1996 a seis vezes o lucro, com um retorno sobre o capital de 40%. Outros gestores de valor também compraram a Dell, mas venderam as ações com lucros de 12 vezes porque a crença dominante ditava que os fabricantes de PCs deveriam ser sempre comprados a lucros de seis vezes e vendidos a lucros de 12 vezes. Em vez disso, Bill estudou o modelo de negócios e logo descobriu que o retorno sobre o capital da Dell estava rapidamente subindo para uma impressionante taxa de retorno de três dígitos. Assim, enquanto outros gestores de valor venderam suas ações da Dell Computer a lucros de 12 vezes, Bill as manteve a lucros de 20, 30 e 40 vezes, acreditando que a empresa ainda estava profundamente subvalorizada em relação ao seu valor intrínseco de rápido crescimento. E ele estava certo. Seu investimento na Dell Computer produziu um retorno de 3.000% para os acionistas de seu fundo.

Bill não se afastou de investimentos adicionais no cenário da Nova Economia. Ele praticamente ganhou na loteria com a AOL. Investiu em telecomunicações, gerando retornos acima da média com a Nokia e a Nextel Communications. A Legg Mason Capital Management é o segundo maior acionista da Amazon.com — perdendo apenas para o CEO Jeff Bezos. Mais recentemente, Bill acrescentou o eBay à carteira de seu fundo, argumentando que o negócio estava em uma situação muito parecida com a da Microsoft em 1993.

Na época, a Microsoft era um negócio de US$ 22 bilhões que muitos investidores em valor achavam estar significativamente supervalorizado. Ao final de 2003, a Microsoft tinha se tornado um negócio de US$ 295 bilhões. A empresa teve seu preço aumentado em mais de 1.000%, enquanto o índice S&P 500 avançou 138% no mesmo período.

A Microsoft era uma ação de valor em 1993? Sem dúvida parece que sim, mas nenhum investidor em valor tinha coragem de pegá-la. O eBay é uma ação de valor hoje? Acreditamos com muita segurança que sim, mas não saberemos com certeza até daqui a alguns anos. Mas uma coisa é certa para nós: não é possível determinar se o eBay é uma ação de valor analisando seu índice preço-lucro mais do que seria possível determinar o valor da Microsoft dessa mesma maneira.

No núcleo das decisões de investimento de Bill está o pré-requisito de compreender o modelo de negócios da empresa. Quem são os criadores de valor? Como uma empresa gera caixa? Qual nível de caixa uma empresa pode produzir e qual taxa de crescimento ela pode esperar obter? Qual é o retorno sobre o capital da empresa? Se obtiver um retorno acima do custo de capital, a empresa estará criando valor. Se atingir uma taxa de retorno abaixo do custo de capital, a empresa estará destruindo o valor.

Ao final, a análise de Bill lhe proporciona uma idéia do valor do negócio, com base no valor presente descontado dos lucros futuros da empresa. Apesar de o fundo de Bill ter empresas diferentes das presentes na carteira da Berkshire Hathaway, de Buffett, ninguém pode negar que eles abordam o processo de investimento da mesma forma. A única diferença é que Bill decidiu pegar a filosofia de investimento e aplicá-la a franchises da Nova Economia que estão rapidamente dominando o cenário econômico global.

Quando Bill sugeriu que eu me juntasse à Legg Mason Capital Management e levasse meu fundo comigo, ficou claro para mim que nossas abordagens filosóficas eram idênticas. A maior vantagem de entrar na equipe de Bill foi que eu passaria a fazer parte de uma organização dedicada a aplicar a abordagem de avaliação de negócios aos investimentos sempre que surgissem oportunidades de criação de valor. Eu não mais estava limitado a analisar apenas as ações que Buffett tinha comprado. Todo o mercado de ações estava aberto para análise. Acho que se pode dizer que isso me forçou a expandir meu círculo de competência.

Um dos meus primeiros erros de raciocínio ao gerenciar meu fundo foi a crença errônea de que, pelo fato de Buffett não ter empresas de alta tecnologia, esses negócios devem ser inerentemente não analisáveis. Sim, esses negócios recém-criados tinham mais risco econômico do que muitas das empresas que Buffett mantinha. Os fatores econômicos de refrigerantes, lâminas de barbear, carpetes, tinta, doces e móveis são muito mais fáceis de prever do que os de setores como software, telecomunicações e internet.

Mas "difícil de prever" não é o mesmo que "impossível de analisar". Certamente os fatores econômicos de uma empresa de tecnologia são mais variáveis que os de negócios de bens de consumo não duráveis. Mas um estudo meticuloso de como qualquer negócio opera ainda nos deveria permitir detectar uma variedade de possibilidades de avaliação. E, seguindo a filosofia de Buffett, não é fundamental identificar o valor exato da empresa, contanto que saibamos que estamos comprando a empresa com um desconto significativo no preço (margem de segurança) a partir de uma gama de possibilidades de avaliação.

O que alguns "buffettólogos" deixam de perceber é que o retorno de acertar na análise das empresas de tecnologia mais do que compensa o risco. Tudo o que precisamos fazer é analisar cada ação como um negócio, determinar o valor do negócio e, para nos proteger contra o risco econômico mais alto, exigir uma maior margem de segurança no preço de compra.

Não devemos nos esquecer que, ao longo dos anos, muitos discípulos da abordagem de investimentos de Warren Buffett abraçaram sua filosofia e a aplicaram a diferentes partes do mercado de ações. Vários importantes investidores compraram ações não incluídas na carteira da Berkshire. Outros compraram ações de menor capitalização. Alguns levaram a abordagem de Buffett ao mercado internacional e compraram títulos estrangeiros. A importante lição é a seguinte: a abordagem de investimentos de Buffett é aplicável a todos os tipos de negócios, independente do setor, independente da capitalização de mercado, independente de onde o negócio está sediado.

Desde minha entrada na Legg Mason Capital Management em 1998, meu fundo vivenciou um período notável de desempenho. A razão para esse desempenho muito melhor não foi a mudança da filosofia ou do processo, mas o fato de a filosofia e o processo terem sido aplicados a um universo mais amplo de ações. Quando os analistas e os gestores de carteira estão dispostos a estudar todos os tipos de modelos de negócios, independente da classificação do setor, a oportunidade de explorar os erros periódicos de precificação do mercado se expande muito, e isso se traduz em retornos melhores para os nossos acionistas.

Isso não significa que não temos um ocasional ano ruim, um período ruim ou um mês ruim. Isso simplesmente significa que, se você somar todas as vezes que perdemos dinheiro em relação ao mercado, abrangendo qualquer período de tempo, a quantia de dinheiro que perdemos foi menor que a quantia de dinheiro que ganhamos ao apresentar um desempenho superior ao do mercado.

A esse respeito, o histórico desse fundo não foi muito diferente do de outras carteiras focadas. Pense no desempenho de Charlie Munger, Bill Ruane e Lou Simpson. Cada um deles obteve um desempenho de longo prazo espetacular, mas resistiu a períodos de baixo desempenho no curto prazo. Cada um deles empregou um processo de avaliação do negócio para decidir se as ações estavam sendo vendidas abaixo do preço. Cada um deles gerenciou carteiras concentradas e de baixo giro. O processo que eles utilizaram lhes permitiu obter resultados superiores de longo prazo à custa de um desvio-padrão mais alto.

Michael Mauboussin, o diretor de estratégia de investimentos da Legg Mason Capital Management, conduziu um estudo com os fundos mútuos de melhor desempenho entre 1992 e 2002.[2] Ele selecionou fundos que tivessem sido gerenciados por um só administrador durante o período, tivessem ativos de pelo menos US$ 1 bilhão e que bateram o índice Standard & Poor's 500 ao longo de um período de dez anos. Trinta e um fundos mútuos estavam de acordo com os requisitos.

Então ele analisou o processo que cada administrador utilizou para bater o mercado e isolou quatro atributos que diferenciaram esse grupo da maioria dos administradores de fundo.

- *Giro da carteira*. De modo geral, os fundos mútuos que apresentaram um desempenho superior ao do mercado tinham uma taxa de giro média de cerca de 30%. Isso representa um enorme contraste em relação ao giro de todos os fundos — 110%.
- *Concentração da carteira*. Os fundos que bateram o mercado no longo prazo tendiam a ter uma maior concentração de carteira do que fundos de índice ou outros fundos gerais. Em média, os melhores fundos mútuos alocavam 37% de seus recursos nas dez principais empresas.
- *Estilo de investimento*. A maioria absoluta dos melhores fundos adotou uma abordagem de valor intrínseco para selecionar as ações.
- *Localização geográfica*. Só uma pequena fração dos fundos de alto desempenho vinha de centros financeiros da Costa Leste dos Estados Unidos, Nova York ou Boston. A maioria dos grandes geradores de lucros tem sede em cidades como Chicago, Salt Lake City, Memphis, Omaha e Baltimore. Michael sugere que talvez o distanciamento do ritmo frenético de Nova York e Boston reduz a hiperatividade que permeia tantas carteiras de fundo mútuo.

Uma linha comum os fundos de alto desempenho, independentemente de serem administrados pelos superinvestidores de Graham-and-Doddsville, pelos superinvestidores de Buffettville ou pelos que lideram os fundos identificados pela pesquisa de Michael, é uma estratégia que enfatiza apostas concentradas e baixo giro e um processo de seleção de ações que salienta a descoberta do valor intrínseco de uma ação.

Mesmo assim, com todas as provas sobre como gerar resultados de longo prazo acima da média, a maioria absoluta dos administradores de recursos financeiros continua a apresentar um desempenho inferior ao mercado de ações. Alguns acreditam que isso seja uma evidência da eficiência do mercado. Talvez com a intensa competição entre administradores financeiros, as ações sejam precificadas de forma mais precisa. Isso pode ser em parte verdadeiro. Acreditamos que os mercados se tornaram mais eficientes e que há menos oportunidades de extrair lucros do mercado de ações utilizando técnicas simplistas para calcular o valor. Sem dúvida ninguém ainda acredita que o mercado permitirá que você lhe bata a carteira pelo simples cálculo do índice de preço-lucro.

Os analistas que compreendem essas alterações profundamente enraizadas em um modelo de negócios tenderão a identificar as anomalias de estimativa que aparecem no mercado. Esses analistas terão uma visão diferente da duração e da amplitude da capacidade de geração de caixa de uma empresa em comparação com a visão do mercado. "O fato de o S&P 500 também ter batido outros administradores ativos de recursos financeiros não é um argumento contra o gerenciamento ativo de recursos financeiros", disse Bill Miller; "é um argumento contra os métodos empregados pela maioria dos administradores financeiros".[3]

Já se vão 20 anos desde que eu li meu primeiro relatório anual da Berkshire Hathaway. E, mesmo agora, quando penso sobre Warren Buffett e sua filosofia, isso me enche de entusiasmo e paixão pelo mundo dos investimentos. Eu não tenho nenhuma dúvida de que o processo é sólido e, se aplicado coerentemente, gerará resultados de longo prazo acima da média. Basta observar os melhores administradores de recursos financeiros de hoje para ver que eles estão utilizando variações da abordagem de investimentos de Buffett.

Apesar do fato que empresas, setores, mercados e economias sempre evoluirão com o tempo, a filosofia de investimentos de Buffett reside em sua natureza perene. Independente das condições, os investidores sempre poderão aplicar a abordagem de Buffett para selecionar ações e administrar carteiras.

Quando Buffett começou a administrar recursos nas décadas de 1950 e 1960, ele já pensava em ações como negócios e gerenciava carteiras focadas. Quando acrescentou as novas *franchises* econômicas à carteira da Berkshire nas décadas de 1970 e 1980, ele ainda pensava em ações como negócios e gerenciava carteiras focadas. Quando Bill Miller comprou empresas de tecnologia e da internet para seu fundo de valor na década de 1990 e na primeira metade desta década, ele estava pensando em ações como negócios e gerenciando carteiras focadas.

As empresas compradas na década de 1950 eram diferentes das empresas da década de 1980? Sim. As empresas compradas na década de 1960 eram diferentes das compradas na década de 1990? Sem dúvida que sim. Os negócios mudam, os setores se desdobram e a competitividade dos mercados permite que novas *franchises* econômicas nasçam enquanto outras definham aos poucos. Apesar da evolução constante dos mercados e das empresas, deve ser reconfortante para os investidores perceber que há um processo de investimento que permanece robusto mesmo contra as inevitáveis forças de mudança.

No encontro anual de 2004 da Berskhire, um acionista perguntou a Warren se, em retrospecto, ele mudaria alguma coisa em sua abordagem. "Se eu fosse fazer tudo de novo, faria praticamente da mesma forma", ele respondeu. "Lemos tudo o que encontramos sobre os negócios e os setores. Trabalhando com muito menos capital, nosso universo de investimentos seria muito mais amplo do que é atualmente. Eu aprenderia continuamente os princípios básicos de Ben Graham para o bom investimento, influenciado de forma significativa por Charlie e Phil Fisher para encontrar os melhores negócios". Ele fez uma breve pausa e depois acrescentou: "Não há nada de diferente na minha visão sobre a análise de títulos hoje em comparação com 50 anos atrás".

Nem haverá nada de diferente em cinco, dez ou 20 anos a partir de agora. Os mercados mudam, os preços mudam, os ambientes econômicos mudam, os setores vão e vêm. E os investidores inteligentes mudam seu comportamento do dia-a-dia para adaptar-se ao contexto dinâmico. O que não muda, entretanto, são os fundamentos.

Os que seguem o estilo de Buffett analisarão as ações (e as empresas) de acordo com os mesmos princípios; manterão uma carteira focada; e ignorarão obstáculos, quedas e feridas. Eles acreditam, como eu, que os princípios que têm orientado as decisões de investimento de Warren Buffett por cerca de 60 anos são de fato perenes e proporcionam um fundamento de sólida sabedoria de investimentos com base na qual todos nós podemos construir.

APÊNDICE

Tabela A.1 Carteira de ações ordinárias da Berkshire Hathaway – 1977

NÚMERO DE AÇÕES	EMPRESA	CUSTO	VALOR DE MERCADO
934.300	The Washington Post Company	$10.628	$33.401
1.969.953	GEICO Convertible Preferred	19.417	33.033
592.650	Interpublic Group of Companies	4.531	17.187
220.000	Capital Cities Communications, Inc.	10.909	13.228
1.294.308	GEICO Common Stock	4.116	10.516
324.580	Kaiser Aluminum and Chemical Corp.	11.218	9.9981
226.900	Knight-Rider Newspapers	7.534	8.736
170.800	Ogilvy & Mather International	2.762	6.960
1.305.800	Kaiser Industries, Inc.	778	6.039
	Total	$71.893	$139.081
	Todas as outras ações ordinárias	34.996	41.992
	Total de ações ordinárias	$106.889	$181.073

Fonte: Relatório Anual da Berkshire Hathaway, 1977.
Observação: Valores em dólares grafados em milhares.

Tabela A.2 Carteira de ações ordinárias da Berkshire Hathaway – 1978

NÚMERO DE AÇÕES	EMPRESA	CUSTO	VALOR DE MERCADO
934.000	The Washington Post Company	$10.628	$43.445
1.986.953	GEICO Convertible Preferred	19.417	28.314
953.750	SAFECO Corporation	23.867	26.467
592.650	Interpublic Group of Companies	4.531	19.039
1.066.934	Kaiser Aluminum and Chemical Corp.	18.085	18.671
453.800	Knight-Rider Newspapers	7.534	10.267
1.294.308	GEICO Common Stock	4.116	9.060
246.450	American Broadcasting Companies	6.082	8.629
	Total	$71.893	$139.081
	Todas as outras ações ordinárias	34.996	41.992
	Total de ações ordinárias	$106.889	$181.073

Fonte: Relatório Anual da Berkshire Hathaway, 1978.
Observação: Valores em dólares grafados em milhares.

Tabela A.3 Carteira de ações ordinárias da Berkshire Hathaway – 1979

NÚMERO DE AÇÕES	EMPRESA	CUSTO	VALOR DE MERCADO
5.730.114	GEICO Corp.	$28.288	$68.045
1.868.000	The Washington Post Company	10.628	39.241
1.007.500	Handy & Harman	21.825	38.537
953.750	SAFECO Corporation	23.867	35.527
711.180	Interpublic Group of Companies	4.531	23.736
1.211.834	Kaiser Aluminum and Chemical Corp.	20.629	23.328
771.900	F.W. Woolworth Company	15.515	19.394
328.700	General Foods, Inc.	11.437	11.053
246.450	American Broadcasting Companies	6.082	9.673
289.700	Affiliated Publications	2.821	8.800
391.400	Ogilvy & Mather International	3.709	7.828
282.500	Media General	4.545	7.345
112.545	Amerada Hess	2.861	5.487
	Total	$156.738	$297.994
	Todas as outras ações ordinárias	28.675	36.686
	Total de ações ordinárias	$185.413	$334.680

Fonte: Relatório Anual da Berkshire Hathaway, 1979.
Observação: Valores em dólares grafados em milhares.

Tabela A.4 Carteira de ações ordinárias da Berkshire Hathaway – 1980

NÚMERO DE AÇÕES	EMPRESA	CUSTO	VALOR DE MERCADO
7.200.000	GEICO Corporation	$47.138	$105.300
1.983.812	General Foods, Inc.	62.507	59.889
2.015.000	Handy & Harman	21.825	58.435
1.250.525	SAFECO Corporation	32.063	45.177
1.868.600	The Washington Post Company	10.628	42.277
464.317	Aluminum Company of America	25.577	27.685
1.211.834	Kaiser Aluminum and Chemical Corp.	20.629	27.569
711.180	Interpublic Group of Companies	4.531	22.135
667.124	F.W. Woolworth Company	13.583	16.511
370.088	Pinkertons, Inc.	12.144	16.489
475.217	Cleveland-Cliffs Iron Company	12.942	15.894
434.550	Affiliated Publications	2.821	12.222
245.700	R.J. Reynolds Industries	8.702	11.228
391.400	Ogilvy & Mather International	3.709	9.981
282.500	Media General	4.545	8.334
247.039	National Detroit Corporation	5.930	6.299
151.104	The Times Mirror Company	4.447	6.271
881.500	National Student Marketing	5.128	5.895
	Total	$298.848	$497.591
	Todas as outras ações ordinárias	26.313	32.096
	Total de ações ordinárias	$325.161	$529.687

Fonte: Relatório Anual da Berkshire Hathaway, 1980.
Observação: Valores em dólares grafados em milhares.

Tabela A.5 Carteira de ações ordinárias da Berkshire Hathaway – 1981

NÚMERO DE AÇÕES	EMPRESA	CUSTO	VALOR DE MERCADO
7.200.000	GEICO Corporation	$47.138	$199.800
1.764.824	R.J. Reynolds Industries	76.668	83.127
2.101.244	General Foods, Inc.	66.277	66.714
1.868.600	The Washington Post Company	10.628	58.160
2.015.000	Handy & Harman	21.825	36.270
785.225	SAFECO Corporation	21.329	31.016
711.180	Interpublic Group of Companies	4.531	23.202
370.088	Pinkertons, Inc.	12.144	19.675
703.634	Aluminum Company of America	19.359	18.031
420.441	Arcata Corporation	14.076	15.136
475.217	Cleveland-Cliffs Iron Company	12.942	14.362
451.650	Affiliated Publications	3.297	14.362
441.522	GATX Corporation	17.147	13.466
391.400	Ogilvy & Mather International	3.709	12.329
282.500	Media General	4.545	11.088
	Total	$335.615	$616.490
	Todas as outras ações ordinárias	16.131	22.739
	Total de ações ordinárias	$351.746	$639.229

Fonte: Relatório Anual da Berkshire Hathaway, 1981.
Observação: Valores em dólares grafados em milhares.

Tabela A.6 Carteira de ações ordinárias da Berkshire Hathaway – 1982

NÚMERO DE AÇÕES	EMPRESA	CUSTO	VALOR DE MERCADO
7.200.000	GEICO Corp.	$47.138	$309.600
3.107.675	R.J. Reynolds Industries	142.343	158.715
1.868.600	The Washington Post Company	10.628	103.240
2.101.244	General Foods, Inc.	66.277	83.680
1.531.391	Time, Inc.	45.273	79.824
908.800	Crum & Forster	47.144	48.962
2.379.200	Handy & Harman	27.318	46.692
711.180	Interpublic Group of Companies	4.531	34.314
460.650	Affiliated Publications	3.516	16.929
391.400	Ogilvy & Mather International	3.709	17.319
282.500	Media General	4.545	12.289
	TOTAL	$402.422	$911.564
	TODAS AS OUTRAS AÇÕES ORDINÁRIAS	21.611	34.058
	TOTAL DE AÇÕES ORDINÁRIAS	$424.033	$945.622

Fonte: Relatório Anual da Berkshire Hathaway, 1982.
Observação: Valores em dólares grafados em milhares.

Tabela A.7 Carteira de ações ordinárias da Berkshire Hathaway – 1983

NÚMERO DE AÇÕES	EMPRESA	CUSTO	VALOR DE MERCADO
6.850.000	GEICO Corp.	$47.138	$398.156
5.618.661	R.J. Reynolds Industries	268.918	314.334
4.451.544	General Foods, Inc.	163.786	228.698
1.868.600	The Washington Post Company	10.628	136.875
901.788	Time, Inc.	21.732	56.860
2.379.200	Handy & Harman	27.318	42.231
636.310	Interpublic Group of Companies	4.056	33.088
690.975	Affiliated Publications	3.516	26.603
250.400	Ogilvy & Mather International	2.580	12.833
197.200	Media General	3.191	11.191
	TOTAL	$558.863	$1.260.869
	TODAS AS OUTRAS AÇÕES ORDINÁRIAS	7.485	18.044
	TOTAL DE AÇÕES ORDINÁRIAS	566.348	1.278.913

Fonte: Relatório Anual da Berkshire Hathaway, 1983.
Observação: Valores em dólares grafados em milhares.

Tabela A.8 Carteira de ações ordinárias da Berkshire Hathaway – 1984

NÚMERO DE AÇÕES	EMPRESA	CUSTO	VALOR DE MERCADO
6.850.000	GEICO Corp.	$47.138	$397.300
4.047.191	R.J. Reynolds Industries	149.870	226.137
3.895.710	General Foods, Inc.	173.401	175.307
1.868.600	The Washington Post Company	10.628	149.955
2.553.488	Time, Inc.	89.237	109.162
740.400	Handy & Harman	44.416	46.738
2.379.200	Interpublic Group of Companies	27.318	38.662
690.975	Affiliated Publications	3.516	32.908
818.872	Ogilvy & Mather International	2.570	28.149
555.949	Media General	26.581	27.242
	Total	$558.863	$1.231.560
	Todas as outras ações ordinárias	7.485	37.326
	Total de ações ordinárias	$566.348	$1.268.886

Fonte: Relatório Anual da Berkshire Hathaway, 1984.
Observação: Valores em dólares grafados em milhares.

Tabela A.9 Carteira de ações ordinárias da Berkshire Hathaway – 1985

NÚMERO DE AÇÕES	EMPRESA	CUSTO	VALOR DE MERCADO
6.850.000	GEICO Corp.	$45.713	$595.950
1.727.765	The Washington Post Company	9.731	205.172
900.800	American Broadcasting Companies	54.435	108.997
2.350.922	Beatrice Companies	106.811	108.142
1.036.461	Affiliated Publications, Inc.	3.516	55.710
2.553.488	Time, Inc.	20.385	52.669
2.379.200	Handy & Harman	27.318	43.718
	Total	$267.909	$1.170.358
	Todas as outras ações ordinárias	7.201	27.963
	Total de ações ordinárias	$275.110	1.198.321

Fonte: Relatório Anual da Berkshire Hathaway, 1985.
Observação: Valores em dólares grafados em milhares.

Tabela A.10 Carteira de ações ordinárias da Berkshire Hathaway – 1986

NÚMERO DE AÇÕES	EMPRESA	CUSTO	VALOR DE MERCADO
2.990.000	Capital Cities/ABC, Inc.	$515.775	$801.694
6.850.000	GEICO Corp.	45.713	674.725
1.727.765	The Washington Post Company	9.731	269.531
2.379.200	Handy & Harman	27.318	46.989
489.300	Lear Siegler, Inc.	44.064	44.587
	Total	$642.601	$1.837.526
	Todas as outras ações ordinárias	12.763	36.507
	Total de ações ordinárias	$655.364	$1.874.033

Fonte: Relatório Anual da Berkshire Hathaway, 1986.
Observação: Valores em dólares grafados em milhares.

Tabela A.11 Carteira de ações ordinárias da Berkshire Hathaway – 1987

NÚMERO DE AÇÕES	EMPRESA	CUSTO	VALOR DE MERCADO
3.000.000	Capital Cities/ABC, Inc.	$517.500	$801.694
6.850.000	GEICO Corp.	45.713	674.725
1.727.765	The Washington Post Company	9.731	269.531
	Total de ações ordinárias	$572.944	$2.115.017

Fonte: Relatório Anual da Berkshire Hathaway, 1987.
Observação: Valores em dólares grafados em milhares.

Tabela A.12 Carteira de ações ordinárias da Berkshire Hathaway – 1988

NÚMERO DE AÇÕES	EMPRESA	CUSTO	VALOR DE MERCADO
3.000.000	Capital Cities/ABC, Inc.	$517.500	$1.086.750
6.850.000	GEICO Corp.	45.713	849.400
14.172.500	The Coca-Cola Company	592.540	632.448
1.727.765	The Washington Post Company	9.731	364.126
2.400.000	Federal Home Loan Mortgage Corp.	71.729	121.200
	Total de ações ordinárias	$1.237.213	$3.053.924

Fonte: Relatório Anual da Berkshire Hathaway, 1988.
Observação: Valores em dólares grafados em milhares.

Tabela A.13 Carteira de ações ordinárias da Berkshire Hathaway – 1989

NÚMERO DE AÇÕES	EMPRESA	CUSTO	VALOR DE MERCADO
23.350.000	The Coca-Cola Company	$1.023.920	$1.803.787
3.000.000	Capital Cities/ABC, Inc.	517.500	1.692.375
6.850.000	GEICO Corp.	45.713	1.044.625
1.727.765	The Washington Post Company	9.731	486.366
2.400.000	Federal Home Loan Mortgage Corp.	71.729	161.100
	TOTAL DE AÇÕES ORDINÁRIAS	$1.668.593	$5.188.253

Fonte: Relatório Anual da Berkshire Hathaway, 1989.
Observação: Valores em dólares grafados em milhares.

Tabela A.14 Carteira de ações ordinárias da Berkshire Hathaway – 1990

NÚMERO DE AÇÕES	EMPRESA	CUSTO	VALOR DE MERCADO
46.700.000	The Coca-Cola Company	$1.023.920	$2.171.550
3.000.000	Capital Cities/ABC, Inc.	517.500	1.377.375
6.850.000	GEICO Corp.	45.713	1.110.556
1.727.765	The Washington Post Company	9.731	342.097
2.400.000	Federal Home Loan Mortgage Corp.	71.729	117.000
	TOTAL DE AÇÕES ORDINÁRIAS	$1.958.024	$5.407.953

Fonte: Relatório Anual da Berkshire Hathaway, 1990.
Observação: Valores em dólares grafados em milhares.

Tabela A.15 Carteira de ações ordinárias da Berkshire Hathaway – 1991

NÚMERO DE AÇÕES	EMPRESA	CUSTO	VALOR DE MERCADO
46.700.000	The Coca-Cola Company	$1.023.920	$3.747.675
6.850.000	GEICO Corp.	45.713	1.363.150
24.000.000	The Gillette Company	600.000	1.347.000
3.000.000	Capital Cities/ABC, Inc.	517.500	1.300.500
2.495.200	Federal Home Loan Mortgage Corp.	77.245	343.090
1.727.765	The Washington Post Company	9.731	336.050
31.247.000	Guinness plc	264.782	296.755
5.000.000	Wells Fargo & Company	289.431	290.000
	TOTAL DE AÇÕES ORDINÁRIAS	$1.958.024	$9.024.220

Fonte: Relatório Anual da Berkshire Hathaway, 1991.
Observação: Valores em dólares grafados em milhares.

Tabela A.16 Carteira de ações ordinárias da Berkshire Hathaway – 1992

NÚMERO DE AÇÕES	EMPRESA	CUSTO	VALOR DE MERCADO
93.400.000	The Coca-Cola Company	$1.023.920	$3.911.125
34.250.000	GEICO Corp.	45.713	2.226.250
3.000.000	Capital Cities/ABC, Inc.	517.500	1.523.500
24.000.000	The Gillette Company	600.000	1.365.000
16.196.700	Federal Home Loan Mortgage Corp.	414.527	783.515
6.358.418	Wells Fargo & Company	380.983	485.624
4.350.000	General Dynamics	312.438	450.769
1.727.765	The Washington Post Company	9.731	396.954
38.335.000	Guinness plc	333.019	299.581
	TOTAL DE AÇÕES ORDINÁRIAS	$3.637.831	$11.442.318

Fonte: Relatório Anual da Berkshire Hathaway, 1992.
Observação: Valores em dólares grafados em milhares.

Tabela A.17 Carteira de ações ordinárias da Berkshire Hathaway – 1993

NÚMERO DE AÇÕES	EMPRESA	CUSTO	VALOR DE MERCADO
93.400.000	The Coca-Cola Company	$1.023.920	$4.167.975
34.250.000	GEICO Corp.	45.713	1.759.594
24.000.000	The Gillette Company	600.000	1.431.000
2.000.000	Capital Cities/ABC, Inc.	345.000	1.239.000
6.791.218	Wells Fargo & Company	423.680	878.614
13.654.600	Federal Home Loan Mortgage Corp.	307.505	681.023
1,727.765	The Washington Post Company	9.731	440.148
4.350.000	General Dynamics	94.938	401.287
38.335.000	Guinness plc	333.019	270.822
	TOTAL DE AÇÕES ORDINÁRIAS	$3.183.506	$11.269.463

Fonte: Relatório Anual da Berkshire Hathaway, 1993.
Observação: Valores em dólares grafados em milhares.

Tabela A.18 Carteira de ações ordinárias da Berkshire Hathaway – 1994

NÚMERO DE AÇÕES	EMPRESA	CUSTO	VALOR DE MERCADO
93.400.000	The Coca-Cola Company	$1.023.920	$5.150.000
24.000.000	The Gillette Company	600.000	1.797.000
20.000.000	Capital Cities/ABC, Inc.	345.000	1.705.000
34.250.000	GEICO Corp.	45.713	1.678.250
6.791.218	Wells Fargo & Company	423.680	984.272
27.759.941	American Express Company	723.919	818.918
13.654.600	Federal Home Loan Mortgage Corp.	270.468	644.441
1.727.765	The Washington Post Company	9.731	418.983
19.453.300	PNC Bank Corporation	503.046	410.951
6.854.500	Gannett Co., Inc.	335.216	365.002
	TOTAL DE AÇÕES ORDINÁRIAS	$3.183.506	$13.972.817

Fonte: Relatório Anual da Berkshire Hathaway, 1994.
Observação: Valores em dólares grafados em milhares.

Tabela A.19 Carteira de ações ordinárias da Berkshire Hathaway – 1995

NÚMERO DE AÇÕES	EMPRESA	CUSTO	VALOR DE MERCADO
49.456.900	American Express Company	$1.392,70	$2.046,30
20.000.000	Capital Cities/ABC, Inc.	345,00	2.467,50
100.000.000	The Coca-Cola Company	1.298,90	7.425,00
12.502.500	Federal Home Loan Mortgage Corp.	260,10	1.044,00
34.250.000	GEICO Corporation	45,70	2.393,20
48.000.000	The Gillette Company	600,00	2.502,00
6.791.218	Wells Fargo & Company	423,70	1.466,90
	TOTAL DE AÇÕES ORDINÁRIAS	$4.366,10	$19.344,90

Fonte: Relatório Anual da Berkshire Hathaway, 1995.
Observação: Valores em dólares grafados em milhões.

Tabela A.20 Carteira de ações ordinárias da Berkshire Hathaway – 1996

NÚMERO DE AÇÕES	EMPRESA	CUSTO	VALOR DE MERCADO
49.456.900	American Express Company	$1.392,70	$2.794,30
200.000.000	The Coca-Cola Company	1.298,90	10.525,00
100.000.000	The Walt Disney Company	577,00	1.716,80
24.614.214	Federal Home Loan Mortgage Corp.	333,40	1.722,80
48.000.000	The Gillette Company	600,00	3.732,00
30.156.600	McDonald's Corporation	1.265,30	1.368,40
1.727.765	The Washington Post Company	10,60	579,00
7.291.418	Wells Fargo & Company	497,80	1.966,90
	TOTAL DE AÇÕES ORDINÁRIAS	$5.975,70	$24.455,20

Fonte: Relatório Anual da Berkshire Hathaway, 1996.
Observação: Valores em dólares grafados em milhões.

Tabela A.21 Carteira de ações ordinárias da Berkshire Hathaway – 1997

NÚMERO DE AÇÕES	EMPRESA	CUSTO	VALOR DE MERCADO
49.456.900	American Express Company	$1.392,70	$4.414,00
200.000.000	The Coca-Cola Company	1.298,90	13.337,50
21.563.414	The Walt Disney Company	381,20	2.134,80
63.977.600	Freddie Mac	329,40	2.683,10
48.000.000	The Gillette Company	600,00	4.821,00
23.733.198	Travelers Group Inc.	604,40	1.278,60
1.727.765	The Washington Post Company	10,60	840,60
6.690.218	Wells Fargo & Company	412,60	2.270,90
	TOTAL DE AÇÕES ORDINÁRIAS	$5.029,80	$31.780,50

Fonte: Relatório Anual da Berkshire Hathaway, 1997.
Observação: Valores em dólares grafados em milhões.

Tabela A.22 Carteira de ações ordinárias da Berkshire Hathaway – 1998

NÚMERO DE AÇÕES	EMPRESA	CUSTO*	VALOR DE MERCADO
50.536.900	American Express Company	$1.470	$5.180
200.000.000	The Coca-Cola Company	1.299	13.400
51.202.242	The Walt Disney Company	281	1.536
60.298.000	Freddie Mac	308	3.885
96.000.000	The Gillette Company	600	4.590
1.727.765	The Washington Post Company	11	999
63.595.180	Wells Fargo & Company	392	2.540
	Outras	2.683	5.135
	TOTAL DE AÇÕES ORDINÁRIAS	$7.044	$37.265

* Representa o custo-base de imposto que, no total, é 1,5 bilhão de dólares menor que o custo GAAP (*general accepted accounting principles* — princípios de contabilidade geralmente aceitos).

Fonte: Relatório Anual da Berkshire Hathaway, 1998.
Observação: Valores em dólares grafados em milhões.

Tabela A.23 Carteira de ações ordinárias da Berkshire Hathaway – 1999

NÚMERO DE AÇÕES	EMPRESA	CUSTO*	VALOR DE MERCADO
50.536.900	American Express Company	$1.470	$8.402
200.000.000	The Coca-Cola Company	1.299	11.650
59.559.300	The Walt Disney Company	281	1.536
60.298.000	Freddie Mac	294	2.803
96.000.000	The Gillette Company	600	3.954
1.727.765	The Washington Post Company	11	960
59.136.680	Wells Fargo & Company	349	2.391
	Outras	4.180	6.848
	TOTAL DE AÇÕES ORDINÁRIAS	$8.203	$37.008

* Representa o custo-base de imposto que, no total, é 1,5 bilhão de dólares menor que o custo GAAP (*general accepted accounting principles* — princípios de contabilidade geralmente aceitos).

Fonte: Relatório Anual da Berkshire Hathaway, 1999.
Observação: Valores em dólares grafados em milhões.

Tabela A.24 Carteira de ações ordinárias da Berkshire Hathaway – 2000			
NÚMERO DE AÇÕES	EMPRESA	CUSTO	VALOR DE MERCADO
50.536.900	American Express Company	$1.470	$8.329
200.000.000	The Coca-Cola Company	1.299	12.188
96.000.000	The Gillette Company	600	3.468
1.727.765	The Washington Post Company	11	1.066
55.071.380	Wells Fargo & Company	319	3.067
	Outras	6.703	9.501
	TOTAL DE AÇÕES ORDINÁRIAS	$10.402	$37.619

Fonte: Relatório Anual da Berkshire Hathaway, 2000.
Observação: Valores em dólares grafados em milhões.

Tabela A.25 Carteira de ações ordinárias da Berkshire Hathaway – 2001			
NÚMERO DE AÇÕES	EMPRESA	CUSTO	VALOR DE MERCADO
151.610.700	American Express Company	$1.470	$5.410
200.000.000	The Coca-Cola Company	1.299	9.430
96.000.000	The Gillette Company	600	3.206
15.999.200	H&R Block, Inc.	255	715
24.000.000	Moody's Corporation	499	957
1.727.765	The Washington Post Company	11	916
53.265.080	Wells Fargo & Company	306	2.315
	Outras	4.103	5.726
	TOTAL DE AÇÕES ORDINÁRIAS	$8.543	$28.675

Fonte: Relatório Anual da Berkshire Hathaway, 2001.
Observação: Valores em dólares grafados em milhões.

Tabela A.26 Carteira de ações ordinárias da Berkshire Hathaway – 2002

NÚMERO DE AÇÕES	EMPRESA	CUSTO	VALOR DE MERCADO
151.610.700	American Express Company	$1.470	$5.359
200.000.000	The Coca-Cola Company	1.299	8.768
15.999.200	H&R Block, Inc.	255	643
24.000.000	Moody's Corporation	499	991
1.727.765	The Washington Post Company	11	1.275
53.265.080	Wells Fargo & Company	306	2.497
	Outras	4.621	5.383
	TOTAL DE AÇÕES ORDINÁRIAS	$9.146	$28.363

Fonte: Relatório Anual da Berkshire Hathaway, 2002.
Observação: Valores em dólares grafados em milhões.

Tabela A.27 Carteira de ações ordinárias da Berkshire Hathaway – 2003

NÚMERO DE AÇÕES	EMPRESA	CUSTO*	VALOR DE MERCADO
151.610.700	American Express Company	$1.470	$7.312
200.000.000	The Coca-Cola Company	1.299	10.150
96.000.000	The Gillette Company	600	3.526
14.610.900	H&R Block, Inc.	227	809
15.476.500	HCA Inc.	492	665
6.708.760	M&T Bank Corporation	103	659
24.000.000	Moody's Corporation	499	1.453
2.338.961.000	PetroChina Company Limited	488	1.340
1.727.765	The Washington Post Company	11	1.367
56.448.380	Wells Fargo & Company	463	3.324
	Outras	2.863	4.682
	TOTAL DE AÇÕES ORDINÁRIAS	$8.515	$35.387

Fonte: Relatório Anual da Berkshire Hathaway, 2003.
Observação: Valores em dólares grafados em milhões.

NOTAS

APRESENTAÇÃO DA PRIMEIRA EDIÇÃO

1. N. da T.: Subscrição. Esquema de lançamento de ações mediante subscrição pública para o qual uma empresa encarrega um intermediário financeiro que será responsável por sua colocação no mercado.
2. Palestrante e escritor americano, autor de *Como fazer amigos e influenciar pessoas*, livro clássico sobre o comportamento aplicado à prática profissional.

CAPÍTULO 1: O MAIOR INVESTIDOR DO MUNDO

1. Loomis, Carol J. The Inside Story of Warren Buffett. *Fortune*, p. 30, 11 abr. 1988.
2. Buffett, Warren. The Superinvestors of Graham-and-Doddsville. *Hermes*, out. 1984.
3. Berkshire Hathaway. *Relatório Anual da Berkshire Hathaway*. 1999, p. 3.

CAPÍTULO 2: A FORMAÇÃO DE WARREN BUFFETT

1. Smith, Adam. *Supermoney*. Nova York: Random House, 1972, p. 178.
2. Graham,Benjamin; Dodd, David. *Security Analysis*. 3. ed. Nova York: McGraw-Hill, 1951, p. 38.
3. Ibid., 13.
4. Proferido por Warren Buffett na New York Society of Security Analysts, 6 dez. 1994. In: Kilpatrick, Andrew. *Of Permanent Value:* The Story of Warren Buffett. Birmingham, AL: AKPE, 2004, p. 1341.
5. Train, John. *The Money Masters*. Nova York: Penguin Books, 1981, p. 60.
6. Fisher, Philip. *Common Stocks and Uncommon Profits*. Nova York: Harper & Brothers, 1958, p. 11.
7. Ibid., 33.
8. Fisher, Philip. *Developing an Investment Philosophy*. Monografia n. 10, p. 1 - The Financial Analysts Research Foundation.
9. Agradeço ao autor por essas informações sobre Williams no excelente livro: Bernstein, Peter. *Capital Ideas:* The Improbable Origins of Modern Wall Street. Nova York: The Free Press, 1992..
10. Ibid., 151.
11. Ibid., 153.
12. In: <http://www.moneychimp.com>

13.BERNSTEIN, Peter. *Capital Ideas:* The Improbable Origins of Modern Wall Street. Nova York: The Free Press, 1992, p. 162.
14. KILPATRICK, Andrew. *Of Permanent Value:* The Story of Warren Buffett. Birmingham, AL: AKPE, 2000, p. 89.
15. O poderoso conceito de Munger de "grade de modelos mentais" é o tema do livro: HAGSTROM, Robert. *Investing:* The Last Liberal Art. Nova York: Texere, 2000.
16. Um comentário freqüente, amplamente citado.
17. LENZNER, Robert. Warren Buffett's Idea of Heaven: "I Don't Have to Work with People I Don't Like". *Forbes,* p.43, 18 out. 1993.
18. DAVIS, L. J. Buffett Takes Stock. *New York Times* ,1 abr. 1990, p. 61.
19. Ibid.
20. BERKSHIRE HATHAWAY. *Relatório Anual da Berkshire Hathaway*. 1987, p. 15.
21. BERKSHIRE HATHAWAY. *Relatório Anual da Berkshire Hathaway*. 1990, p. 17.
22. GRAHAM, Benjamin. *The Intelligent Investor*. 4. ed. Nova York: Harper & Row, 1973, p. 287.
23. ADAM SMITH'S MONEY WORLD. PBS, 21 out. 1993. Programa de TV. In: KILPATRICK, Andrew. *Of Permanent Value*. 2004, p. 1337.
24. BUFFETT, Warren. What We Can Learn from Philip Fisher. *Forbes,* p. 40, 19 out. 1987.
25. The Money Men—How Omaha Beats Wall Street. *Forbes,* p. 82, 1 nov. 1969.

CAPÍTULO 3: "NOSSO PRINCIPAL NEGÓCIO SÃO OS SEGUROS": O INÍCIO DA BERKSHIRE HATHAWAY

1. BERKSHIRE HATHAWAY. *Relatório Anual da Berkshire Hathaway*. 1985, p. 8. Relatório.
2. BUFFETT, Warren. The Security I Like Best. *The Commercial and Financial Chronicle*. 6 dez. 1951. Reproduzido em: KILPATRICK, Andrew. *Of Permanent Value:* The Story of Warren Buffett. ed. rev. Birmingham: AKPE, 2000, p. 302.
3. BERKSHIRE HATHAWAY. *Relatório Anual da Berkshire Hathaway*. 1999, p. 9.
4. O preço de compra é muitas vezes cotado em US$ 22 bilhões e, de certa forma, isso é verdade. As duas empresas anunciaram em junho de 1998 que a Berkshire adquiriria todas as ações da General Re a um prêmio de 29% sobre o preço de fechamento da ação, trocando um valor equivalente em ações da Berkshire. Mas seis meses se passaram antes de o acordo ser finalmente fechado e, nesse período, os preços das duas ações caíram. Os acionistas da General Re receberam US$ 204,40 dólares por ação, em vez do valor de US$ 276,50 que as ações tinham em junho. O preço de compra real foi, assim, de aproximadamente US$ 16 bilhões em ações da Berkshire em vez de US$ 22 bilhões. KILPATRICK, Andrew. *Of Permanent Value*. 2000, p. 18.
5. KILPATRICK, Andrew. *Of Permanent Value:* The Story of Warren Buffett. Birmingham, AL: AKPE, 2004, p. 354.

6. Berkshire Hathaway. *Relatório Anual da Berkshire Hathaway*. 2000.
7. ________________. *Relatório Trimestral da Berkshire Hathaway*. 2001. Carta especial aos acionistas.
8. ________________. *Relatório Anual da Berkshire Hathaway*. 2003.
9. N. da T.: Ações de baixo risco e emissor confiável.
10. Miles, Robert. *The Warren Buffett CEO*. Hoboken, NJ: Wiley, 2003, p. 70. In: Kilpatrick, Andrew. *Of Permanent Value*. 2004.
11. In: Kilpatrick, Andrew. *Of Permanent Value*. 2004, p. 375.
12. Berkshire Hathaway. *Relatório Anual da Berkshire Hathaway*. 2001.
13. Reunião anual da Berkshire Hathaway, 2001. In: Kilpatrick, Andrew. *Of Permanent Value*. 2004, p. 1358.
14. Berkshire Hathaway. *Relatório Anual da Berkshire Hathaway*. 1999, p. 6.

Capítulo 4: Comprando um negócio

1. *Fortune*, 31 out. 1994. In: Kilpatrick, Andrew. *Of Permanent Value*: The Story of Warren Buffett. Birmingham, AL: AKPE, 2004, p. 1340.
2. In: Kilpatrick, Andrew. *Of Permanent Value*: The Story of Warren Buffett. Birmingham: AKPE, 2000, p. 14.
3. Kilpatrick, Andrew. *Of Permanent Value*. 2004, p. 498.
4. Berkshire Hathaway. *Relatório Anual da Berkshire Hathaway*. 2003, p. 19.
5. Burke, Monte. Trailer King. *Forbes*, p. 72, 30 set. 2002.
6. ________________. *Relatório Anual da Berkshire Hathaway*. 2003, p. 5.
7. Ibid.
8. *Daily Nebraskan*, 10 abr. 2003. In: Kilpatrick, Andrew. *Of Permanent Value*. 2004, p. 728.
9.Berkshire Hathaway. *Relatório Anual da Berkshire Hathaway*. 2003, p. 6.
10. ________________. *Relatório Anual da Berkshire Hathaway*. 2002, p. 5.
11. N. da T.: Envasadora australiana de refrigerantes da Coca-Cola Company que abastece os mercados australiano e neozeolandês, além do Leste Europeu.
12. Palestra na University of Florida. Citado no jornal *Miami Herald*, 27 dez. 1998. In: Kilpatrick, Andrew. *Of Permanent Value*. 2004, p. 1350.
13.Berkshire Hathaway. *Relatório Anual da Berkshire Hathaway*. 1989, p. 17.
14. Lenzner, Robert. Warren Buffett's Idea of Heaven: 'I Don't Have to Work with People I Don't Like'. *Forbes*, p. 43, 18 out. 1993.
15. N. da T.: Teste educacional padronizado nos Estados Unidos, que visa a ajudar na seleção dos alunos para a entrada em diversas faculdades e universidades do aís (semelhante ao vestibular brasileiro).
16. Rowland, Mary. Mastermind of a Media Empire. *Working Woman*, p. 115, 11 nov. 1989.
17. N. da T.: Conjunto de documentos confidenciais do Departamento de Defesa dos Estados Unidos com detalhes sobre ações pós-Segunda Guerra relacionadas à Guerra do Vietnã, reunidos pelo Secretário de Defesa Robert McNamara em

1967. Os documentos foram entregues à imprensa em 1971 e começaram a ser publicados pelo *New York Times*. Com o recuo do *Times* em virtude da pressão do presidente Nixon, os documentos passaram então a ser publicados pelo *Washington Post*.

18. Kilpatrick, Andrew. *Of Permanent Value*. 2004, p. 398.
19. Ibid.
20. Ibid., p. 393.
21. Lenzner, Robert. *Warren Buffett's Idea of Heaven*. p. 43.

Capítulo 5: Orientações de investimento: princípios de negócios

1. Berkshire Hathaway. *Relatório Anual da Berkshire Hathaway*. 1987, p. 14.
2. *Fortune*, 11 abr. 1988. In: Kilpatrick, Andrew. *Of Permanent Value*: The Story of Warren Buffett. Birmingham, AL: AKPE, 2004, p. 1329.
3. Loomis, Carol J. The Inside Story of Warren Buffett. *Fortune*, p. 30, 11 abr. 1988.
4. *Fortune*, p. 11, 11 nov. 1993.
5. Berkshire Hathaway. *Relatório Anual da Berkshire Hathaway*. 1991, p. 15.
6. N. da T.: Lei do Congresso dos Estados Unidos que estabelece, entre outras coisas, que qualquer entidade que mantenha uma participação de 10% ou mais de um banco não poderá ter participação em negócios fora do setor bancário.
7. Berkshire Hathaway. Relatório Anual da Berkshire Hathaway. 1987, p. 7.
8. *BusinessWeek*, 5 jul. 1999. In: Kilpatrick, Andrew. *Of Permanent Value*. 2004, p. 1353.
9. Berkshire Hathaway. *Relatório Anual da Berkshire Hathaway*. 1989, p. 22.
10. ________________. *Relatório Anual da Berkshire Hathaway*. 1996, p. 15.
11. In: Berkshire Hathaway. *Relatório Anual da Berkshire Hathaway*. 1993, p.
12. Burke, Monte. Trailer King. *Forbes*, p. 72, 30 set. 2002.
13. Reunião Anual da Berkshire Hathaway, 1995, In: Kilpatrick, Andrew. *Of Permanent Value*. 2004, p. 1342.
14. *St. Petersburg Times*,15 dez. 1999. In: Kilpatrick, Andrew. *Of Permanent Value*. 2004, p. 1356.
15. *Fortune*, 22 nov. 1999. In: Kilpatrick, Andrew. *Of Permanent Value*. 2004, p. 1356.
16. *U.S. News & World Report*, 20 jun. 1994. In: Kilpatrick, Andrew. *Of Permanent Value*. 2004, p. 1340.
17. N. da T.: *Goodwill* é o conjunto dos elementos intangíveis provenientes de fatores tais como reputação, relação com clientes e fornecedores, localização etc., que contribuem para a valorização de uma empresa. O termo *goodwill* pode ser entendido como a diferença entre o valor da empresa (valor avaliado) e o seu valor de mercado. Não confundir com ágio, que é a diferença entre o valor da empresa e seu valor contábil. No setor de comércio, pode ser utilizado como "fundo de comércio".

18. BERKSHIRE HATHAWAY. *Reunião Anual da Berkshire Hathaway.* 1996. In: KILPATRICK, Andrew. *Of Permanent Value.* 2004, p. 1344.
19. TRAIN, John. *The Money Masters.* Nova York: Penguin Books, 1981, p. 60.
20. N. da T.: Estrada que liga Texas a Kansas, tradicionalmente utilizada para o transporte de gado.
21. HALKIAS, Maria. Berkshire Hathaway to Buy Maker of Tony Lama Boots. *Dallas Morning News*, 20 jun. 2000, p. 1D.
22. HALKIAS, Maria. CEO of Justin Industries to Retire. *Dallas Morning News*, 17 mar. 1999.
23. Halkias, Berkshire Hathaway to Buy Tony Lama Boots.
24. Berkshire Hathaway to Purchase Texas-Based Manufacturer. *Fort Worth-Star Telegram*, 21 jun. 2000.
25. KILPATRICK, Andrew. *Warren Buffett:* The Good Guy of Wall Street. Nova York: Donald Fine, 1992, p. 123.
26. HARRIS, Art. The Man Who Changed the Real Thing. *Washington Post*, 22 jul. 1985, p. B1.
27. BERKSHIRE HATHAWAY. *Relatório Anual da Berkshire Hathaway.* 1984, p. 8.

CAPÍTULO 6: ORIENTAÇÕES DE INVESTIMENTO: PRINCÍPIOS DE GESTÃO

1. BERKSHIRE HATHAWAY. *Relatório Anual da Berkshire Hathaway.* 1989.
2. ________________. *Relatório Anual da Berkshire Hathaway.* 1986.
3. LOOMIS, Carol J. The Inside Story of Warren Buffett. *Fortune*, p. 32, 11 abr. 1988.
4. BERKSHIRE HATHAWAY. *Relatório Anual da Berkshire Hathaway.* 2000, p. 6.
5. SellingPower. com <http://www.sellingpower.com>, out. 2001. In: KILPATRICK, Andrew. *Of Permanent Value*: The Story of Warren Buffett. Birminghan: AKPE, 2004, p. 659.
6. Ibid., 661.
7. N. da T.: Uma empresa que se candidata ao Chapter 11 do código de falência dos Estados Unidos indica uma tentativa de permanecer no negócio enquanto o governo supervisiona a "reorganização" das suas obrigações contratuais e dívidas.
8. BERKSHIRE HATHAWAY. *Relatório Anual da Berkshire Hathaway.* 2001, p. 5.
9. Puns Fly as Buffett Buys Fruit of the Loom. *Toronto Star*, 7 maio 2002.
10. THE WASHINGTON POST COMPANY. *Relatório Annual da The Washington Post Company.* 1992, p 5.
11. BERKSHIRE HATHAWAY. *Relatório Anual da Berkshire Hathaway.* 1991, p. 8.
12. ________________. *Relatório Anual da Berkshire Hathaway.* 1988, p. 5.
13. ________________. *Relatório Anual da Berkshire Hathaway.* 2002.
14. ________________. *Relatório Anual da Berkshire Hathaway.* 2003.
15. ________________. *Relatório Anual da Berkshire Hathaway.* 1986, p. 5.
16. THE COCA-COLA COMPANY. *Strategy for the 1980s.* Relatório.
17. N. T.: Os lemingues são roedores que migram em grandes grupos. Em virtude

de um mito de que eles cometem suicídio em massa se jogando ao mar, o termo é usado, por analogia, com o seguinte sentido: ato de seguir a multidão em investimentos que inevitavelmente levarão a prejuízos.

18. Berkshire Hathaway. *Relatório Anual da Berkshire Hathaway*. 1989, p. 22.
19. Ibid.
20. Grant, Linda. The $4 Billion Regular Guy. *Los Angeles Times Magazine*, p. 36, 7 abr. 1991.
21. Burke, Monte. Trailer King. *Forbes*, p. 72, 30 set. 2002.
22. Stern, William. The Singing Mobile Home Salesman. *Forbes*, p. 240, 26 out. 1992.
23. Burke, Monte. Trailer King. p. 72.
24. Berkshire Hathaway. *Relatório Anual da Berkshire Hathaway*. 1985, p. 19.
25. Rasmussen, Jim. Buffett Talks Strategy with Students. *Omaha World-Herald*, 2 jan. 1993, p. 26.
26. Berkshire Hathaway. *Relatório Anual da Berkshire Hathaway*. 2001, p. 3.
27. ________________. *Relatório Anual da Berkshire Hathaway*. 2003.
28. ________________. *Relatório Anual da Berkshire Hathaway*. 2003, pp. 7–8.
29. Relatado por Greg Miles. *Bloomberg News*, abr. 2003.
30. Berkshire Hathaway. Relatório *Anual da Berkshire Hathaway*. 1991. In: Kilpatrick, Andrew. *Of Permanent Value*. 2004, p. 1333.
31. ________________. *Relatório Anual da Berkshire Hathaway*. 2002, p. 3.
32. Ibid., 16.
33. ________________. *Relatório Anual da Berkshire Hathaway*. 2003, p. 9.
34. Reunião Anual da Berkshire Hathaway, 1993. In: Kilpatrick, Andrew. *Of Permanent Value*. 2004, p. 1335.
35. Berkshire Hathaway. *Relatório Anual da Berkshire Hathaway*. 2002, p. 21.

Capítulo 7: Orientações de investimento: princípios financeiros

1. Buffet, Warren. *Cartas aos Acionistas da Berkshire*. 1977–1983, p. 43.
2. Berkshire Hathaway. *Relatório Anual da Berkshire Hathaway*. 1987.
3. The Coca-Cola Company. *Strategy for the 1980s*. Relatório.
4. Berkshire Hathaway. Relatório Anual da Berkshire Hathaway. 1984, p. 15.
5. ________________. Relatório Anual da Berkshire Hathaway. 1986, p. 25.
6. Loomis, Carol J. The Inside Story of Warren Buffett. *Fortune*, p. 34, 11 abr. 1988.
7. Berkshire Hathaway. *Relatório Anual da Berkshire Hathaway*. 1990, p. 16.
8. Roberts, Chalmers M. *The Washington Post:* The First 100 Years. Boston: Houghton Mifflin, 1977, p. 449.
9. Ibid., 426.
10. Berkshire Hathaway. *Relatório Anual da Berkshire Hathaway*. 2002. In: Kilpatrick, Andrew. *Of Permanent Value:* The Story of Warren Buffett. Birmingham, AL: AKPE, 2004, p. 1361.

Capítulo 8: Orientações de investimento: princípios de valor

1. Berkshire Hathaway. *Reunião Anual da Berkshire Hathaway*. 2003. In: Kilpatrick, Andrew. *Of Permanent Value*. 2004, p. 1362.

2. Berkshire Hathaway. *Relatório Anual da Berkshire Hathaway*. 1989, p. 5.

3. Reunião Anual da Berkshire Hathaway. 1988. In: Kilpatrick, Andrew. *Of Permanent Value*. 2004, p. 1330.

4. Rasmussen, Jim. Buffett Talks Strategy with Students. *Omaha World-Herald*, 2 jan. 1994, p. 26.

5. O primeiro estágio aplica um crescimento anual de 15% por dez anos, a partir de 1988. No primeiro ano, 1988, os lucros do proprietário eram de US$ 828 milhões; no ano dez, eles serão de US$ 4,349 bilhões. A partir do ano 11, o crescimento desacelerará para 5% ao ano, no segundo estágio. No ano 11, os lucros do proprietário serão iguais a US$ 3,516 bilhões (US$ 3,349 bilhões × 5% + US$ 3,349 bilhões). Agora, podemos subtrair essa taxa de crescimento de 5% da taxa livre de risco do retorno (9%) e chegar a uma taxa de capitalização de 4%. O valor descontado de uma empresa com US$ 3,516 bilhões em lucros do proprietário capitalizados a 4% é de US$ 87,9 bilhões. Como esse valor, de US$ 87,9 bilhões, é o valor descontado dos lucros do proprietário da Coca-Cola no ano 11, precisaremos agora descontar esse valor futuro pelo fator de desconto ao final do ano dez [1/(1+0,09)10] = 0,4224. Assim, o valor da Coca-Cola é igual a seu valor residual (US$ 37,129 bilhões) mais a soma do valor presente dos fluxos de caixa durante esse período (US$ 11,248 bilhões) para um total de US$ 48,377 bilhões.

6. Berkshire Hathaway. *Relatório Anual da Berkshire Hathaway*. 1991, p. 5.

7. __________________. *Relatório Anual da Berkshire Hathaway*. 1985, p. 19.

8. __________________. *Relatório Anual da Berkshire Hathaway*. 1990, p. 16.

9. __________________. *Relatório Anual da Berkshire Hathaway*.1993, p. 16.

10. *Fortune*, 19 dez. 1988. In: Kilpatrick, Andrew. *Of Permanent Value*. 2004, p. 1331.

11. Buffet, Warren. *Cartas aos Acionistas da Berkshire*. 1977–1983, p. 53.

12. Berkshire Hathaway. *Relatório Anual da Berkshire Hathaway*. 2001, p. 5.

13. Berkshire Hathaway. *Relatório Anual da Berkshire Hathaway*. 2001, p. 15.

14. Shim, Grace. Berkshire Hathaway to Buy Fruit of the Loom. *Omaha World-Herald*, 4 nov. 2001.

15. Foust, Dean. This Trailer Deal Could Get Trashed. *BusinessWeek*, p. 44, 8 set. 2003.

16. Wells, David. Buffett Says He Will Not Increase Bid for Clayton. *The Financial Times*, ed. americana. 10 jul. 2003, p. 19.

Capítulo 9: Investindo em títulos de renda fixa

1. N. da T.: Prática de determinar o momento exato de comprar antes de uma alta ou vender antes de uma baixa no mercado de ações.

2. Berkshire Hathaway. *Relatório Anual da Berkshire Hathaway*. 2003.

3. N. da T.: *Current yield* pode ser traduzido como rendimento corrente de um título de renda fixa, ou seja, o rendimento não levando em consideração o prazo do título em questão. É calculado dividindo a taxa de juros do cupom pelo preço do título.
4. N. da T.: *Coupon bond*, obrigação ao portador com cupons destacáveis.
5. Berkshire Hathaway. *Relatório Anual da Berkshire Hathaway*. 1988, p. 14.
6. N. da T.: Refresco em pó artificial com sabores de fruta. Uma referência à versão da história de que Jim Jones instruiu mais de 900 pessoas em Jonestown a cometer suicídio em massa tomando Kool-Aid com cianureto.
7. Berkshire Hathaway. *Relatório Anual da Berkshire Hathaway*. 1990. In: Cunningham, Lawrence A. *The Essays of Warren Buffett:* Lessons for Corporate America. ed. rev. (publicação particular), p. 105.
8. Berkshire Hathaway. *Relatório Anual da Berkshire Hathaway*. 1990, p. 18.
9. Berkshire Hathaway. *Relatório Anual da Berkshire Hathaway*. 2002.
10. Berkshire Hathaway. *Relatório Anual da Berkshire Hathaway*. 2000.
11. Berkshire Hathaway. *Relatório Anual da Berkshire Hathaway*. 1988, p. 15.
12. N. da T.: Corruptela da palavra *blackmail* (chantagem), em que o "green" refere-se ao dinheiro. Em uma manobra muito criticada por Buffett, depois de comprar uma grande participação da empresa-alvo, em vez de finalizar a aquisição hostil, o "chantagista" se oferece para acabar com a ameaça à empresa vítima vendendo as ações de volta a ela com um prêmio substancial em relação ao preço de mercado.

Capítulo 10: Administrando sua carteira

1. Comunicação pessoal ao autor, ago. 1994.
2. Barry, Andrew. With Little Cheery News in Sight, Stocks Take a Break. *Barron's*, MW1, 16 nov. 1998 .
3. Berkshire Hathaway. *Relatório Anual da Berkshire Hathaway*. 1993, p. 15.
4. Ibid.
5. Surz, Ronald. R-Squareds and Alphas Are Far from different Alpha-Bets. *The Journal of Investing*, ver. 1998.
6. Entrevista com Warren Buffett, ago. 1994.
7. *Wall Street Journal*, 30 set. 1987. In: Kilpatrick, Andrew: *Of Permanent Value:* The Story of Warren Buffett. Birmingham, AL: AKPE, 2004, p. 1328.
8. *Outstanding Investor Digest*, 10 ago. 1995, p. 63.
9. Berkshire Hathaway. *Relatório Anual da Berkshire Hathaway*. 1993, p. 18.
10. Ibid., 13.
11. *Outstanding Investor Digest*, 8 ago. 1996, p. 29.
12. Berkshire Hathaway. *Relatório Anual da Berkshire Hathaway*. 1988, p. 18.
13. *Outstanding Investor Digest*, 8 ago. 1996, p. 29.
14. A palestra foi adaptada para um artigo na publicação *Hermes*, out. 1984. Columbia Business School, com o mesmo título. Citações retiradas do artigo.

15. Buffett, Warren. The Superinvestors of Graham-and-Doddsville. *Hermes* (out. 1984). Os superinvestidores que Buffett apresentou no artigo incluem Walter Schloss, que trabalhou na Graham-Newman Corporation em meados da década de 1950, junto com Buffett; Tom Knapp, outro aluno de Graham-Newman, que mais tarde abriu a Tweedy-Browne Partners com Ed Anderson, também um seguidor de Graham; Bill Ruane, um ex-aluno de Graham que abriu o Sequoia Fund; o sócio de Buffett, Charlie Munger; Rick Guerin da Pacific Partners; e Stan Perlmeter da Perlmeter Investments.
16. Ibid.
17. N. da T.: Nifty-Fifty era um termo informal utilizado para se referir às 50 mais populares ações das maiores empresas negociadas na bolsa de Nova York.
18. Buffett, Warren. The Superinvestors of Graham-and-Doddsville. *Hermes*, out. 1984.
19. Sequoia Fund. *Relatório Anual da Sequoia Fund*. 1996.
20. Jansson, Solveig. GEICO Sticks to Its Last. *Institutional Investor*, jul. 1986, p. 130.
21. Berkshire Hathaway. *Relatório Anual da Berkshire Hathaway*. 1986, p. 15.
22. *Outstanding Investor Digest*, 8 ago. 1996, p. 10.
23. Berkshire Hathaway. *Relatório Anual da Berkshire Hathaway*. 1996.
24. Berkshire Hathaway. *Relatório Anual da Berkshire Hathaway*. 2001, p. 4.

Capítulo 11: A psicologia do dinheiro

1. *BusinessWeek*, 5 jul. 1999. In: Kilpatrick, Andrew. *Of Permanent Value:* The Story of Warren Buffett. Birmingham, AL: AKPE, 2004, p. 1353.
2. Loomis, Carol. ed., Mr. Buffett on the Stock Market. *Fortune*, 22 nov. 1999.
3. Reunião Anual da Berkshire Hathaway. 2002. In: Kilpatrick, Andrew. *Of Permanent Value*. 2004, p. 1360.
4. Hulbert, Mark. Be a Tiger Not a Hen. *Forbes*, p. 298, 25 maio 1992.
5. Berkshire Hathaway. *Relatório Anual da Berkshire Hathaway*. 1990, p. 17.
6. __________________. *Relatório Anual da Berkshire Hathaway*. 1992, p. 6.
7. __________________. *Relatório Anual da Berkshire Hathaway*. 1986, p. 16.
8. Graham, Benjamin. *The Intelligent Investor*: A Book of Practical Counsel. Nova York: Harper & Row, 1973, p. 107.
9. *Outstanding Investor Digest*, 5 maio 1995, p. 51.
10. Graham. *The Intelligent Investor*, p. 107.
11. O'Reilly, Brian. Why Can't Johnny Invest?. *Fortune*, p. 73, 9 nov. 1998.
12. Fuerbringer. Why Both Bulls and Bears Can Act So Bird-Brained. *New York Times*, 30 mar. 1997, seção 3, p. 6.
13. Kilpatrick, Andrew. *Of Permanent Value:* The Story of Warren Buffett. Birmingham: AKPE, 1998, p. 683.

Capítulo 12: O homem irracional

1. Esta citação foi utilizada para descrever Warren Buffett no artigo de Shahan, V. Eugene. Are Short-Term Performance and Value Investing Mutually Exclusive?. *Hermes*, prim. 1986.
2. Loomis, Carol J. The Inside Story of Warren Buffett. *Fortune*, p. 30, 11 abr. 1988.
3. N. da T.: Medida do risco de um determinado ativo, que estima a sensibilidade do ativo em relação a determinado índice.
4. Loomis, Carol J. The Inside Story of Warren Buffett. *Fortune*, p. 34, 11 abr. 1988.
5. *Fortune*, 4 jan. 1988. In: Kilpatrick, Andrew. *Of Permanent Value*: The Story of Warren Buffett. Birmingham, AL: AKPE, 2004, p. 1329.
6. Loomis, Carol J. Inside Story. p. 28.
7. Grant, Linda. The $4 Billion Regular Guy. *Los Angeles Times Magazine*, p. 36.
8. Berkshire Hathaway. *Relatório Anual da Berkshire Hathaway*. 1993, p. 15.
9. Reunião Anual da Berkshire Hathaway. 1993. In: Kilpatrick, Andrew. *Of Permanent Value*. 2004, p. 1335.
10. Berkshire Hathaway. Relatório Anual da Berkshire Hathaway. 1987, p. 15.
11. Lenzner, Robert. Warren Buffett's Idea of Heaven: 'I Don't Have to Work with People I Don't Like'. *Forbes*, p.40, 18 out. 1993.
12. Berkshire Hathaway. Relatório Anual da Berkshire Hathaway. 1992, p. 6.

Epílogo: O jeito Warren Buffett de investir

1. N. da T.: Prestigioso título obtido por muitos analistas de Wall Street, que os certifica a examinar e analisar ações e obrigações. Requer três anos de estudo e testes em economia, contabilidade financeira, gestão de carteiras, análise quantitativa e de títulos e ética.
2. Investing: Profession or Business? Thoughts on Beating the Market Index. *The Consilient Observer*, v. 2, n. 14, 15 jul. 2003.
3. Comentário de Legg Mason sobre o mercado, 25 jan. 1999.

AGRADECIMENTOS

Para começar, gostaria de expressar minha profunda gratidão a Warren Buffett por seus ensinamentos e por me permitir utilizar seu material protegido por direitos autorais. É quase impossível aprimorar o que Warren já disse. O melhor deste livro foi a possibilidade de utilizar as próprias palavras dele em vez de submeter o leitor a paráfrases.

Agradeço também a Charlie Munger por sua contribuição ao estudo dos investimentos. Suas idéias sobre a "psicologia da má decisão" e a "malha de modelos mentais" são extremamente importantes e devem ser estudadas por todos. Também agradeço a Charlie pelas conversas que tive com ele e por ele ter sido um dos primeiros a me oferecer palavras de incentivo e apoio.

No desenvolvimento de minhas habilidades como investidor, ninguém foi mais importante na minha transição da teoria à pratica do que Bill Miller. Bill tem sido meu amigo e mentor intelectual por mais de 20 anos. Sua generosidade é inigualável. Como CEO da Legg Mason Capital Management, Bill me levou pela mão e me mostrou como aplicar a abordagem de Warren Buffett a todos os tipos de empresas, incluindo as participantes nos cenários da Nova Economia. O fato de Bill não ser apenas um amigo e professor, mas também um colega, é particularmente empolgante para mim.

Eu tenho a sorte de trabalhar em um ambiente que apóia e promove o investimento racional. Assim, gostaria de agradecer a todos os meus colegas na Legg Mason, incluindo Nancy Dennin, Mary Chris Gay, Ernie Kiehne, Kyle Legg, Ira Malis, Michael Mauboussin, Jennifer Murphy, David Nelson, Randy Befumo, Scot Labin, Jay Leopold, Samantha McLemore, Mitchell Penn, Dale Wettflaufer e Jean Yu.

Ao longo dos anos, me beneficiei em muito das várias conversas sobre Warren Buffett com muitas pessoas inteligentes. A lista inclui

Bob Coleman, Tom Russo, Chris Davis, David Winters, Jamie Clark, Bill Ruane, Bob Goldfarb, Lou Simpson, Ajit Jain, Lisa Rapuano, Alice Schroeder, Chuck Akre, Al Barr, David Braverman, Wally Weitz, Mason Hawkins, Larry Pidgeon e Ed Thorp.

Várias pessoas me ajudaram nas pesquisas para seções diferentes deste livro. Meus agradecimentos a Justin Green, Joan Lamm-Tennant, Pat Shunk, Michael Levitan, Stewart Davis, Mary Mclaugh, John Fitzgerald e Linda Penfold.

Vários investidores importantes apoiaram o livro desde o início. Agradeço muito a Peter Lynch, John Rothchild, Jack Bogle, Phil Fisher, Ken Fisher e Ed Haldeman.

Ao longo dos anos, tive o prazer de interagir com vários escritores que, à sua maneira, também são especialistas no pensamento de Buffett. Agradecimentos especiais a Andy Kilpatrick, que na minha opinião, é o historiador oficial da Berkshire Hathaway. Agradeço também a Roger Lowenstein, Henry Emerson, Janet Lowe, Carol Loomis e Larry Cunningham.

Três jovens mulheres talentosas e extremamente inteligentes contribuíram de forma extraordinária na criação do livro, cada uma conduzindo uma pesquisa especializada e o desenvolvimento do manuscrito. Meus calorosos agradecimentos a Ericka Peterson, Cathy Coladonato e Victoria Larson.

Além de todas as pessoas citadas acima, é inigualável a gratidão que devo à minha parceira neste livro, Maggie Stuckey. Apesar de trabalharmos em extremos opostos do continente, Maggie tem o misterioso dom de entrar na minha cabeça e saber exatamente o que eu quero dizer, muitas vezes antes de mim. Ela é uma profissional dedicada que trabalhou incansavelmente para aprimorar este livro; considero-me afortunado de tê-la ao meu lado.

Meu relacionamento com a John Wiley & Sons sempre foi uma fonte de satisfação. Myles Thompson, meu amigo e editor, defendeu o livro quando ninguém tinha ouvido falar dele e nenhum exemplar havia sido vendido. Obrigado, Myles. Também gostaria de agradecer a Joan O'Neil, Pamela van Giessen, Mary Daniello e os outros profissionais da John Wiley por seu cuidado e atenção com o meu texto sobre Warren Buffett.

Sou enormemente agradecido à minha agente, Laurie Harper, da Sebastian Literary Agency. Laurie é, em resumo, especial. Ela conduz seu trabalho com honestidade, lealdade, integridade, inteligência e senso de humor. Eu não poderia estar em melhores mãos. Meus agradecimentos também ao finado Michael Cohn por ter apostado em um escritor de primeira viagem dez anos atrás.

Qualquer pessoa que tenha se sentado para escrever um livro sabe o significado de horas intermináveis em solidão que, de outra forma, deveriam estar sendo desfrutadas com a família. Minha esposa, Maggie, é uma fonte constante de amor e apoio. Quando eu disse a ela que escreveria este livro, ela sorriu e me convenceu de que isso era possível. Ao longo dos meses que se seguiram, ela cuidou de nossa família, me concedendo o luxo de escrever. Meu amor sem fim aos meus filhos, Kim, Robert e John, e à minha esposa, que torna tudo possível para mim. Apesar de serem os últimos da lista, eles estarão para sempre em primeiro lugar no meu coração.

Por tudo o que é bom e correto neste livro, agradeço às pessoas que mencionei. Por quaisquer erros ou omissões, assumo toda a responsabilidade.

R. G. H.

Impresso por
EGB
Editora Gráfica Bernardi Ltda
Aqui, os sentimentos são impressos.
Tel/Fax: 11 6422-6459
www.egb.com.br